O Cardeal da Resistência
As muitas vidas de dom Paulo Evaristo Arns

patrocínio

Família Hallack

apoio

realização

O Cardeal da Resistência
As muitas vidas de dom Paulo Evaristo Arns

Ricardo Carvalho

com:

Antonio Carlos Fester,
Inês Caravaggi e
Maria Angélica Rittes

Mensagem do Governo do Estado de São Paulo

Quem quer agradar a Deus precisa amar o que Ele ama: as pessoas. O ensinamento é de dom Paulo Evaristo Arns, arcebispo emérito de São Paulo. Aos 92 anos, que acaba de completar, ele vive o que ensina com alegria, coragem e profunda fé.

Este livro conta, a muitas vozes, uma grande história de amor ao próximo, à inteligência e à liberdade. Desde muito cedo, na vida de dom Paulo, encontraremos a especial ternura franciscana pelos mais pobres, mais indefesos e mais sozinhos. Em sua igreja em São Paulo, o pastor acolheu e deu esperança aos feridos pela injustiça. Enquanto os protegia, lutou. Escolheu a linha de frente para defender as pessoas que Deus lhe confiou e, assim, ajudou a mudar a história do Brasil.

Homenagear em livro um grande amigo dos livros, como dom Paulo Evaristo Arns, é uma honra e uma grande responsabilidade. Por isso, esperamos que esta publicação inspire o leitor, sobretudo o mais jovem, e o torne atento aos valores que a lanterna do pastor aponta: fraternidade e solidariedade, justiça, paz, ética, amor entre as pessoas – além da coragem para defender esses valores, sempre que necessário. Teremos então a melhor homenagem a dom Paulo. Ele também ensina que nós vivemos, de fato, é naqueles a quem inspiramos.

Geraldo Alckmin
Governador do Estado de São Paulo

Dom Paulo: uma mensagem universal

A biografia de dom Paulo é um projeto que me emociona, não só por ser uma história importante para mim e para minha família, mas, sobretudo, porque é um livro fundamental para o país. Acredito que dom Paulo esteja entre aqueles poucos escolhidos que personalizam, em sua forma mais natural, o amor e a solidariedade cristã. Sua história é de integridade, dignidade, amor ao próximo e defesa da vida.

Conheci dom Paulo em meados dos anos setenta – quando presidia a Associação Nacional dos fabicantes de veículos Automotores (ANFAVEA) e era diretor da Volkswagen do Brasil. Junto com sua Pastoral Operária, dom Paulo foi uma peça fundamental no diálogo entre montadoras e os seus trabalhadores. O uso da conversa franca e sincera para a composição dos interesses e a busca do bem comum sempre foi uma das características mais marcantes do arcebispo emérito de São Paulo. Temos exemplos dessa sua admirável qualidade na prolífica relação de trabalho que sempre manteve com o rabino Henry Sobel e com o pastor Jaime Wright, dentre muitos outros.

Outra característica marcante de dom Paulo é a amizade que candidamente estende àqueles com quem cria laços, afetivos ou de trabalho, convidando-os, pelo exemplo de sua conduta, a um profundo exercício de introspecção, de maneira a ali encontrar um ser humano cada vez melhor e mais digno. Dom Paulo nos insta, com sua presença, a difundir os maiores valores cristãos, à maneira como Jesus, no lago de Genesaré, chamou os seus discípulos a fim de se tornarem pescadores de homens.

A minha amizade com Dom Paulo se aprofundou através de outro amigo, o saudoso Levy Sodré Filho. Dom Paulo esteve ao meu lado em alguns dos momentos mais marcantes de minha vida. Em um primeiro momento ele foi o responsável por concretizar minha primeira visita ao papa João Paulo II, para a qual levei um documento que deu origem ao livro *O Imperativo do Diálogo* – o documento dava o norte para um entendimento entre empresários, trabalhadores e a Igreja, na complicada questão agrária brasileira. A carta foi escrita em conjunto com dom Luciano Mendes de Almeida, com a participação da Conferência Nacional dos Bispos do Brasil (CNBB) e a assinatura conjunto de seiscentos empresários brasileiros e com apoio do governo brasileiro.

Foi também por meio da generosidade de dom Paulo que conheci madre Tereza de Calcutá, momento que guardo na memória com profunda emoção.

Mas dom Paulo não foi só meu amigo. Antes, trata-se de um trabalhador infatigável em favor das causas que entende serem justas. Lembro-me, por exemplo, em 1979, quando a Volkswagen do Brasil pretendia demitir três mil funcionários, numa tentativa de desestabilizar o governo e os sindicatos. Naquele momento, em manifesta discordância com os objetivos da montadora, pedi o afastamento do cargo da Volks, bem como da minha posição na presidência da ANFAVEA. Após ter tomado essa decisão, que garantiu o emprego de três mil trabalhadores e que mudaria minha vida, fui procurar os conselhos do amigo.

Dom Paulo não somente apoiou meu pedido de demissão, como também indicou que meu caminho a partir de então deveria ser predominantemente político, direcionado para ajudar os menos favorecidos. O conselho dado demostra bem que a vocação de dom Paulo sempre foi a de atender aos mais carentes e ele nunca deixou de difundir que este é também o dever de todos, mormente os que se encontram em melhor posição para fazê-lo.

No comando de suas pastorais, dom Paulo cuida das crianças carentes e sem nutrição, dos operários, dos que foram vítimas de crimes e torturas, dos injustiçados e desafortunados de modo geral, dos doentes, dos esquecidos e marginalizados. Em 1992, quando o HIV ainda causava polêmica, dom Paulo criou a Pastoral dos Doentes de Aids, o que ressalta o seu caráter destemido e pioneiro.

Por tudo isso é que, quando inaugurei, em missa solene, a capela de Santo Antônio, na Faria Lima, ao lado das torres gêmeas da Brasilinvest, fiz questão de que dom Paulo celebrasse a primeira missa. Eu sabia então que são poucos os que possuem, como ele, a capacidade de unir pessoas de diferentes religiões e visões do mundo, como o presidente Gerald Ford, que era presbiteriano, e o secretário de tesouro Willian Simon, que era católico.

Sua mensagem de diálogo, tolerância e entendimento sempre foi universal.

O que vivi com dom Paulo foi uma pequeníssima fração da grandeza de vida desse santo homem público. Ao compulsar este livro, é bem possível que o leitor se impressione com a coragem de dom Paulo em ser o primeiro a defender aqueles para os quais muitos voltaram as costas. É provável também que se comova com a determinação de dom Paulo no debate das matérias que a maioria preferia deixar esquecidas. Contudo, o que move dom

Paulo não é a coragem. Esta é mera consequência do sentido de retidão, elemento que, em primeiro plano, norteia os seus passos. Dom Paulo sempre soube, em seu íntimo, distinguir o certo do errado – e sempre, em todos os momentos de sua vida, lutou pelo certo e por aquilo em que tinha convicção de ser onde o justo repousava.

Dom Paulo de Evaristo Arns é, portanto, um homem que me inspira, orgulha e guia. A partir das próximas páginas, certamente fará o mesmo por você.

Mário Garnero
Presidente

FORUM das AMÉRICAS

1985. Dom Paulo em sua mesa de trabalho.

Sumário

1 Obrigada, dom Paulo

Clarice Herzog
presidente do Conselho do Instituto Vladimir Herzog

Quando, ao lado de meus filhos, entrei na Catedral da Sé, naquele 31 de outubro de 1975, para assistir ao culto ecumênico celebrado pelo senhor, dom Paulo, pelo rabino Henry Sobel e pelo reverendo James Wright em memória do Vlado, tive a certeza de que ali encontraria solidariedade e também um espaço de expressão da indignação que tomava conta da sociedade.

Solidariedade e indignação estampadas no semblante daquelas oito mil pessoas que se juntaram na praça e no interior da Catedral para ouvir e reverberar a voz firme e serena de dom Paulo em sua mensagem-síntese: "Basta! Vladimir Herzog foi assassinado", desconstruindo a farsa armada pelo regime.

Obrigada, dom Paulo, por este basta, que calou fundo no coração de milhões de brasileiros assustados com a violência de um regime militar que parecia não ter limite. Ali, naquele instante, garantem historiadores, começaram a surgir as primeiras trincas no muro de um ditadura implacável.

Obrigada, dom Paulo, pela sua persistência e por sua coragem na luta pelos Direitos Humanos, pela Justiça e pela Liberdade. Ao liderar o projeto "Brasil Nunca Mais", o senhor mostrou ao mundo civilizado as atrocidades e torturas que castigaram homens e mulheres, de norte a sul do país.

Fique certo, dom Paulo, que, para mim e para meus filhos, o senhor foi um porto seguro e um sublimador da nossa tristeza e da nossa revolta. Para o Brasil, o senhor foi o Cardeal da Esperança.

Assim, é com muita emoção que digo, mais uma vez, muito obrigada, dom Paulo, que, a partir deste livro, idealizado para que todos os segmentos da sociedade possam ter acesso à sua história, ganha mais um merecido título: **O Cardeal da Resistência**.

Em 2009, Ivo e Clarice Herzog estiveram com dom Paulo para convidá-lo a participar do Conselho do Instituto Vladimir Herzog (IVH).

4. Entrevista do Presidente Geisel a pequeno grupo de jornalistas — citou o nome do Card. de São Paulo: Iria sentir sua mão forte.
5. Reação de Dom Aloísio Lorscheider
6. Levar a Brasília cerca de quarenta familiares de pessoas torturadas, desaparecidas ou condenadas + Dr. José Carlos Dias.
7. No carro, ao fechar a porta, Golbery lamentou: "Não pensei que tanta coisa ocorresse em nosso governo."

Dom Paulo preferiu não participar diretamente do IVH e entregou ao Ivo, de próprio punho, uma lista de fatos correlatos ao assassinato do Vlado e, ao final do bilhete, os temas que o Instituto deveria priorizar.

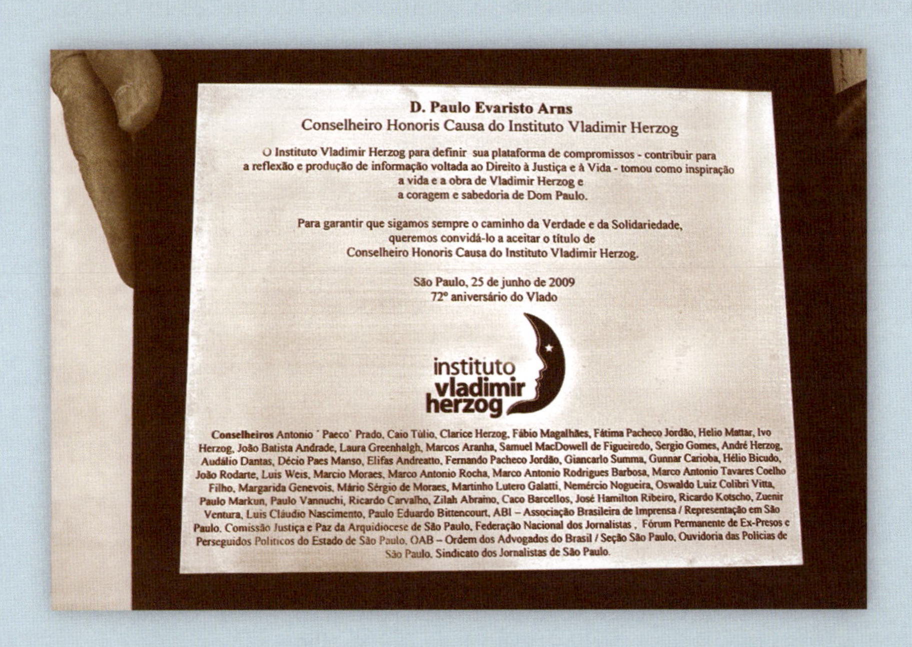

D. Paulo Evaristo Arns

Conselheiro Honoris Causa do Instituto Vladimir Herzog

O Instituto Vladimir Herzog para definir sua plataforma de compromissos - contribuir para a reflexão e produção de informação voltada ao Direito à Justiça e à Vida - tomou como inspiração a vida e a obra de Vladimir Herzog e a coragem e sabedoria de Dom Paulo.

Para garantir que sigamos sempre o caminho da Verdade e da Solidariedade, queremos convidá-lo a aceitar o título de Conselheiro Honoris Causa do Instituto Vladimir Herzog.

São Paulo, 25 de junho de 2009
72º aniversário do Vlado

instituto vladimir herzog

Conselheiros Antonio "Paeco" Prado, Caio Túlio, Clarice Herzog, Fábio Magalhães, Fátima Pacheco Jordão, Helio Mattar, Ivo Herzog, João Batista Andrade, Laura Greenhalgh, Marcos Aranha, Samuel MacDowell de Figueiredo, Sergio Gomes, André Herzog, Audálio Dantas, Décio Paes Manso, Elifas Andreatto, Fernando Pacheco Jordão, Giancarlo Summa, Gunnar Carioba, Hélio Bicudo, João Rodarte, Luis Weis, Marcio Moraes, Marco Antonio Rocha, Marco Antonio Rodrigues Barbosa, Marco Antonio Tavares Coelho Filho, Margarida Genevois, Mário Sérgio de Moraes, Martinho Lutero Galatti, Nemércio Nogueira, Oswaldo Luiz Colibri Vitta, Paulo Markun, Paulo Vannuchi, Ricardo Carvalho, Zilah Abramo, Caco Barcellos, José Hamilton Ribeiro, Ricardo Kotscho, Zuenir Ventura, Luis Cláudio Nascimento, Paulo Eduardo Bittencourt, ABI – Associação Brasileira de Imprensa / Representação em São Paulo, Comissão Justiça e Paz da Arquidiocese de São Paulo, Federação Nacional dos Jornalistas, Fórum Permanente de Ex-Presos e Perseguidos Políticos do Estado de São Paulo, OAB – Ordem dos Advogados do Brasil / Seção São Paulo, Ouvidoria das Policias de São Paulo, Sindicato dos Jornalistas de São Paulo.

Dom Paulo se tornou, então, conselheiro *honoris causa* do Instituto Vladimir Herzog.

2 Dicas para começar a ler o livro...

A equipe que trabalhou na elaboração deste livro, coordenada pelo jornalista Ricardo Carvalho, dá algumas dicas e sugestões para começar a ler o livro.

A primeira sugestão é bem simples e direta: você pode começar a ler pelo capítulo que quiser – são 65 capítulos –, porque o livro conta, de uma maneira amigável e de fácil acesso e entendimento, a revolução que dom Paulo promoveu na Igreja Católica, desde que chegou à cidade de São Paulo, em 1966, na qualidade de bispo-auxiliar.

Em qualquer capítulo você vai encontrar, independentemente do ano, uma ação de dom Paulo em defesa dos oprimidos e dos Direitos Humanos, contra a censura, a favor da liberdade, incentivando a organização do povo em comunidades, apoiando os movimentos sociais, denunciando a tortura de presos políticos, enfrentando militares – independentemente da patente – oferecendo a Catedral da Sé para missas e cultos ecumênicos.

Tudo isso narrado com fotos, trechos de documentos, recortes de jornais e revistas, desenhos, charges e um texto simples e coloquial que apenas alinhava as várias informações visuais, como o fato de ter sido a voz firme e serena do cardeal que primeiro anunciou ao mundo: "O jornalista Vladimir Herzog foi assassinado!" (E não cometeu suicídio, como queria o regime militar.)

Assim, nada mais justo que Clarice Herzog, presidente do Instituto Vladimir Herzog, que está oferecendo este livro ao grande público, faça, na abertura do livro, um agradecimento definitivo em nome dos brasileiros que foram buscar refúgio junto ao "Cardeal da Resistência". Na verdade, o agradecimento é em nome de todos os brasileiros, pois a nossa democracia deve muito ao trabalho incansável de pessoas como dom Paulo Evaristo Arns.

Equipe trabalhando: Inês Caravaggi, Angélica Rittes, Ricardo Carvalho e Antonio Carlos Fester

No capítulo 3 você vai entrar em contato com dois textos que demonstram a fonte de inspiração para todas as ações de dom Paulo: a sua profunda religiosidade. No capítulo 4, você vai conhecer um pouco sobre a família Arns, 13 irmãos dos quais 5 se tornaram religiosos.

Aí, vamos dizer, começa efetivamente a narrativa. Para que você possa matar a curiosidade e imediatamente folhear as 312 páginas, com 359 ilustrações, eu sugiro que você vá, primeiro, para o capítulo 64. Do grupo de profissionais apaixonados por dom Paulo que, ao meu lado, tornou este livro possível e a quem agradeço muitíssimo pela contribuição, as sugestões são as seguintes: Antonio Carlos Fester, escritor, capítulo 23; Angélica Rittes, jornalista e teóloga, capítulo 6; Inês Caravaggi, jornalista, capítulo 12; Maria Angela Borsoi, secretária particular de dom Paulo por mais de 40 anos, capítulo 27.

Está vendo como dá para começar a ler por onde você quiser?

Bom proveito,
Ricardo Carvalho

AGRADECIMENTOS

Uma coisa também é certa. Não teríamos nenhuma página para ler se não fosse o trabalho de todo um grupo de pessoas do bem que dedicou horas do seu tempo nas pesquisas iniciais, na checagem de um mundo de nomes, datas e informações. Gente como a querida, gentil e paciente Maria Angela Borsoi que trabalhou ao lado de dom Paulo como secretária durante 40 anos, 1 mês e 14 dias, como ela mesma gosta de precisar. Pois foi essa lúcida preocupação com a precisão que nos salvou de alguns equívocos, porque Maria Angela conhece a história de dom Paulo de trás pra frente, de cima para baixo, de cor e salteado. Com ela tivemos, pelo menos, uma dúzia de reuniões e trocamos dezenas de emails.

E mais. Maria Angela escreve tudo o que tem a dizer, como provam as anotações feitas em guardanapo do hospital, onde, durante um período, acabou se dividindo entre cuidar da mãe de 97 anos e ler a prova do livro.

Agradecer também a pessoas como Ana Flora Anderson, téologa que conheceu dom Paulo ainda bispo-auxiliar, na década de 60 e nunca deixou de trabalhar com ele, fazendo uma dobradinha com o frei Gilberto Gorgulho, dominicano, também teólogo e alter ego do nosso cardeal.

Como deixar de agradecer ao Ivo Herzog, por sua coragem em acreditar nas muitas possibilidades de espelhar, no Instituto Vladimir Herzog, o pensamento eclético do seu pai, o Vlado. A Rejane Dias, por sua moderna visão de editora fadada ao sucesso, ao Kiko Farkas com seu senso estético imbatível (com André Kavakama e Michele Alves, no apoio).

Agradecer aos nosso patrocinadores: Governo do Estado de São Paulo, Fórum das Américas e família Hallack.

São muitos os agradecimentos a todos que aceitaram o convite para escrever suas impressões sobre dom Paulo em suas dimensões espiritual, política e social e a todos que, de uma maneira ou de outra, deram sua contribuição para que este livro pudesse existir. São eles e elas:

Antonio Funari Filho, Chico Withaker, Clovis Rossi, Dalmo Dallari, Dom Angelico Sândalo Bernardino, Dom Antonio Celso Queiroz, Dom Cláudio Hummes, Douglas Mansur, Fabiana Dias, Fábio Comparato, Fernando Altemeyer, Fernando Morais, Fernando Pacheco Jordão, Frei Betto, Giane Morato, Helio Bicudo, Irmã Devani Maria De Jesus, Irmã Maria Helena Arns, Jair Mongelli Junior (Arquivo Dom Duarte), Jan Rocha, José Carlos Dias, Jose De Souza Martins, José Luiz Del Roio, José Gregori, Juca Kfouri, Leonardo Boff, Luis Eduardo Grenhalgh, Luiz Viegas De Carvalho, Luiza Novaes, Simone Silva Fernandes e Luciana Orlandino (Cdm-Tuca), Luis Henrique da Silva (Lula), Marco Antonio Rodrigues Barbosa, Margarida Genevois, Maria Amélia Mello, Mariela Salaberry, Mario Simas, Marisa Basso, Mônica Dallari, Nair Benedicto e Ignez Capozzi, padre Cido Pereira, padre Ubaldo Steri, Ricardo Kotscho, Rogério Chaves, Rose Bringel, Ruth Bolognese, Samarone Lima, Sara Mendez, Valéria Ferreira (e Equipe do Arquivo Público do Estado de São Paulo) – Vladimir Sacchetta, e last but not least, minha mulher, Marcia, minha filha Julia e o Felipe.

3 A espiritualidade em dom Paulo

Há uma profunda religiosidade em todos os atos de dom Paulo, desde quando se ordenou frei da ordem dos franciscanos em 30 de novembro de 1945. E quem fala desta espiritualidade do cardeal é a téologa Ana Flora Anderson, o leigo Antonio Carlos Fester e a religiosa irmã Devani Maria de Jesus.

A IRMÃ DEVANI MARIA DE JESUS CONHECEU DOM PAULO EM 1969, NA PERIFERIA DE GOIÂNIA (GO), ONDE ELA TRABALHAVA E ELE FOI FAZER UMA VISITA PASTORAL. DE LÁ PARA CÁ SEMPRE TIVERAM UM CONTATO MUITO ESTREITO. EM 2013, QUANDO ESCREVEU ESTAS REFLEXÕES SOBRE A ESPIRITUALIDADE DO CARDEAL, A IRMÃ DEVANI ERA A PRESIDENTE DA CONGREGAÇÃO DAS FRANCISCANAS DA AÇÃO PASTORAL.

TUDO COMO DEUS QUISER

Espiritualidade compreende o modo de viver na busca para alcançar a plenitude da relação com o transcendente.

Assim vive dom Paulo Evaristo Cardeal Arns. Pessoa serena, agraciada pelos dons recebidos do Pai Eterno. No dia 14 de setembro, exaltação da Santa Cruz, ele nasceu. Foi batizado no dia 17 do mesmo mês, data em que a família franciscana celebra a festa dos Estigmas de São Francisco de Assis. "Não quero gloriar-me a não ser na cruz de Nosso Senhor Jesus Cristo" (Gl 6,14). Discípulo-missionário do Grande Mestre Jesus, fez das bem-aventuranças (Mt 5, 1-12) um programa de vida. Homem de uma forte espiritualidade, iluminado pelo Espírito Santo, jamais teve medo de enfrentar os maiores desafios para defender a vida ameaçada pela morte, a justiça e a verdade. Ao longo de sua caminhada, com muita lucidez, soube responder aos apelos de Deus por mais exigentes que fossem.

irmã Devani Maria de Jesus

Dom Paulo, o pastor, que com ternura, compaixão e misericórdia vive a solidariedade com os que carregam a cruz que pesa sobre os ombros do povo sofrido. Ao oferecer, todos os dias, no altar da Eucaristia, o pão e o vinho, reza ao Senhor da vida: "Dai-nos olhos para ver as necessidades e os sofrimentos dos nossos irmãos e irmãs; inspirai-nos palavras e ações para confortar os desanimados e oprimidos; fazei que, a exemplo de Cristo, e seguindo o seu mandamento, nos empenhemos lealmente no serviço a eles. Que vossa Igreja seja testemunha viva da verdade e da liberdade, da justiça e da paz, para que toda a humanidade se abra à esperança de um mundo novo", não como uma fórmula, mas como quem tem experimentado o que significa dar a vida para que outros tenham mais vida.

O dia de dom Paulo é marcado por momentos fortes do cultivo de sua espiritualidade. "Viver para Deus". Meditação da Palavra de Deus, oração pessoal e comunitária. Uma profunda intimidade com Deus Pai, Filho, Espírito Santo e Nossa Senhora. Intensa comunhão com a Igreja.

Todos os dias o seu olhar se volta para o mundo. Acompanha os acontecimentos pela leitura de jornais, revistas e artigos nacionais e internacionais. Assim tem sempre um novo motivo para intensificar a oração pela paz no mundo.

Homem místico, a exemplo de São Francisco de Assis, imerso em Deus e na natureza, contemplando o Cristo do Presépio, da Cruz e da Eucaristia, aos 92 anos, dom Paulo nos ensina que a maior liberdade é ter a certeza de estar nas mãos de Deus e buscar cada dia de novo a sua vontade, viver a alegria de sempre poder recomeçar.

Louvado sejas, meu Senhor, pela vida do nosso querido pastor, pai, irmão e amigo de todas as horas. Pelo seu testemunho de fé, esperança, confiança e coragem.

Setembro de 2013

O LEIGO É O ESCRITOR ANTONIO CARLOS FESTER, QUE TRABALHOU DIARIAMENTE, DURANTE OITO ANOS, NA COMISSÃO JUSTIÇA E PAZ, POR INDICAÇÃO DE FREI BETTO, E, COMO ELE GOSTA DE DIZER, "TIVE O PRIVILÉGIO DE CONVIVER COM DOM PAULO, COM SUA ALEGRIA, SEU ENTUSIASMO E SUA CONFIANÇA GRATUITA. ELE ME DELEGAVA ATRIBUIÇÕES QUE ME FIZERAM E FAZEM CRESCER, SER MAIS CRISTÃO – ELE SEMPRE ME EVANGELIZA – E SER MAIS HUMANO. OBRIGADO, DOM PAULO".

A espiritualidade é o fundamento da vida interior, o esvaziar-se de si mesmo para ficar pleno de Deus, para tentar amar como Jesus amou. A espiritualidade se fortalece na oração e tem como resultado o serviço aos outros, à vida, à natureza.

Nesse esvaziamento, o cardeal Arns insiste em que Paulo Evaristo não é ninguém, é Deus que trabalha nele. Dom Paulo é pleno dos dois elementos da espiritualidade de Jesus: o vertical, na intimidade com Deus; o horizontal, na sua relação com os outros, especialmente com os mais pobres, num amor incondicional, gratuito.

Grande parte de suas mensagens se inicia com: "Meus amigos. Católicos, Cristãos, Homens que procuram a Deus e que seguem sua consciência na busca da Verdade e do Bem".

Dom Paulo alimenta sua espiritualidade rezando a missa diariamente, em qualquer circunstância, em toda a sua vida; sua mística baseia-se na Eucaristia, na observância da liturgia das horas, na ascese.

Sempre invoca o Espírito Santo, outra de suas grandes paixões, que sempre o assistiu, insiste, nos momentos mais difíceis, quando tentava dialogar com opressores. E não deixa por menos sua fidelidade à Mãe de Deus, devoto incondicional de Maria.

Em sua autobiografia ele destaca cinco elementos pedagógicos que marcaram sua existência: a leitura meditada dos Evangelhos; a liberdade; a religiosidade; o lembrar-se sempre do povo sofrido, não esquecê-lo jamais; não esquecer também a missão da Igreja: "em meio à gente sofrida, mas sempre esperançosa".

Intelectualmente, sua espiritualidade baseia-se também no estudo da Patrística, sendo um especialista em São Jerônimo, nas ideias de Duns Escoto, na pobreza franciscana.

E pobreza, escreveu ele, significa "a entrega total a Cristo, sem outras compensações terrenas que não fossem a glorificação do Filho de Deus e a homenagem total do universo a Jesus, centro de toda a criação".

Essa espiritualidade orientou e orienta toda a vida e a ação de Paulo Evaristo Arns, para mim, o Cardeal dos Direitos Humanos.

Setembro de 2013

A téologa Ana Flora Anderson

A PARTIR DE UM MANUSCRITO DE DOM PAULO DE MARÇO DE 2009, A TÉOLOGA ANA FLORA ANDERSON IDENTIFICA, EM TRÊS FRASES, TRAÇOS FUNDAMENTAIS DA ESPIRITUALIDADE DE DOM PAULO. ALIÁS, QUATRO FRASES, PORQUE A ÚLTIMA DOM PAULO ESCREVEU EM GREGO E QUER DIZER: "FELIZES OS POBRES, DELES É O REINO DE DEUS".

AS FRASES:

1. Nossa vida só tem sentido se a transformarmos em Evangelho para os dias de hoje.

2. A esperança pode levar a humanidade para a Paz.

3. O Deserto é a Catedral onde Deus se revela.

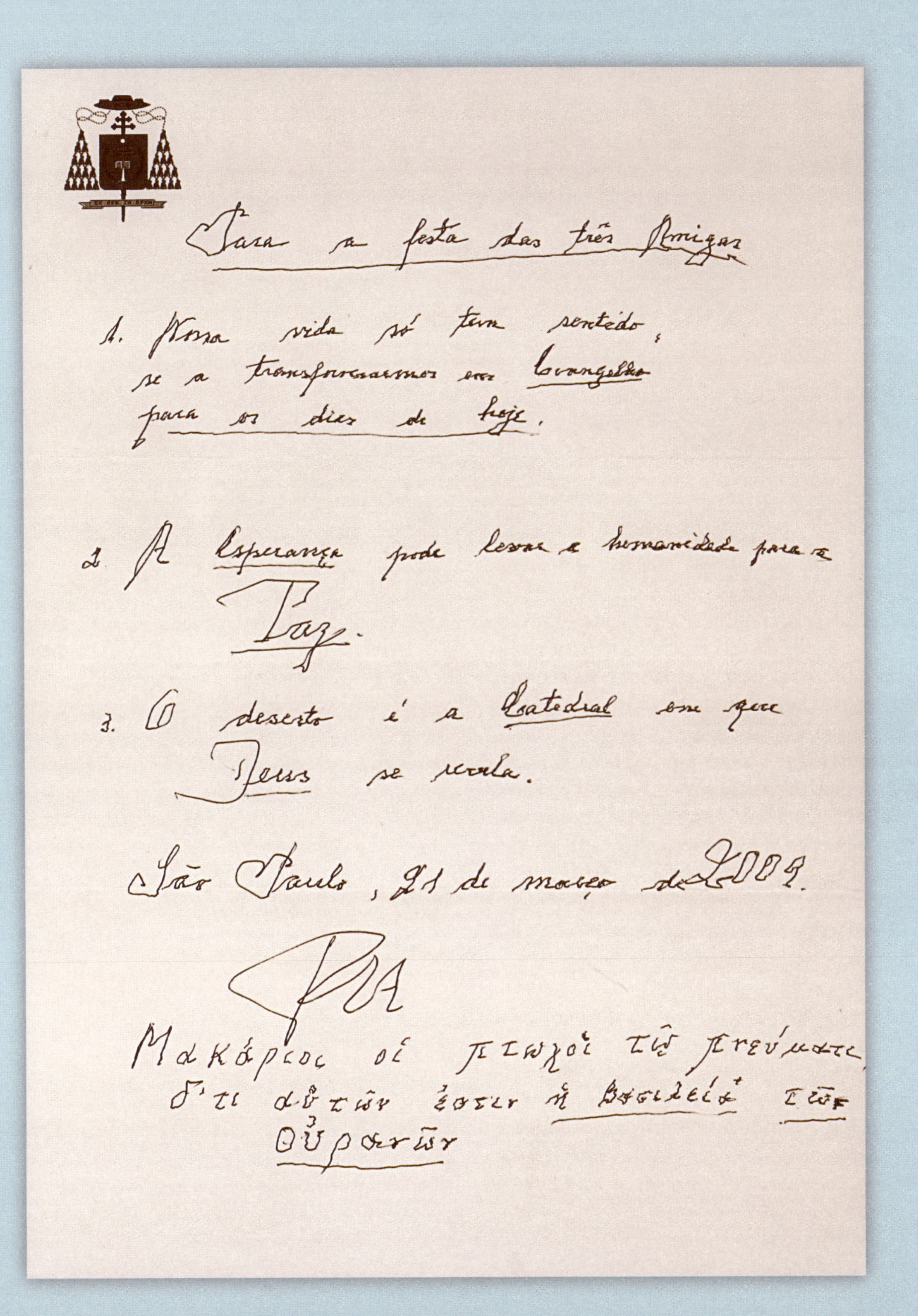

Para a festa das três Amigas

1. Nossa vida só tem sentido, se a transformarmos em Evangelho para os dias de hoje.

2. A Esperança pode levar a humanidade para a Paz.

3. O deserto é a Catedral em que Deus se revela.

São Paulo, 21 de março de 2004.

Μακάριοι οἱ πτωχοὶ τῷ πνεύματι, ὅτι αὐτῶν ἐστιν ἡ βασιλεία τῶν οὐρανῶν

4 Descobrimos que 271 palavras podem valer tanto quanto 1.000 imagens!

É só ler a forma graciosa como uma das irmãs do cardeal, a madre Maria Helena, descreve a infância do garoto Paulo

Diz dom Paulo que foram nossos pais e seus doze manos que lhe deram uma infância feliz e lhe transmitiram verdadeira paixão pela criança. Com meus três a quatro anos, e três anos mais nova do que ele, já experimentava esse seu carinho. Acompanhava-o onde era possível, até quando ia cortar folhas de coqueiro, na coivara, para o lindo cavalo mouro de meu pai. Quando o terreno e as árvores derrubadas se tornavam perigosos, ele me sentava em cima de uma tora, enchia o colo com coquinhos e pedia que ficasse aí até sua volta. Esperava-o com muito carinho.

Também me lembro que, aos seis, sete anos, ele rezava missa para nós. Não faltava nem a homilia. Já ia despertando o pequeno missionário. Eu me sentia muito feliz como sacristã que tocava a sinetinha e balbuciava algo parecido com o latim: "*Et cum spiritu tuo*".

Ao lado de nossa casa havia um rio, o rio Mãe Luzia. Lá tomávamos banho, aprendíamos a nadar, e era grande a diversão da criançada.

À margem havia um ingazeiro com ingás muito gostosos. Certa vez, o rio estava cheio e mamãe nos havia proibido de apanhar ingás. Mas não resistimos à tentação. Paulo subiu na árvore e nos atirava as frutinhas. De repente ouvimos a voz da mãe que nos chamava. Saímos correndo. Mas a última parte do barranco era íngreme e escorregadia. Havia chovido muito. Paulo subiu na frente e estendia a mão, puxando um por um para cima. Escapamos – e quem apanhou foi o Paulo. Isso doeu mais do que se nós tivéssemos apanhado, pois ele havia sido o nosso salvador...

DOM PAULO TAMBÉM SE LEMBRA DE UMA HISTÓRIA COM A SUA MANA HELENA:

Você sabe que um dia me salvou a vida. Você era pequena. Nós entramos na mata virgem para buscar folhas de Caité. Mamãe nos tinha dito que cortássemos as folhas onde passávamos, para marcar o caminho da volta. Depois de termos achado o que queríamos, perdendo o rumo, queríamos continuar o caminho mata a dentro. Então você sentou no chão, chorando dizia: "Não, não, é aqui", Mostrando com a mãozinha a volta no outro lado, nós nos teríamos perdido na mata virgem. Você nos salvou a vida.

NESTA CARTA, DE 22 DE SETEMBRO DE 2008, DIRIGIDA A TRÊS IRMÃS, DOM PAULO CONTA QUE VAI RECEBER A VISITA DO SENADOR EDUARDO SUPLICY:

Pedi que viesse sozinho, para encontro pessoal. Não sei ainda o significado do "encontro pessoal" para um insigne político (...). Afinal, a mãe dele, com 90 e poucos anos agora, o trazia uma vez cada 3 ou 4 semanas à Catedral da Sé. Vou abençoá-lo mais uma vez!

As manas sempre recebem mensagens de dom Paulo.

SÃO MENSAGENS CURTAS, CARINHOSAS, ESCRITAS DE PRÓPRIO PUNHO.

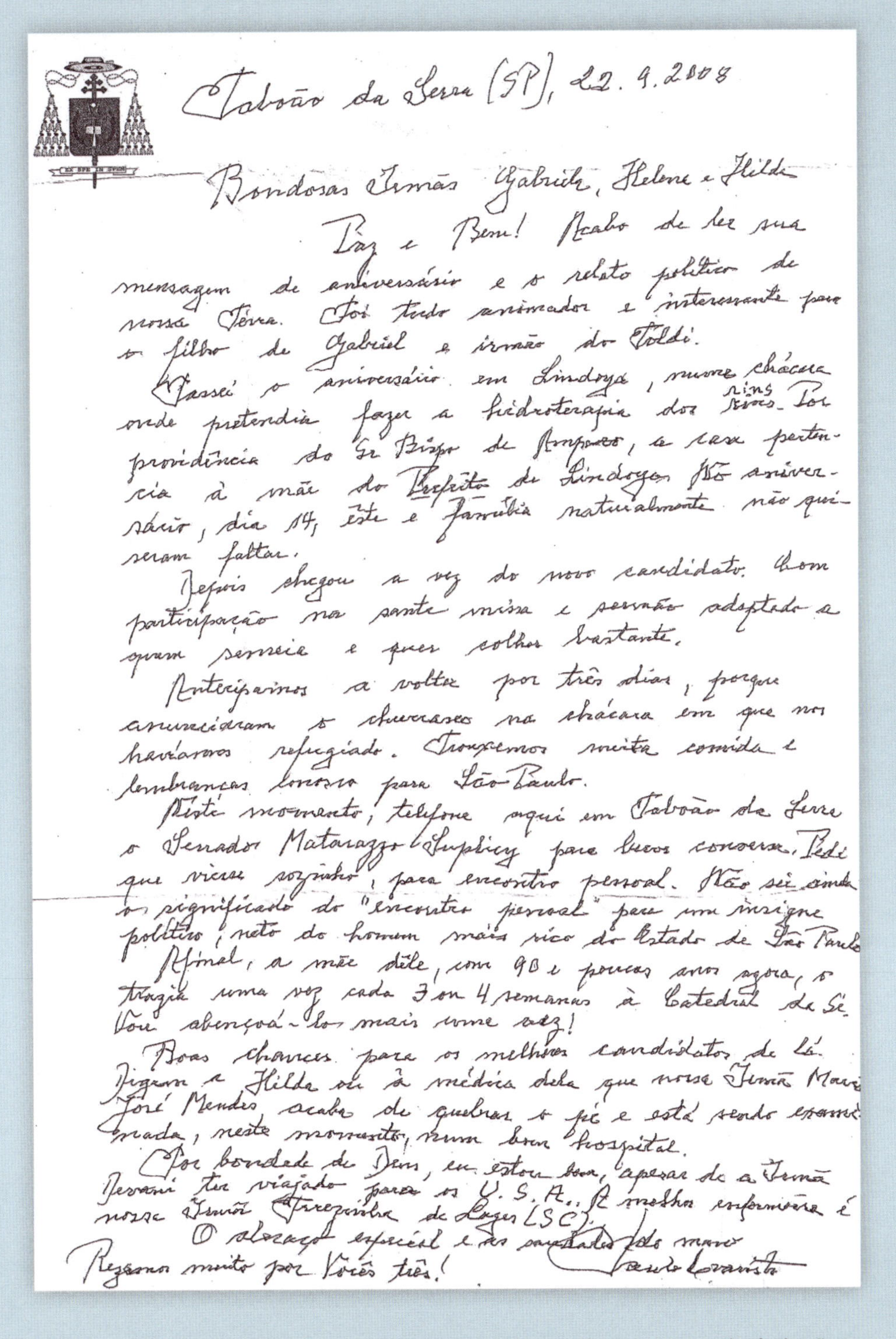

Taboão da Serra (SP), 22.9.2008

Bondosas Irmãs Gabriela, Helene e Hilda

Paz e Bem! Acabo de ler sua mensagem de aniversário e o relato político de nossa Terra. Foi tudo animador e interessante para o filho de Gabriel e irmão do Toldi.

Passei o aniversário em Lindoya, numa chácara onde pretendia fazer a hidroterapia dos rins. Por providência do Sr. Bispo de Amparo, a casa pertencia à mãe do Prefeito de Lindoya. No aniversário, dia 14, este e família naturalmente não quiseram faltar.

Depois chegou a vez do novo candidato. Com participação na santa missa e sermão adaptado a quem servia e quer colher bastante.

Antecipamos a volta por três dias, porque anunciaram o churrasco na chácara em que nos havíamos refugiado. Trouxemos muita comida e lembranças conosco para São Paulo.

Neste momento, telefone aqui em Taboão da Serra o Senador Matarazzo Suplicy para breve conversa. Pedi que viesse sozinho, para encontro pessoal. Não sei ainda o significado do "encontro pessoal" para um insigne político, neto do homem mais rico do Estado de São Paulo.

Afinal, a mãe dêle, com 90 e poucos anos agora, o trazia uma vez cada 3 ou 4 semanas à Catedral da Sé. Vou abençoá-los mais uma vez!

Boas chances para os melhores candidatos de lá.

Digam a Hilda ou à médica dela que nossa Irmã Maria José Mendes acaba de quebrar o pé e está sendo examinada, neste momento, num bom hospital.

Por bondade de Deus, eu estou bem, apesar de a Irmã Devani ter viajado para os U.S.A.. A melhor enfermeira é nossa Irmã Terezinha de Lages (SC).

O abraço especial e as saudades do mano

Paulo Evaristo

Rezamos muito por Vocês três!

Acima, reprodução de uma das muitas cartas que dom Paulo costuma enviar às irmãs.

EM 2010, DOM PAULO CUMPRIMENTA A IRMÃ GABRIELA PELOS 90 ANOS

Paz e Bem! Venho contigo agradecer a Deus, porque chegaste na vida à marca das noventa (90) primaveras.
Foi o que o Dono da Vida prometeu aos que honram pai e mãe. Tu, além disso, animaste toda a turma que veio depois".

EM VÁRIAS MENSAGENS DOM PAULO COMENTA COMO VAI A SAÚDE DELE, AS SAÍDAS PARA EXAMES... NESTA CARTINHA DE MARÇO DE 2011, ELE CONTA O QUE FAZ EM CASA PARA SE CUIDAR:

Ando duas ou três vezes no espaço que a Providência me reservou perto de casa. Na grama. Entre árvores, que plantamos junto com flores. São Francisco e o Lobo de Gubbio, que um confrade esculpiu, me observam.

EM MAIO DE DE 2011, DOM PAULO COMUNICA A VISITA DO FILHO DA SUA IRMÃ CAÇULA ZILDA ARNS, QUE MORREU TRAGICAMENTE EM 12 DE OUTUBRO DE 2010, EM UM TERREMOTO NO HAITI, E COMENTA A VIDA QUE SE LEVA NA CIDADE DE SÃO PAULO:

Aqui: Tivemos a visita por três dias do Dr. Nelson, filho e herdeiro da nossa irmã Zilda. Esteve em Campinas, em Franca e em São Paulo capital. Aliás, nossa Cidade respira violência e registra suicídios para além do normal.

Talvez por causa das mudanças de clima, cultiva religião por toda parte. Crise generalizada. Oxalá, também esta transitória.

O desalento e o medo só reencontram Esperança no Cristo Ressuscitado.

EM JULHO DE 2011, DOM PAULO VOLTA A FALAR SOBRE A SUA SAÚDE E, BEM-HUMORADO, COMPARA DOIS HOSPITAIS.

Aqui as coisas vão bem, conforme verificou ontem o grande especialista de "marca-passo" do Hospital do Coração Sírio-Libanês, o mais cotado dos hospitais do Brasil, excetuando-se, o que é evidente, o nosso de Criciúma, SC.

EM CARTA ÀS IRMÃS HILDA E HELENA, DE JUNHO DE 2012, DOM PAULO, SEMPRE PREOCUPADO COM OS DESTINOS DO MUNDO, INFORMA PARA ONDE VÃO ALGUMAS DE SUAS PRECES:

Estamos rezando pela reunião das Cúpulas dos Governos, no Rio. A crise geral busca saída e nossa missão como Igreja nos obriga a buscar também o indispensável socorro do alto.
A melhor bênção do mano
+ Paulo Evaristo ofm

E agora um pouquinho do álbum da família de 13 irmãos. Entre eles, três padres e duas freiras

QUEM ENVIOU AS FOTOS FOI A MESMA MADRE MARIA HELENA

Em 1933, com Filantra, a moça que cuidava das crianças. As manas de dom Paulo garantem que ela "cuidava muito do Paulinho, não devia faltar o arroz e ovo 'estralado' para ele...". Dom Paulo está com 12 anos e é o primeiro, na fila de trás, da direita para a esquerda.

Natal de 1938. Música era algo muito especial para a família de dom Paulo, que é o segundo da direita para a esquerda.

Ao voltar da Sorbonne, frei Evaristo celebra a primeira profissão religiosa de suas irmãs.

Primeira missa. Com a família e moradores, dom Paulo, já de óculos, e ao lado da mãe, se dirige à igreja para rezar sua primeira missa como frei.

A família Arns.
Na primeira fila, sentados, e sempre da esquerda para a direita: o pai, Gabriel, irmã M. Helena, irmã Gabriela, irmã Hilda e a mãe, Helena.
Fila do meio: frei Evaristo, Zilda, Zélia, Otília, Ida e frei João Crisóstomo.
Fila de trás: Max José, Felipe, Bertoldo e Osvaldo.

Carinho de mãe. Dona Helena Arns foi esperar no aeroporto a chegada do filho nomeado cardeal. Ele estava em Roma.

As brincadeiras preferidas da infância do pequeno Paulo...

NO ANO DE 2002, A PEDIDO DE UMA PEDAGOGA QUE PESQUISAVA QUAIS OS BRINQUEDOS FAVORITOS DAS CRIANÇAS DA PRIMEIRA METADE DO SÉCULO XX, DOM PAULO FOI ENTREVISTADO SOBRE SUA INFÂNCIA EM SANTA CATARINA.

Eu brincava na natureza, sempre na natureza. Gostava de bola, de disputa de corridas, de um jogo chamado "brigada", e de rolar nas "montanhas" de cascas de arroz que resultavam do trabalho de um descascador que a família possuía na colônia. Nelas, que eram semelhantes a pirâmides, nós pequenos subíamos até o topo, sentávamos abraçando os próprios joelhos ajuntados, formando como que uma bola com o corpo. Então soltávamo-nos lá do alto, rolando montanha abaixo... Quem chegava primeiro ao chão vencia a brincadeira. "Brigada" era uma disputa só de meninos, na qual se formavam dois grupos adversários que se postavam distanciados um diante do outro no gramado. Dada a partida, corria um menino de um dos lados avançando em direção ao grupo adversário e tentando agarrar um deles. Conseguindo, trazia-o "preso" para o próprio grupo. A brincadeira assim prosseguia sucessivamente, menino por menino, alternando os lados. O grupo que conseguisse "prender" mais adversários (concluindo por limpar o outro lado), ganhava o jogo. Essas duas, e todas as demais brincadeiras, especialmente as peladas (com bolas de meia) eram praticadas diariamente no tempo que sobrava após as aulas, as lições de casa e os eventuais trabalhinhos de ajuda aos grandes.

No caso de dom Paulo, ele contou que ajudou muito no plantio da mandioca, descrevendo que a turma ia "em fila, os menores segurando a raiz a ser plantada e os maiores à frente, preparando os buracos". Disse que era um tipo de linha de montagem que funcionava muito bem: os pequeninos iam colocando a mandioca nos buracos que os grandes iam deixando prontos, em fila. Mais tarde, ajudavam também na colheita.

Recordou ainda, com humor e satisfação, a ajuda que prestavam na fabricação de tijolos, dizendo lembrar-se bem de que eles, pequenos, consideravam "a maior penitência" ter de carregar tijolos atrás do pai e dos tios, ressaltando naturalmente o cuidado dos grandes para que o peso dos tijolos fosse adequado ao tamanho de cada criança. A tarefa, aqui, consistia em levá-los às prateleiras, onde aprendiam a arrumá-los um sobre outro, em pequenas pilhas, para a secagem final.

As meninas também ajudavam nessa tarefa, embora quase sempre sob protestos, por ser o tipo de ajuda que elas mais detestavam. De vez em quando, disse ele, "uma das irmãs mais velhas fazia arte para se vingar dos grandes, fazendo de tudo para que eles não identificassem a autoria... Arrumava um terrão (pelota dura e ressequida de terra), dando um jeito de o mesmo cair dentro do misturador (espécie de batedeira que misturava a massa que viria a ser tijolo). Quando isso acontecia, imediatamente parava de funcionar a engenhoca, e a turma miúda mais que depressa corria a descansar (porque os grandes tinham que aguardar um empregado que vinha não sei de onde para desemperrar a máquina)! Observação importante: não era elétrica, porque naquele tempo e naquele lugar nem eletricidade havia. O equipamento, vindo da Alemanha, trabalhava movido a lenha, assim acontecendo também com o descascador de arroz e o aparelho de fabricação de linguiças.

Concluindo o relato, dom Paulo comentou que, embora hoje seja inaceitável admitir crianças trabalhando, essa atividade infantil por ele relatada fazia parte da educação de todas as famílias lá na

A médica Zilda Arns foi uma espécie de anjo da guarda das crianças pobres brasileiras. Sua morte, no Haiti, em 2010, durante um terremoto, comoveu o mundo inteiro. Já existe, inclusive, um movimento para que em 2015 seja dado início ao processo de beatificação da doutora Zilda, segundo informações do bispo dom Aldo Pagotto, presidente do Conselho da Pastoral da Criança, instituição fundada por ela.

colônia onde viveu e cresceu. Lembrou que, afora a "penitência" em carregar tijolos, as demais tarefas eram apreciadas pela meninada. Hoje, atribui isso ao fato de os pais incentivarem os filhos ao estudo e ao trabalho, organizando o tempo de tal forma que sempre houvesse espaço para as brincadeiras. Enfim, não deixou de lembrar que, a cada ano, quinze dias antes do Natal, essa rotina era interrompida. A criançada então se reunia e era estimulada a "sumir", a fim de inventar surpresas para a grande festa. Na opinião dele hoje, tal iniciativa representou alto estímulo na criatividade de sua geração.

EM 2003, DOM PAULO, AO ESCREVER A APRESENTAÇÃO DO LIVRO DE SUA IRMÃ OTÍLIA, RELEMBRA HISTÓRIAS DOS PIONEIROS E DE FORQUILHINHA, SUA CIDADE NATAL.

Forquilhinha, a terra que me viu nascer, é dividida por um rio que tem o nome inesquecível de "Mãe Luzia"... Foi lá que, em 17 de setembro de 1921, meu jovem pai – bom canoeiro e fundador da futura cidade – me fez atravessar o rio nos braços de Verônica, irmã dele e minha futura madrinha. O rio, normalmente pacato e indiferente, por causa das chuvas transformara-se, naquele dia, em verdadeiro gigante, pelas ondas que subiam de três a quatro metros.

O esforço da travessia perigosa deve ser apreciado, porque meu pai levava-me para receber as águas do Batismo... Era o dia das Chagas de São Francisco de Assis, santo que iria despertar-me, para seguir-lhe em todos os entusiasmos da vida. Quando o Vigário de Nova Veneza, Miguel Giacca, perguntou a Verônica e Rodolfo como se chamaria a criança, ambos exclamaram: "Paulo será o seu nome". Poucos instantes depois, quando as águas puras daquela terra escorriam sobre a minha fronte, acredito que até os anjos do céu cantaram: "Nasceu um novo filho de Deus! Paulo é o seu nome".

A cena se tornou para mim tão simbólica porque, durante toda a minha vida, eu teria que atravessar rios caudalosos à procura de Deus e de seus filhos.

De Forquilhinha, após doze anos, levaram-me a Rio Negro, no Paraná, onde eu iria conhecer o maior amigo nesta terra: Francisco de Assis.

A Forquilhinha eu devo o maior milagre de minha vida: o de ter nascido numa família religiosa, sempre acarinhado por uma dúzia de irmãos e pelos pais mais extremosos.

Forquilhinha me fez filho de Deus e me abriu todas as portas para ser sacerdote, bispo, arcebispo, cardeal e amigo dos mais pobres do mundo.

O rio Mãe Luzia perdeu todo o seu brilho pelo carvão nele derramado, mas nunca deixou de ser a lembrança mais carinhosa e esperançosa de minha existência, isto é, ser filho de Deus, daquele Deus que me amou antes de eu nascer e me confiou a mensagem de amor a tudo o que existe na terra, obra de suas mãos e presente para todos aqueles que Ele me confiou como irmãos.

5 Dom Paulo é consagrado bispo-auxiliar do cardeal--arcebispo Agnelo Rossi

1966

A cidade de São Paulo ganha um bispo que adora reunir o povo e vai revolucionar a ação evangelizadora da Igreja

UMA VERSÃO PLAUSÍVEL

A versão que sempre circulou nos meios eclesiásticos conta que dom Agnelo Rossi, arcebispo de São Paulo, estava em busca de nomes para bispos-auxiliares. Sondou o frei Boaventura Kloppenburg, franciscano, com quem trabalhara no Secretariado Nacional para a Defesa da Fé. Agnelo Rossi, como responsável pelo Protestanismo, e Kloppenburg, pelo Espiritismo. Kloppenburg respondeu que sua vocação era o ensino e que estava aceitando o convite para dirigir o Centro de Formação do Conselho Episcopal Latino-Americano (CELAM) em Bogotá. Acrescentou que tinha um um nome para sugerir, confrade franciscano, que estava em Petrópolis e que havia sido seu colega como professor, no Instituto de Teologia Sagrado Coração de Jesus de Petrópolils. Acrescentou que era muito bom e competente. Seu nome: frei Evaristo Paulo Arns. Dom Agnello, sem conhecê--lo e respaldado pela indicação de Kloppenburg, enviou seu nome a Roma.

A REAÇÃO DE DOM PAULO

Em suas memórias, dom Paulo conta que chegou a recusar duas vezes a sua indicação de bispo. Ele estava em Roma e, chamado na Cúria Romana, ouviu dos cardeais que a nomeação era um "desejo explícito e expresso do Santo Padre, o Papa Paulo VI". Conta dom Paulo:

"Deixei os aposentos centenários do cardeal-prefeito da Congregação dos Bispos e me dirigi, de imediato, à Basílica de São Pedro, onde olhei para o lugar em que estavam os restos mortais de São Pedro. Então, pela primeira vez na vida adulta, quanto me lembro, eu chorei. Chorei tanto, que uma pessoa desconhecida veio bater-me no ombro perguntando: "O senhor padre está se sentindo mal?" Respondi: "Sim, mas só Deus pode curar esta fraqueza que no momento me invade o corpo e a alma."

Brasão com a cor verde do bispo dom Paulo. Anos depois, em 1973, já como cardeal, um outro escudo, parecido com este de bispo, foi criado com a cor vermelha, dos cardeais.

Documento oficial de 4 de abril de 1966, escrito em italiano e mantido em segredo até a sua publicação, que nomeou o frei Evaristo Paulo Arns bispo titular da Igreja de Respetta. Como reza a tradição, cada bispo nomeado pelo Vaticano se torna titular de uma igreja romana.

O ato comunica também que dom Paulo será bispo-auxiliar do cardeal Agnelo Rossi, arcebispo de São Paulo.

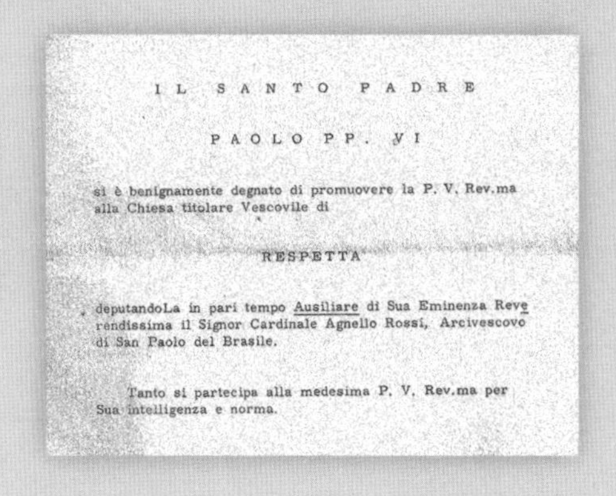

I L   S A N T O   P A D R E

P A O L O   P P .   V I

si è benignamente degnato di promuovere la P. V. Rev.ma alla Chiesa titolare Vescovile di

R E S P E T T A

deputandoLa in pari tempo Ausiliare di Sua Eminenza Reverendissima il Signor Cardinale Agnello Rossi, Arcivescovo di San Paolo del Brasile.

Tanto si partecipa alla medesima P. V. Rev.ma per Sua intelligenza e norma.

Missa de posse de dom Paulo como bispo-auxiliar da Zona Norte, na Igreja de Santana.

Na foto, o nôvo bispo auxiliar dom Bruno Maldaner, entre o Santo Padre e o emo. Cardeal Câmara. Ao lado emo. Cardeal Rossi, de São Paulo

atuou como notario no processo de beatificação do Padre João Batista Reus, S. J.

filho de Gabriel Arns (falecido) e de D. Helena Steiner nasceu a 14 de setembro de 1921 em Forquilhinha, Município de Criciuma, diocese de Tubarão (Santa Catarina), de uma familia com 12 filhos

Petropolis (Rio de Janeiro). Ordenou-se sacerdote em 30-11-1945 pelas mãos de s. excia. dom José Pereira Alves, então bispo de Niterói.

Custodio da Provincia (Vice-provincial) em 1962 foi ainda Prefeito dos Estudos para toda a Provincia.

Atualmente se encontra em Roma a fim de participar da Comissão Preparatoria de atualização da Ordem como perito em assuntos educativos.

Passe a conhecer as decisões do
CONCILIO ECUMENICO
Através da leitura explicada dos
Textos Conciliares
Devidamente esquematizados
RÁDIO 9 DE JULHO
MEDIAS 540 KCS
CURTAS 31 M 9.620
F.M. 107.7

REFORMA CONCILIAR

GRUPOS DE ESTUDO

1.a reunião
Dia 26 de maio às 20 hs.
Exposição de assuntos e formação de Comissões.

2.a reunião
Dia 2 de junho às 20 hs. no mesmo local.

EXEMPLAR 80 CRUZEIROS

O CONCILIO NA PAROQUIA UNIVERSITARIA

OS 16 DOCUMENTOS DO CONCILIO ECUMENICO VATICANO II
Ciclo de Palestras especializadas especialmente aos Universitarios

MARECHAL HUMBERTO DE ALENCAR CASTELLO BRANCO

Na semana de 15 de maio – 39 dias depois do documento secreto do Vaticano – o jornal *O São Paulo* comunicava a nomeação de dois bispos-auxiliares de dom Agnelo: dom Paulo e monsenhor Bruno Maldaner. Na foto do jornal, dom Paulo está com 45 anos.

Dom Paulo Evaristo e a Junventude

Bispo da Regiao Norte inaugurou a sede do Movimento dos Jovens Cristãos em Vila Medeiros

Abrindo o novo ano, o Bispo Regional da Zona Norte, Dom Paulo Evaristo, esteve domingo ultimo em Vila Medeiros, abençoando e dando por inaugurada a sede do Mojocri — Movimento dos Jovens Cristãos da Paroquia Nossa Senhora de Loreto.

O Exmo Sr. Bispo, foi saudado, à sua chegada, pouco antes das 17 horas, com o seguinte discurso: "Os jovens aqui presentes honram-se em saudá-lo no dia de abertura de mais um Ano Novo, que se prenuncia cheio de oração, de esperança, de trabalhos e de lazer.

A juventude de Vila Medeiros está feliz com o acontecimento de hoje. Eis que o Apostolo de Cristo, Dom Paulo Evaristo, vem abençoar a sede do clube de nossa mocidade, marcando, assim, o inicio de um movimento cristão de grande amplitude.

Padre Aristides lançou uma sementinha e esta germina no coração dos moços e moças de Vila Medeiros, surgindo agora o Mojocri — Movimento dos Jovens Cristãos — que tem por objetivo dar à juventude desta paroquia um ambiente cristão, sadio e seguro, onde eles, através do respeito mutuo, possam conservar-se cristãos

Trabalhando com jovens da Zona Norte e levando a mensagem do ecumenismo, dom Paulo começou um trabalho orgânico e integrado com padres, religiosos e leigos, preocupado com a formação permanente do clero e do povo. Criou a Missão do Povo de Deus, passando um tempo em cada paróquia da região com uma equipe para multiplicar os ensinamentos do Concílio Ecumênico Vaticano II. Dessa missão, surgiram ministros da Palavra, que levaram a mensagem para as ruas da Zona Norte.

Uma das coisas que, com certeza, dom Paulo mais fez, como bispo e arcebispo, foi reunião em cima de reunião, desde as menores, com religiosos e religiosas.

Dom Paulo sempre gostou de discutir e ouvir opiniões sobre os vários assuntos a ele subordinados.

Participava de reuniões e palestras com intelectuais, como o jurista Dalmo Dallari e o físico José Goldemberg.

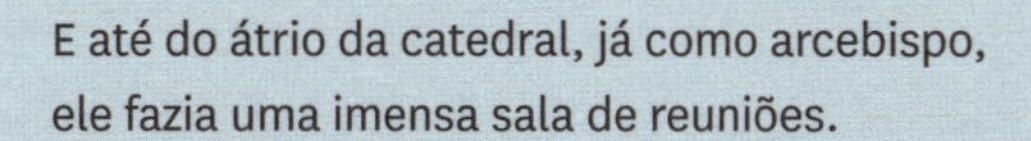

E até do átrio da catedral, já como arcebispo, ele fazia uma imensa sala de reuniões.

6 A defesa intransigente dos Direitos Humanos

Em 1973, por iniciativa da arquidiocese, foram distribuídos duzentos mil exemplares da Declaração Universal dos Direitos Humanos, trazendo o texto original acompanhado de comentários bíblicos e de caráter religioso para cada artigo. Em 1978 chegaram a ser rodados um milhão e quinhentos mil exemplares.

Os Direitos Humanos em 500 mil folheto

Coincidência? Não. Foi de propósito mesmo, que as Igrejas Evangélicas e a Igreja Católica, representadas na

"Foi de propósito", declarou o reverendo Jaime Wright, falando sobre a coincidência do lançamento do folheto com o 14.o aniversário da Revolução de 1964. E por três motivos: "Primeiro, porque as Edições Paulinas somente poderiam garantir a entrega dos livretos para depois do Domingo da Páscoa. Segundo, porque previamos que dom Paulo Evaristo Arns e, possivelmente, o missionário Manoel de Mello estariam voltando do Rio após o encontro com o presidente Jimmy Carter. Nada melhor do que aproveitar o lançamento para revelar o conteúdo dessa conversa. Terceiro, não poderia haver melhor celebração de uma data nacional do que a difusão da Declaração que o próprio Brasil assinou".

A Declaração Universal dos Direitos Humanos foi elaborada em 1948 pela Organização das Nações Unidas (ONU) e assinada pelo Brasil naquele mesmo ano, comprometendo-se a respeitar os seus 30 artigos recomendando respeito a todos os homens do mundo. Em 1978, o trigésimo aniversário dessa Declaração.

O folheto em terceira edição que o CESE lançou no dia 31 de março em seis capitais ao mesmo tempo — São Paulo, Porto Alegre, Rio de Janeiro, Salvador e Recife — foi inferior aos pedidos que já foram feitos.

As Edições Paulinas publicaram 500 mil exemplares, mas já existem 800 mil pedidos. Por isso, uma 4.a edição será lançada em breve, com uma tiragem adicional de 500 mil exemplares.

As duas primeiras edições ecumênicas da Declaração foram lançadas em 1973, no 25.o aniversário da Declaração dos Direitos Humanos, com um total de 300 mil exemplares, e com traduções em espanhol e inglês para publicação na Argentina, Chile e Estados Unidos.

A 3.a edição atualizada foi publicada simultaneamente em espanhol pela Vicaria de La Solidaridad, em Santiago do Chile.

CESE e as Igrejas

Na sede da Conferência Nacional dos Bis-

Igreja Evangélica Pentecostal "O Brasil para Cristo", e também um dos dois brasileiros no Comitê Central do Conselho Mundial de Igrejas. Para o missionário Manoel de Mello, o que a CESE busca é "uma expressão nova do ecumenismo que não vise apenas uma união de estruturas eclesiásticas ou discussões teológicas, mas uma forma de ecumenismo que seja a serviço do povo marginalizado de nossa Pátria.

O apoio das igrejas Evangélicas e Católica para o lançamento da 3.a edição da "Declaração" é um passo nesse sentido, e um compromisso pelos Direitos Humanos.

Por isso, em cada um dos 30 artigos da Declaração existem trechos com recentes pronunciamentos tanto das Igrejas Evangélicas como da Igreja Católica. Cada artigo é seguido das seguintes partes; todas alusivas ao artigo: um versículo do Antigo Testamento; um versículo do Novo Testamento; um pronunciamento oficial da Igreja Católica; um pronunciamento oficial de Igrejas Evangélicas, e outros textos bíblicos. Tudo isso, para ser bem aproveitado principalmente nas reuniões de comunidades de base. O folheto está atualizado, mas continuam a ser aproveitados pronunciamentos usados nas duas primeiras edições, como a condenação à tortura feita no ano 866 pelo Papa Nicolau I — art. 5.o — e a condenação da prisão arbitrária, feita em 1954 pela 2.a Assembléia Geral do Conselho Mundial de Igrejas — artigo 9.o.

Nas seis capitais

Representantes das igrejas Evangélica e Católica estarão presentes em seis capitais do Brasil, no mesmo dia e hora, para o lançamento da 3.a Edição da Declaração, pela CESE.

Em São Paulo, presentes dom Cláudio Humes (vice-pres. da CESE); rev. Manoel de Mello, pastor pres. da CESE; dom Sumio Takatsu, Igreja Episcopal do Brasil; pastor Alberico Baske, bispo da Igreja Luterana do Brasil.

Porto Alegre: dom Vicente Scherer, dom

Recife: dom Helder Câmara e o Edmund Sterroll, da Igreja Episcopal do sil.

Brasília: dom Aloísio Lorscheider, e Jaime Wright, da CESE.

Artigo 5

"NINGUÉM SERÁ SUBMETIDO A TURA NEM A TRATAMENTO OU CAST CRUEL, DESUMANO OU DEGRADANTE

Não oprimas a teu irmão (Lv 25,14)

Também soldados lhe perguntaram nós, que faremos? E ele lhes disse: A guém maltrateis, não dês denuncia falsa. 3,14)

"Se um ladrão ou salteador é apan e nega aquilo de que o acusam, afirmais tre vós que o juiz deve quebrar-lhe a ca a pancadas e atravessar-lhes as ilhargas pontas de ferro, até que ele confesse a dade. Isso não o admite nem a lei divina a humana. A confissão não deve ser forç mas espontânea. Não deve ser extorqu mas voluntária. Se acontecer, enfim, que pois de ter infligido tais penas, não desc res nada daquilo de que culpais o acus não tereis vergonha ao menos nesse mom to e não reconhecereis quão ímpio foi o so juízo? Do mesmo modo, se o culpado, podendo suportar tais torturas, confessa mes que não cometeu, quem, pergunto fica com a responsabilidade de tal impied senão quem o constrangeu a essa confis mentirosa? Mais. Todo mundo sabe que alguém diz com a boca o que não tem no pírito, não confessa, fala. Abandonai tal p cedimento. Amaldiçoai do fundo do coraç que tivestes a loucura de praticar até agor

(Nicolau I, Papa, Responsa consulta Bulgarorum, Ano 8

Artigo IX

NINGUÉM SERÁ ARBITRARIAMENT PRESO, DETIDO OU EXILADO.

Em *O São Paulo*, a transcrição do folheto. A seguir, alguns exemplos de artigos da Declaração e seu respectivo comentário.

ARTIGO IV. Ninguém será mantido em escravidão ou servidão; a escravidão e o tráfico de escravos serão proibidos em todas as suas formas.
Comentário: O Senhor enviou-me a proclamar libertação aos cativos e a pôr em liberdade os algemados (Is, 6,1).

ARTIGO V. Ninguém será submetido a tortura nem a tratamento ou castigo cruel, desumano ou degradante.
Comentário: Não oprimas o teu irmão (Lv 254,14). Dadas as trágicas dimensões da tortura em nosso mundo, instamos as Igrejas a usarem este ano do trigésimo aniversário da Declaração como ocasião especial, para tornarem pública a prática, a cumplicidade e a propensão à tortura existente em nossas nações. A tortura é epidêmica, é gerada no escuro, no silêncio. Clamamos as Igrejas a desmascararem a sua existência abertamente, a quebrarem o silêncio, a revelarem as pessoas e as estruturas de nossas sociedades responsáveis por essas violações dos Direitos Humanos que são os mais desumanizantes. (Declaração do Comitê Central do Conselho Mundial de Igrejas Genebra, 1977)

ARTIGO XII. Ninguém será sujeito a interferências na sua vida privada, na sua família, no seu lar ou na sua correspondência, nem a ataques à sua honra e reputação. Todo homem tem direito à proteção da lei contra tais interferências ou ataques.
Comentário: A Igreja deve se empenhar para que cresça o respeito aos Direitos Humanos e para que cada vez mais as pessoas e as nações possam gozar dos benefícios por eles garantidos. (CNBB Assembléia Geral 1973)

ARTIGO XIX. Todo homem tem direito a liberdade de opinião e expressão. Este direito inclui a liberdade de, sem interferências ter opiniões e de procurar, receber e transmitir informações e ideias por quaisquer meios e independentemente de fronteiras.
Comentário: Toda pessoa deve ter o direito de expressar suas convicções religiosas, éticas e políticas. Isto é especialmente importante para os que pertencem a grupos minoritários. (CMI, Evanston, 1954)

ARNS PAULO EVARISTO (Cardeal) FICHA Nº 16

26.12.73 - Conf.Informação nº 2588/73 de 10/12/73 do II EX., informa que o "Clero Progressita", encontra no Cardeal, um dos elementos de maior receptvidade e forte instrumento para as suas ações.O epigrafado tem desenvolvido uma série de conferências sob o tema "Direitos Humanos", dentro de um contexto de desenvolvimento de esquema radical, subversão visando marcar na conceituação do povo e das autoridades da Igreja, no Brasil e no exterior, uma imagem negativa do Governo Federal.Um dos planos elaborados e posto em prática pelo epigrafado, juntamente com o Bispo de São Félix do Araguaia, MT, consistiu na elaboração e expedição de documentos políticos, manifestos e outros mais, visando comprometer madres superiores e freiras.Saturados os conventos desses manifestos, os dois fariam chegar às autoridades policiais e Órgãos de Segurança, denúncias sobre o fato. Devido à gravidade e enquadramento do fato em

Quando da primeira edição, em 1973, o DOPS reagiu energicamente contra a posição do "clero progressista" e do cardeal de São Paulo em suas conferências sobre Direitos Humanos.

O CADERNO LITÚRGICO, UMA INOVACÃO EM "O SÃO PAULO"

A partir desta edicão, em folha separada correspondente às páginas 7 e 8 deste Jornal, "O SÃO PAULO" está publicando o seu "Caderno Litúrgico" — através do qual poderão os participantes da Missa seguir o ato religioso.

A página 7, correspondente à liturgia dominical, deve ser dobrada duas vezes, de maneira a formar o caderno que servirá ao acompanhamento da Missa. No verso, encontram-se comentários religiosos e a seção "Vida Arquidiocesana", para leitura dos fiéis.

O SÃO PAULO

São Paulo, 31 de maio a 6 de junho de 1975 — ANO XIX — Número 1.005

SEMANARIO — Assinatura Cr$ 90,00 — Número avulso Cr$ 1,50

Bispos latinos denunciam graves violações dos Direitos Humanos

O tema Direitos Humanos esteve sempre presente nas páginas de *O São Paulo*, refletindo a preocupação permanente da Arquidiocese com o assunto.

A CRONISTA DA ARQUIDIOCESE, MARIA ANGELA BOLSOI, CONTA A HISTÓRIA DESSE FOLHETO ECUMÊNICO.

A ideia do conteúdo do folheto foi da Coordenadoria Ecumênica de Serviço (CESE), entidade fundada em 13 de junho de 1973 e sediada em Salvador-BA, e contou com a participação da CNBB, da Igreja Episcopal do Brasil, da Igreja Evangélica Pentecostal O Brasil para Cristo, da Igreja Metodista e da Missão Presbiteriana do Brasil Central, com o apoio do Conselho Mundial de Igrejas, de Genebra.

O Pastor presbiteriano Jaime Wright montou o projeto do folheto e foi pessoalmente a Petrópolis negociar com a Editora Vozes, cuja gráfica o imprimiu em formato pôster, numa primeira edição de 200 mil exemplares. Essa primeira edição foi, por iniciativa de dom Paulo, distribuída gratuitamente nas igrejas de São Paulo durante a Semana da Paz na Terra, evento promovido pelo Regional Sul-1 da CNBB, presidido na época por ele. A Semana Paz na Terra aconteceu em São Paulo, entre os dias 28 de outubro e 4 de novembro de 1973, comemorando o 10º aniversário da encíclica de João XXIII "Pacem in Terris", assim como os 25 anos da promulgação da Declaração Universal dos Direitos Humanos, ocorrida na Assembleia Geral da ONU de 10 de dezembro de 1948.

Em inícios de 1978, já se encontravam esgotadas as duas primeiras edições do folheto. Saiu então a terceira edição, agora com tiragem de 500 mil exemplares para distribuição gratuita, numa parceria CESE-Edições Paulinas e no formato novo de cartilha, ou pequeno caderno. Tal edição foi publicada simultaneamente em espanhol pela Vicaria de la Solidaridad da Arquidiocese de Santiago, Chile. Em dezembro do mesmo ano, veio a público a quarta edição, que teve a tiragem de um milhão de exemplares.

Na entrevista coletiva à imprensa concedida por dom Paulo no Centro de Informações Ecclesia, no centro da cidade de São Paulo, em 28 de outubro de 1973, foi anunciada a realização da Semana da Paz na Terra, quando o Cardeal deu ênfase à publicação do folheto, que teria distribuição maciça nas igrejas. As fotos publicadas na imprensa no dia seguinte mostram dom Paulo ao microfone, ladeado por dois pastores evangélicos: Jaime Wright, presbiteriano, e Manuel de Mello, da Igreja Pentecostal O Brasil para Cristo. Na ocasião, os dois ressaltaram que "pela primeira vez, católicos e evangélicos se uniram num projeto que se define pela divulgação dos Direitos Humanos de maneira maciça".

Direitos Humanos para todos. Em dezembro de 1989, participando das negociações, dom Paulo passa pela janela bilhete aos sequestradores do empresário Abílio Diniz, na época diretor-presidente do Grupo Pão de Açúcar, que acabou sendo libertado.

7 Nasce a Teologia da Libertação

Medellín, Colômbia, 1968

(para o desespero da Cúria Romana)

O SÃO PAULO

FUNDAÇÃO METROPOLITANA PAULISTA

ANO XIII — S. PAULO, 8 DE SETEMBRO DE 1968 — N.o 658 — NCr$ 0,20

Igreja Adota Posição Nova na America Latina

OS BISPOS DA AMERICA LATINA, REUNIDOS ATE' ONTEM EM MEDELIN (COLOMBIA), PARA A II CONFERENCIA GERAL DO CELAM ELABORARAM UM DOCUMENTO QUE, SEGUNDO OS COMENTARIOS QUE NOS CHEGAM DAQUELA CIDADE ATRAVES DAS AGENCIAS NOTICIOSAS, MANIFESTA O PRONUNCIAMENTO MAIS CORAJOSO DA IGREJA CATOLICA, EM TODA A HISTORIA DO CONTINENTE, SOBRE REFORMAS SOCIAIS, MUDANÇAS DAS ESTRUTURAS E IMPORTANTES MODIFICAÇOES NA PROPRIA ORGANIZAÇAO ECLESIASTICA DA IGREJA

PROGRESSISTAS

Com exceção de dois temas — educação e assuntos considerados pelos observadores como sendo ma's progresconsiderados pelos observadores comos ende mais progressistas do que o documento-base preparado pelos bispos latino-americanos, para servir como ponto de partilha dos trabalhos desta reunião. O documento-base foi criticado como excessivamente radical por setores tradicionalistas da Igreja. Estes mesmos setores, que acham que a Igreja não deve entrar no campo dos problemas sociais, economicos e politicos, estão agora aborrecidos com a orientação tomada pela conferencia.

O teor dominante da conferencia, pode ser medido pelo fato de os relatorios sobre educação e assuntos sacerdotais, os dois unicos que não superaram o documento-base, terem sido devolvidos às suas respectivas comissões, por serem considerados insuficientes e genericos.

VIOLENCIA JUSTA

Contudo, segundo fontes religiosas, o documento final da conferencia, não usou uma linguagem tão forte como a dos relatorios provisorios de algumas comissões. Um dos relatorios mais avançados, foi o da comissão de paz e justiça.

Ao examinar as razões da violencia na America Latina, de certa forma a explica e a justifica, embora não a recomende. Diz que existe uma violencia institucionalizada pelas classes dominantes, e pede aos seus responsaveis que não usem a atitude pacifica da Igreja para pôr obstaculos às transformações necessarias.

O relatorio fala nas condições que justificam a insurreição dentro da linha tradicional da Igreja catolica.

A comissão recomendou aos setores politicos, economicos, empresariais e trabalhistas, para tentar conseguir uma paz sem opressões, permitindo a libertação do homem das injustiças sociais. O relatorio sublinha que, quem mantem privilegios através da força, deve ser o responsavel ante a Historia pela reação natural do desespero, que provoca revoluções explosivas.

Sobre o militarismo, a comissão se pronunciou de duas formas. Primeiro, condenando as despesas em armas, como um desvio de verbas indispensaveis para o desenvolvimento, e depois, pedindo aos governos que passem em revista sua politica militar, afirmando que os verdadeiros inimigos do homem são a fome, a ignorancia e a mortalidade infantil.

POSIÇÃO NOVA

Os observadores dão uma idéia aproximada de qual será o tom do documento final. Já se sabe que quaisquer que sejam as palavras usadas, as conclusões da conferencia marcarão uma posição inteiramente nova para a Igreja na America Latina. O conceito do homem, em relação à Igreja, mudou, situando-o no verdadeiro centro. Isto significa que o foco evangelizador, desviou-se de questões puramente filosoficas ou de culto, para canalizar-se através do desenvolvimento, a fim de elevar a dignidade humana, melhorar as condições de vida, aumentar a educação e, desta maneira, transformá-lo numa pessoa mais capaz de receber a evangelização.

Diante da fachada da Catedral de Bogotá dois camponeses se confraternizam pelo grande acontecimento que foi o Congresso Eucaristico Internacional ali realizado há pouco. Para eles, como para toda a população da América Latina, a Conferencia de Medelin representa uma das maiores esperanças para o bem co-

O jornal *O São Paulo* anunciou, em manchete, a nova linha de ação da Igreja na América Latina.

UM POUCO DA HISTÓRIA E OS RESULTADOS DA CONFERÊNCIA. ESTE TEXTO FOI RETIRADO DA *WIKIPEDIA*, QUE DESCREVE BEM O QUE SE PASSOU.

A Segunda Conferência Geral do Episcopado Latino-americano realizou-se em Medellín, na Colômbia, no período de 24 de agosto a 6 de setembro de 1968.

A Conferência foi convocada pelo papa Paulo VI para aplicar os ensinamentos do Concílio Vaticano II às necessidades da Igreja na América Latina. A temática proposta foi "A Igreja na presente transformação da América Latina à luz do Concílio Vaticano II". A abertura da Conferência foi feita pelo próprio papa, que marcou a primeira visita de um pontífice à América Latina.

Durante os três anos de duração do Concílio Vaticano II, de 1962 a 1965, os padres conciliares latino-americanos mantiveram várias reuniões do CELAM em Roma. Ali brotou a ideia de propor ao Santo Padre a realização da segunda Conferência Geral.

Em 1966 a presidência do CELAM apresentou a Paulo VI a proposta da nova Conferência. O pontífice a acolheu com satisfação e a convocou para se realizar em Medellín, de 26 de agosto a 6 de setembro de 1968.

A Conferência foi inaugurada por Paulo VI na Catedral de Bogotá, no dia 24 de agosto. Dela participaram 86 bispos, 45 arcebispos, 6 cardeais, 70 sacerdotes e religiosos, 6 religiosas, 19 leigos e 9 observadores não católicos, presididos por Antônio Cardeal Samoré, presidente da Pontifícia Comissão para a América Latina, e por dom Avelar Brandão Vilela, arcebispo de Teresina e presidente do CELAM. No total, participaram 137 bispos com direito a voto e 112 delegados e observadores.

Em seu discurso inaugural, Paulo VI sublinhou a secularização, que ignorava a referência essencial à verdade religiosa, e a oposição – pretendida por alguns – entre a Igreja chamada institucional e a Igreja denominada carismática. O pontífice também evidenciou sua preocupação com os problemas doutrinários que se percebiam no imediato pós-concílio. Insistiu em promover a justiça e a paz, alertando a respeito da tática do marxismo ateu de provocar a violência e a rebelião sistemática e de gerar o ódio como instrumento para alcançar a dialética de classes.

Três foram os grandes temas de Medellín: Promoção humana; Evangelização e crescimento na fé; Igreja visível e suas estruturas. Foram produzidos 17 documentos, no horizonte dos três grandes temas citados: **I) Justiça, Paz, Família, Demografia, Educação, Juventude. II) Pastoral popular, Pastoral de elites, Catequese, Liturgia. III) Movimentos de Leigos, Sacerdotes, Religiosos, Formação do Clero, Pobreza da Igreja, Pastoral de Conjunto, Meios de Comunicação.**

Ganharam grande repercussão os documentos sobre a Justiça, a Paz e a Pobreza da Igreja. Diante da relevância e do impacto desses documentos, elementos característicos de Medellín foram as reflexões sobre pobreza e libertação.

DOM PAULO E A DEFESA DA TEOLOGIA DA LIBERTAÇÃO

Em dezembro de 1984, em meio a mais um embate entre Roma e os teólogos latino-americanos, Dom Paulo encaminhou uma "contribuição" à Congregação para a Doutrina da Fé (leia-se cardeal Ratzinger), que se preparava para lançar um documento sobre a Teologia da Libertação.

Nunca houve uma resposta oficial... Meses depois, porém, em maio de 1985, um dos expoentes da Teologia da Libertação, Leonardo Boff, era condenado pela mesma Congregação para a Doutrina da Fé a um ano de silêncio.

Em seu livro de memórias *Da Esperança à Utopia, testemunho de uma vida*, dom Paulo reproduz a sua "contribuição" enviada a Roma. A seguir, alguns trechos do documento:

"Na América Latina (...) a libertação é o drama de cada dia, o sangue, a fome, a humilhação e a honra de centenas de milhões de pessoas que lutam para sobreviver por causa do fechamento egoísta ou da indiferença de uma minoria privilegiada aliada às potências deste mundo."

"Esse documento (da Congregação para a Doutrina da Fé) será recebido também pelos opressores. Na América Latina, eles se dizem católicos também. Eles se interessam muito pelo que diz a Igreja. Conhecem a arte de usar para proveito próprio as declarações da Igreja e fazer delas armas contra os pobres."

"Nossa preocupação não é a sorte dos teólogos, e sim a das imensas massas de famintos e injustiçados."

"(...) as pessoas que irão redigir o documento (da Congregação para a Doutrina da Fé) não experimentaram na própria carne a situação dos oprimidos. Vivem numa situação cômoda, porque protegida. Situação, portanto, privilegiada. Não é esta a situação na qual se encontra a imensa maioria dos padres e religiosos?"

"O povo latino-americano (...) quer que a Igreja se defina e se situe frente às lutas de libertação. Quer saber se a Igreja se contentará com a atitude de pura espectadora ou de pura consciência moral que julga sem agir. Será que a Igreja está disposta a agir?"

"A teologia latino-americana da atualidade não é produto de teólogos. Ela se exprime em inumeráveis textos e discursos não originados dos teólogos como tais. Estes interpretam, cada um à sua maneira, os grandes temas da reflexão comum da Igreja, mas não conduzem o movimento. Eles o seguem; não o inventaram."

"A maior parte dos pobres latino-americanos são cristãos. Querem lutar como cristãos e construir uma sociedade inspirada no seu cristianismo. Por isso eles se reconhecem na Bíblia."

"Na América Latina, não são os exegetas que ensinam aos pobres, mas os pobres que ensinam aos exegetas."

"Os pobres descobrem que a Bíblia foi escrita para eles: a partir deles, para chegar até eles. Nela há uma palavra que Deus quis dizer aos pobres e que somente eles podem entender: seu sentido está escondido aos sábios e poderosos e está aberto para os simples e os pequenos."

"Não faltaram calúnias e denúncias. Houve quem afirmasse que os pobres latino-americanos tinham inventado um Cristo guerrilheiro ou agitador político, ou selecionado o Êxodo como único livro da Bíblia, manual de guerrilha, e assim por diante."

"É falso que a teologia latino-americana derive só da sociologia ou de uma leitura sociológica dos acontecimentos. Ela procede da Palavra de Deus que está na Bíblia, lida na tradição cristã, sob a luz do Espírito Santo."

"Não pode a Igreja permanecer confinada nos seus edifícios, nem tampouco na linguagem hermética da sua teologia oficial. Deve falar de forma a ser compreendida."

"A dominação e a exploração de cristãos por cristãos foi a face obscura da história da Igreja na América Latina. A aparente unanimidade cristã foi obstáculo à clara percepção da real condição das grandes massas. Foi assim que a tomada de consciência de Medellín e de Puebla constituiu para muitos uma verdadeira novidade."

"É impossível considerar Medellín e Puebla como uma conquista. É, isto sim, um projeto da Igreja a ser retomado a cada dia, no concreto. O objetivo da teologia latino-americana encontra-se aí, e não em outra parte."

"A teologia latino-americana quer libertar os pobres de uma teologia feita por intelectuais que se refugiam longe do mundo deles."

"A teologia latino-americana consagra seus esforços na consideração do significado dos atos de Jesus porque está convencida de que o centro da revelação de Deus encontra-se na vida humana do próprio Filho de Deus. (...) É a vida humana de Jesus que nos conduz aos pobres e à sua libertação."

"O advento da liberdade não é a última palavra do Evangelho de Jesus e de Paulo? Que fizeram disso as teologias tradicionais? Fizeram desaparecer esse Evangelho sob um palavreado de considerações filosóficas estranhas à questão."

No final da transcrição do documento, dom Paulo coloca sua observação:

"Nunca chegamos a saber se este nosso documento foi ou não levado em consideração por Roma para a futura história da Teologia da Libertação. Afinal, entregamos tudo à inspiração do Espírito Santo."

8 Localizamos uma agenda do frei Evaristo Paulo Arns de 1947, quando ele estava estudando na Sorbonne, em Paris

Depois, encontramos outras 46 agendas de compromissos e telefones. Está tudo aí!

Pelo jeitão das agendas, com logotipos e marcas de empresas nas capas, quase nenhuma deve ter sido comprada. Coisa de franciscano...

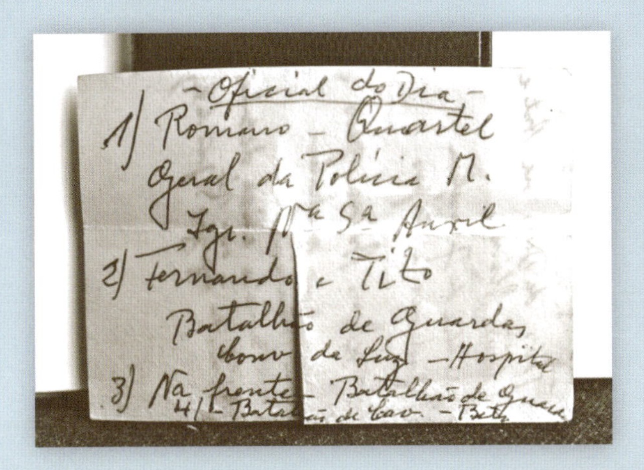

1970. Anotada fora da agenda uma visita, na prisão, aos dominicanos Fernando e Tito e ao seminarista Roberto Romano (mais detalhes no capítulo 24).

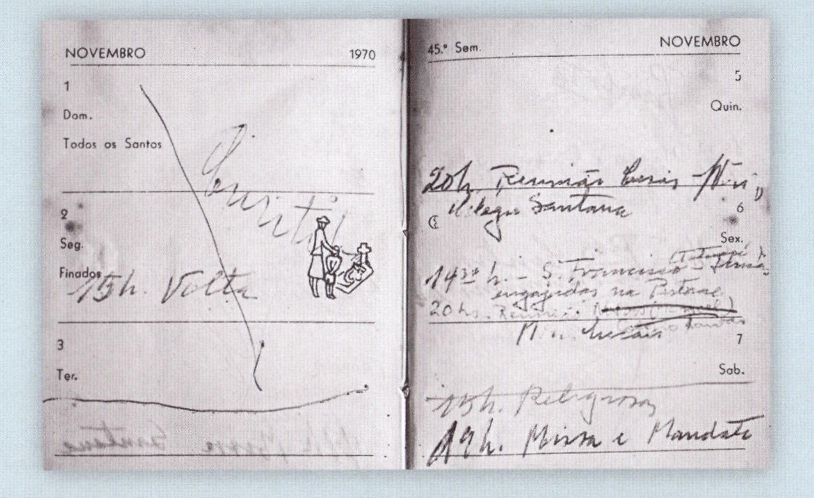

Às 19 horas do 7 de novembro de 1970, missa e início do mandato de arcebispo.

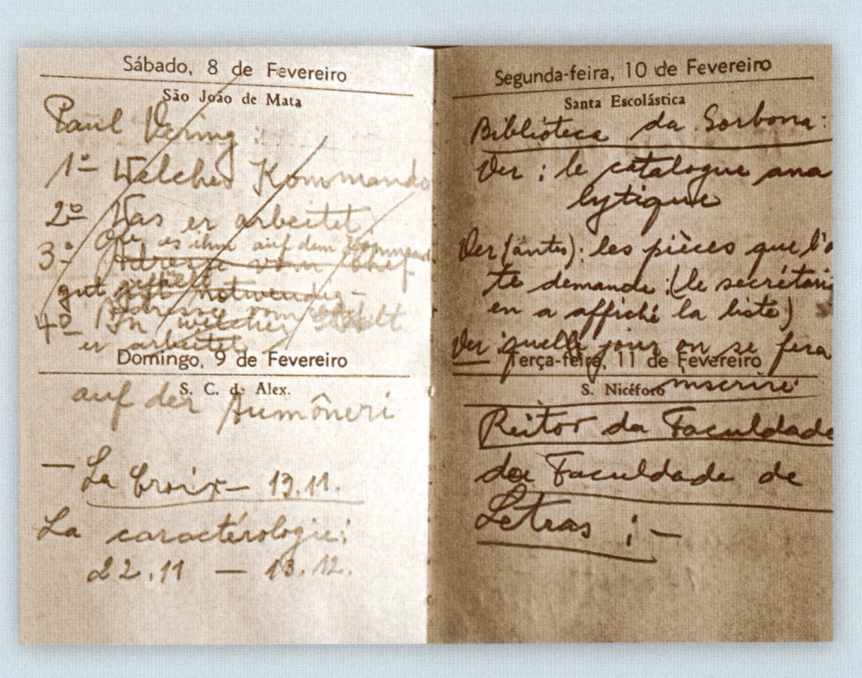

Auxiliares diretos de dom Paulo costumam dizer que o lado alemão dele é absolutamente disciplinado. Se depender das agendas, bem que é mesmo. Nesta agenda de 1947, por exemplo, frei Arns anotava seus compromissos universitários, como em 10 de fevereiro, uma visita à biblioteca da Sorbonne.

Viagem a Brasília para encontrar o general-presidente Garrastazu Médici (mais detalhes no capítulo 12).

Ora em português, ora em francês – com certeza para praticar –, ele aproveitava as páginas em branco para fazer um diário. Ele registrou, no dia 27 de fevereiro de 1947, que ficou boa parte do dia na cama por conta de um "*torticolli*" (torcicolo). No dia seguinte, o frei Arns viu neve pela primeira vez. Não se aguentou de tanta alegria e gritou para a primeira pessoa que passou na frente dele. Vale a pena acompanhar, no original, a reação dele: "*Voyez, monsieur, c'est la première fois que je vois de la neige*". (Veja, senhor, é a primeira vez que eu vejo a neve)

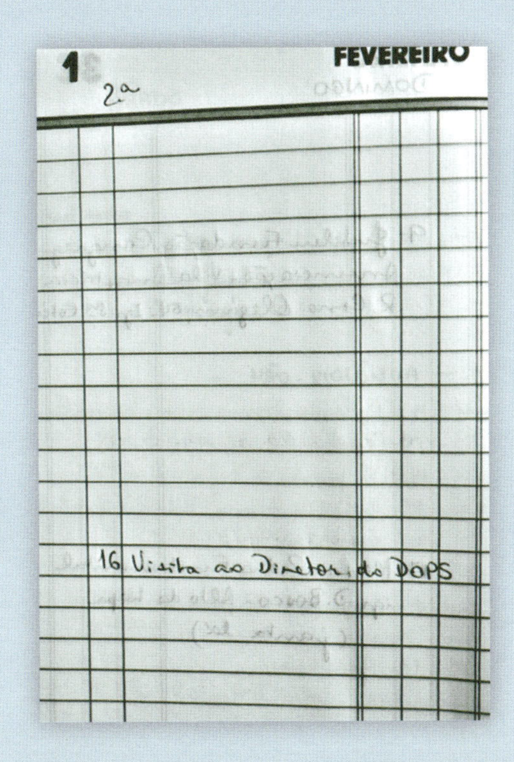

1 FEVEREIRO
2ª
16 Visita ao Diretor do DOPS

Único compromisso do dia 1º de fevereiro de 1971: Encontro com diretor do DOPS.

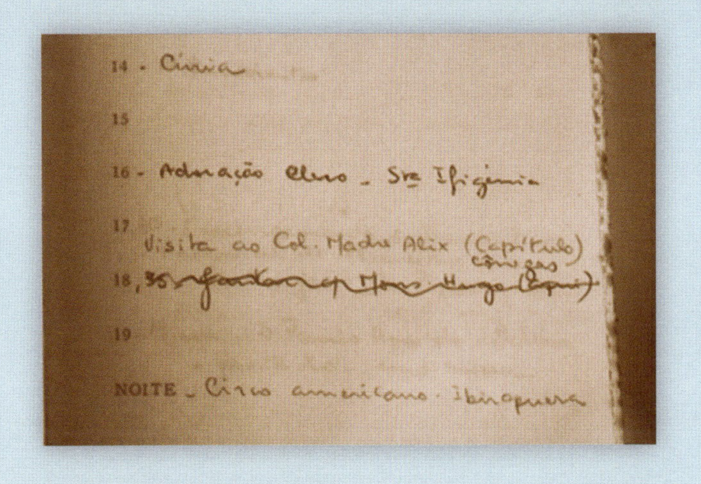

14 - Cúria
15
16 - Adoração Clero - Sta Ifigênia
17 Visita ao Col. Madre Alix (Capítulo) cônegos
18,35
19
NOITE - Circo americano - Ibirapuera

Em 26/01/1973, um pouco de lazer: Circo Americano, no Ginásio do Ibirapuera.

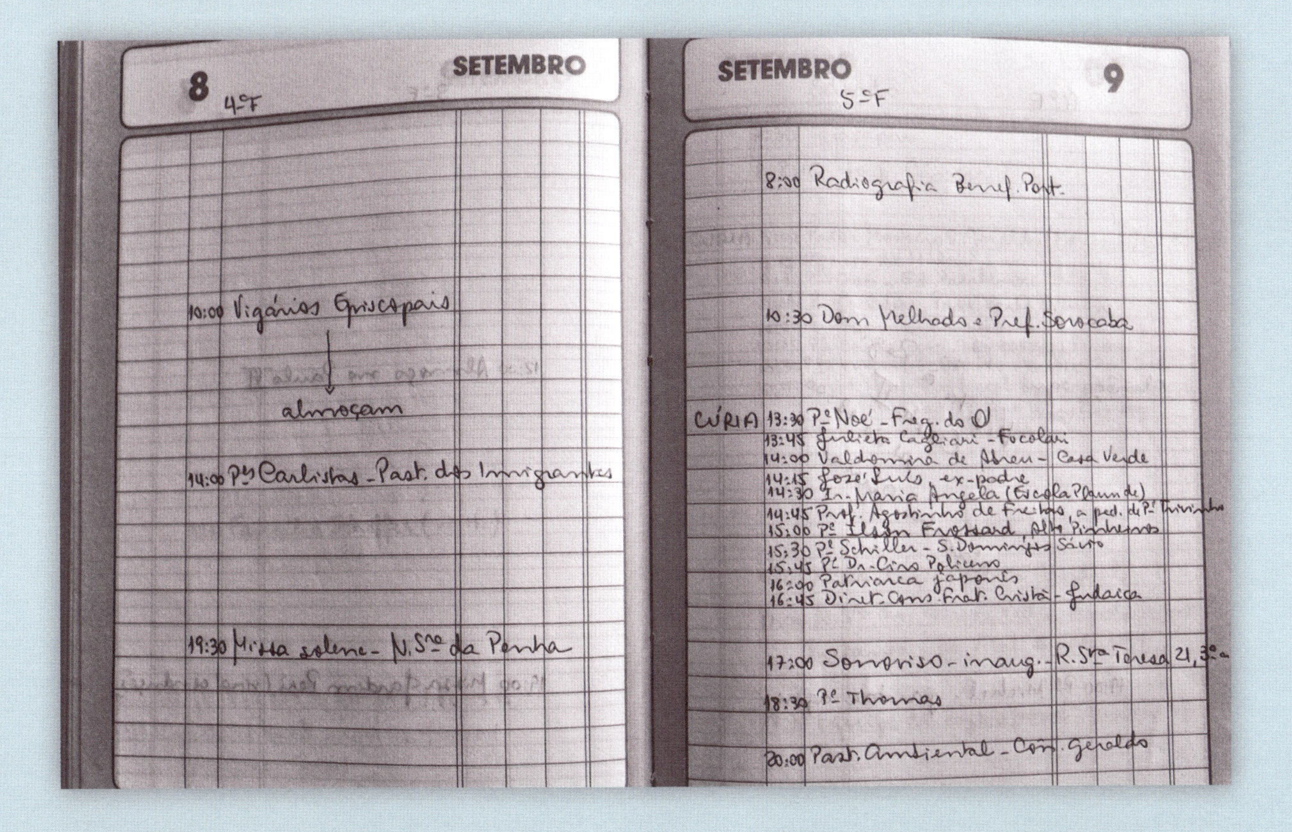

8 SETEMBRO
4ªF
10:00 Vigários Episcopais
almoçam
14:00 Pes Carlistas - Past. dos Imigrantes
19:30 Missa solene - N. Sra da Penha

SETEMBRO 9
5ªF
8:00 Radiografia Benef. Port.
10:30 Dom Melhado e Pref. Sorocaba
CÚRIA 13:30 Pe Noé - Freg. do Ó
13:45 Giulietta Calliari - Focolari
14:00 Valdomira de Abreu - Casa Verde
14:15 José Luis, ex-padre
14:30 Ir. Maria Angela
14:45 Prof. Agostinho de Freitas
15:00 Pe Ilson Frossard, Alto Pinheiros
15:30 Pe Schiller - S. Domingos Sávio
15:45 Pe Dr. Ciro Policeno
16:00 Patriarca japonês
16:45 Diret. Cons. Frat. Cristã - Judaica
17:00 Sorriso - inaug. - R. Sta Teresa 21, 3º
18:30 Pe Thomas
20:00 Past. Ambiental - Côn. Geraldo

Em 09/09/1971, um bom exemplo de uma agenda carregada: onze compromissos em três horas e quinze minutos.

9 A polícia política decide prender padres e freiras. Dom Paulo vai atrás deles e delas

Sem contar a correspondência entre o arcebispo e autoridades carcerárias, que é pela primeira vez revelada e mostra a insistência de dom Paulo em dar assistência aos presos comuns e políticos.

CASO DOS DOMINICANOS

ADVOGADO APELA DA SENTENÇA

ACUSAÇÃO: SUBVERSÃO E TERRORISMO

Sentença

Mons. Carvalheira: Inocente - Padre Valiente: Inocente

Frei Romano: Inocente - Frei Giorgio: Inocente

Condenados a 4 Anos em Primeira Instância

Em sua primeira página, *O São Paulo* de setembro de 1971 publica o resultado do julgamento dos dominicanos.

Esta foto é de 1971 e mostra, na primeira fila, os frades dominicanos em plena sessão de julgamento na Auditoria Militar. Da esquerda para a direita: Fernando, Betto, Ivo e Roberto.

Chegam a São Paulo os restos mortais do frei Tito de Alencar, dominicano que, desesperado depois das seguidas torturas, comete suicídio na França, onde se exilou.

Restos mortais do frei chegam à Catedral da Sé para missa e posterior envio ao Ceará, onde foi enterrado.

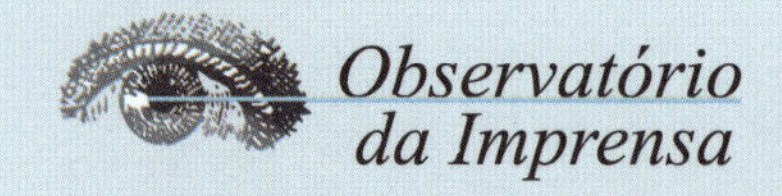

Um pouco dessa história dramática saiu no *Observatório da Imprensa*, reproduzido no artigo da edição 738 da *Carta Capital*, de 19 de março de 2013. O artigo é, na verdade, trecho da biografia *Um homem torturado – Nos passos de frei Tito de Alencar*, de Leneide Duarte-Plon e Clarisse Meireles (Editora Civilização Brasileira).

A PRISÃO E O EXÍLIO

No 4 de novembro de 1969, frei Tito de Alencar Lima foi preso no Convento das Perdizes, em São Paulo. Por um ano e dois meses, o frade ficaria preso junto com outros dominicanos: Ivo Lesbaupin, Fernando Brito, Carlos Alberto Libânio Christo (Frei Betto), João Antônio Caldas Valença e Giorgio Callegari. Esses dois últimos foram os primeiros a serem libertados.

Torturado sob a acusação de pertencer à Ação Libertadora Nacional (ALN), organização de luta armada fundada por Carlos Marighella, Tito foi destruído psiquicamente por seus carrascos.

Os frades dominicanos foram presos na chamada "Operação Batina Branca", montada pelo delegado Sérgio Paranhos Fleury, criador do Esquadrão da Morte. O delegado era o "puro produto da polícia paulista com sua tradição de torturas e assassinatos", segundo o jornalista Elio Gaspari, que escreveu: "Nunca na história brasileira um delinquente adquiriu sua proeminência".

O delegado Fleury encarnava na época o combate aos grupos armados que resistiam à ditadura, os "terroristas", como imprensa e aparelho repressor os qualificavam.

Depois da prisão dos frades, Fleury começou imediatamente a bombardear a imprensa com a versão da traição dos dominicanos. Os frades da ALN eram ora "terroristas", ora "Judas". Todos os jornais aderiram à versão de que os dominicanos haviam traído Marighella. As manchetes associavam as palavras "frades" e "terror". ***O Globo*** **deu na primeira página a fotografia do convento dos dominicanos com a manchete: "Aqui é o reduto dos terroristas do Brasil". E fez um editorial, "O beijo de Judas", que não honra a história da nossa imprensa.**

Começava a campanha da ditadura de desmoralização dos dominicanos, responsabilizando-os pela queda do "inimigo público número 1". O regime tentava dividir a esquerda, ao apresentar os frades como "traidores".

Comentando como a imprensa aderiu à diabolização dos frades orquestrada pela ditadura, o ex-frade Roberto Romano observou: "Eles não agiram como jornalistas. Agiram como carrascos e torturadores".

O sequestro dos frades Ivo e Fernando, pela polícia no Rio, foi decisivo para a queda de Marighella, fuzilado na Alameda Casa Branca no dia 4 de novembro, dia em que frei Tito foi preso e torturado pelo delegado Fleury. Três meses depois, ao voltar à tortura, dessa vez na Operação Bandeirantes, Tito tentou o suicídio, sendo salvo ***in extremis*** **depois de hospitalizado. "Ele fez isso para evitar que nós todos voltássemos à tortura", diz frei Fernando.**

O relato das torturas a que foi submetido pelo capitão Albernaz saiu clandestinamente da prisão de São Paulo e foi publicado na revista americana ***Look*** **e na italiana** ***L'Europeo*****. A** ***Look*** **recebeu por esse texto o prêmio de reportagem do ano, em 1970, atribuído pelo New York Overseas Press Club, associação da imprensa estrangeira de Nova York.**

O jornal ***Le Monde*** **e a imprensa europeia noticiaram com destaque a prisão, a tortura e o processo dos dominicanos. O papa Paulo VI foi informado desde o início da prisão dos frades e seguiu de perto o processo. Os dominicanos presos enviaram ao papa de presente uma cruz de madeira feita por eles, com o nome de todos os frades presos.**

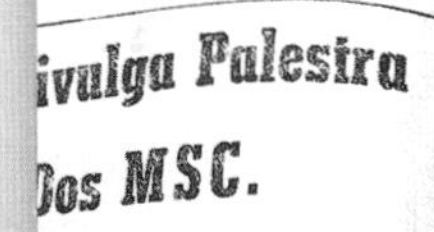

le Congresso Mundial

FUNDAÇÃO METROPOLITANA PAULISTA
Diretor Responsável e Redator Chefe: Cgo. Amaury Castanho
Secretária Maria Lúcia Sampaio Pinto
Administrador Moacyr de Paula Assis
RUA WENCESLAU BRAZ, 78 — 1.o ANDAR
Telefones: 33-6402 e 239-5773

O SÃO PAULO

ANO XVII — SEMANARIO — SÁBADO, 10 DE JULHO DE 1971 — Cr$ 0,50 N.º 805

AUDITORIA MILITAR PEDE RETORNO DA RELIGIOSA BANIDA

A II Auditoria Militar de S. Paulo acaba de julgar os implicados em subversão, ou acusados de subversão, da cidade de Ribeirão Prêto. Como se recorda, naquela oportunidade fôra detida, como implicada, a Madre Maurina Borges da Silveira, do Lar Santana, banida do país, contra a sua vontade, quando do sequestro do Cônsul do Japão. Chegado ao fim o processo, foram condenados a penas de 10 anos a 18 meses, 18 dos 48 elementos presos. Portanto, 30 foram inocentados.

Na parte mais importante da sentença, os juízes referem-se ao caso da Madre Maurina nêstes têrmos: "O Conselho decide, por unanimidade de votos, manifestar aos poderes competentes a conveniência de ser a Madre Maurina Borges da Silveira autorizada, se quiser, a regressar ao território nacional, para responder ao presente processo, que se acha sobrestado em relação a ela em virtude de seu banimento. Provas colhidas em juizo autorizam a presunção de que a Madre Maurina foi incluída na lista de presos a serem trocados pelo Cônsul do Japão, por insidiosa manobra da guerra psicológica, por parte dos militantes da subversão. Ela suplicou, até o momento de ser embarcada para o México, que não o fizessem, pois queria dar contas à Justiça Militar. Êste direito lhe foi negado e o govêrno brasileiro, posteriormente, reconheceu-o a outros presos nas mesmas circunstâncias".

Na ocasião do banimetnto da referida religiosa, afirmamos, de público, a injustiça do ato, expulsando do país, contra a sua vontade, quem afirmava a própria inocência e desejava uma decisão da Justiça de sua Pátria a respeito de sua possivel responsabilidade. O lamentável fato se consumou para, logo depois, o próprio Govêrno acabar adotando solução completamente diferente em mais recente sequestro: impôs aos sequestradores "seu" ponto de vista, segundo o qual apenas seriam trocados pelo nôvo diplomata sequestrado e banidos do País, os presos políticos que o desejassem ...

RESPONSABILIDADE DAS FÉRIAS

As férias não são apenas um direito. São, também, uma responsabilidade. Cumpre aproveitá-las ao máximo, alargando a cultura, retemperando as forças, enriquecendo o espirito. O palpitante problema das férias, em que se encontram milhões de jovens e adultos, é tratado à página 7, na palavra fácil de Mons. Benedito de Ulhoa Vieira. No clichê, mais uma vez

A religiosa banida citada na manchete de *O São Paulo* é a madre Maurina Borges, cuja detenção resultou no primeiro contato de dom Paulo com um preso político.

Logo que chegou, em 1966, na Zona Norte da cidade, o então bispo-auxiliar notou que os dois maiores presídios de São Paulo, e talvez do Brasil, estavam situados na sua jurisdição: a Penitenciária Estadual e a Casa de Detenção. O fato ajudou na decisão de dom Paulo se aproximar do drama dos presos e presas comuns e seus processos sem julgamento por anos a fio. Ele procurou o governador, o ministro da Justiça e secretários de Estado para tentar encaminhar essas injustiças, pedir a revisão dos processos, e nunca foi atendido.

O próprio dom Paulo conta como foi se habituando a visitar os presos:

Habituei-me de tal maneira às visitas à penitenciária, que todas as semanas eu me oferecia para celebrar a eucaristia junto às irmãs encarregadas do presídio feminino e comparecia ao menos uma vez por mês para visitar os presos, participar de reunião da Legião de Maria que ali funcionava e até para cortar cabelo e engraxar sapatos. Tanto o diretor quanto os demais funcionários sempre me acolheram com muita distinção, facilitando o contato necessário com os internos. Distribuir revistas e jornais, levar algumas notícias sobre o resultado de recursos judiciais e ouvir as queixas dos presos era pra mim um conforto na vida relativamente cômoda que levávamos fora da cadeia.

Meses depois, Tito foi posto na lista dos presos trocados pelo terceiro embaixador sequestrado, o suíço Giovanni Enrico Bücher, em janeiro de 1971. Banido do território nacional por decreto, embarcou para Santiago juntamente com 69 presos políticos. Estava triste e abatido.

Encerrava-se ali o ciclo de capturas de diplomatas. A repressão violenta desarticulou a luta armada prendendo e matando os principais líderes e militantes. Em setembro de 1971, Lamarca foi fuzilado. A ditadura já exterminara Marighella, em 1969, e Câmara Ferreira, o Toledo, em 1970.

Os revolucionários que conseguiram escapar da prisão ou foram trocados por embaixadores viviam no exílio. Os que tentaram uma volta na clandestinidade foram executados.

ULTRAJE INDELÉVEL

Tito optou pelo trabalho de informação: passou a dar testemunho do que se passava nos cárceres brasileiros, através de entrevistas em várias capitais. Em Santiago, deu entrevista aos cineastas americanos Haskell Wexler e Saul Landau, que fizeram o documentário *Brazil: A Report on Torture* (Brasil, um relato de tortura), com depoimentos de alguns dos 70 brasileiros libertados em troca do embaixador suíço. De passagem por Roma, Tito não pôde falar a religiosos no Colégio Pio Brasileiro, impedido pela hierarquia, que alegava sua fama de "terrorista".

Mas deu entrevistas à imprensa em Roma, na Alemanha e na França. Na capital francesa militou ao lado de brasileiros na denúncia das torturas praticadas pela ditadura.

No Convento Sainte-Marie de La Tourette, perto de Lyon, para onde se mudou em 1973, o dominicano esperava encontrar um porto seguro e retomar os estudos de teologia. No meio da natureza, no alto de uma colina, Tito encontrou o silêncio, mas não a tranquilidade. Em 10 de setembro de 1974, o corpo do frade foi visto por um camponês, pendendo de uma árvore, numa área inóspita, às margens do rio Saône, perto de Villefranche-sur-Saône. Tito foi enterrado no cemitério do convento. Seu corpo voltou ao Brasil em 1983. Hoje, repousa em Fortaleza.

Ele preferiu a morte a conviver com a tortura e com seus torturadores, que o atormentavam onde quer que fosse. O filósofo Jean Améry, amigo de Primo Levi, dizia que quem foi submetido à tortura "fica incapaz de sentir-se em casa neste mundo. O ultraje do aniquilamento é indelével. A confiança no mundo que a tortura apaga é irrecuperável".

Segundo a Anistia Internacional, apesar de 147 países terem ratificado a Convenção Contra a Tortura, adotada pela ONU em 1984, a organização detectou casos específicos de tortura em 98 países, do total de 198 países existentes no planeta".

Todo mundo da administração dos presídios acaba pedindo desculpas a dom Paulo.

Senhor Cardeal Arcebispo

Acusando o recebimento do estimado ofício de 12 do corrente mês, sinceramente lamentamos, não só em nosso nome pessoal, como no da Vara, o deploravel incidente havido entre Vossa Eminência e funcionários da Penitenciária do Estado.

Todavia, apressamo-nos em vir informar a Vossa Eminência Reverendíssima que este Juízo o autoriza a visitar, sem qualquer exceção, os detentos custodiados sob a nossa jurisdição e que se encontram recolhidos nos seguintes presídios:

Nesta Capital
Casa de Detenção
Penitenciária do Estado
Presídio do Hipódromo

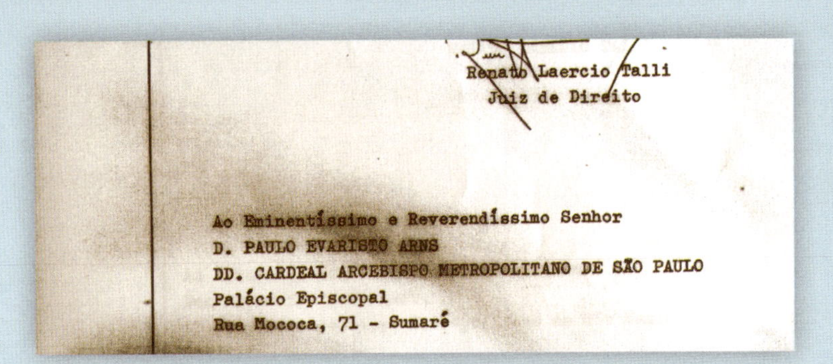

Renato Laercio Talli
Juiz de Direito

Ao Eminentíssimo e Reverendíssimo Senhor
D. PAULO EVARISTO ARNS
DD. CARDEAL ARCEBISPO METROPOLITANO DE SÃO PAULO
Palácio Episcopal
Rua Mococa, 71 - Sumaré

Algumas correspondências foram trocadas entre autoridades carcerárias e dom Paulo. Nesta, datada de 19 de agosto de 1974, o juiz Renato Laércio Talli, da Vara de Execuções Criminais, lamenta "o deplorável incidente havido entre Vossa Eminência e funcionários da Penitenciária do Estado". No parágrafo seguinte, o juiz autoriza dom Paulo a visitar presos comuns em qualquer uma das instituições carcerárias e alerta que em relação "aos presos políticos muito lamentamos nada poder dizer (...) por se tratar de pessoas subordinadas ao controle da Justiça militar ou federal". Ele, então, pede a dom Paulo que se dirija diretamente aos juízes das três auditorias. E qual teria sido o tal lamentável incidente?
Nunca se soube.

10 Como um bispo-auxiliar da Zona Norte de São Paulo vira arcebispo da maior arquidiocese do mundo?

1970

UMA BREVE EXPLICAÇÃO NÃO OFICIAL PARA A NOMEAÇÃO

É sempre um mistério saber como são feitas as promoções dentro da Igreja. Em relação à nomeação de dom Paulo como arcebispo de São Paulo, que até então era a maior arquidiocese do mundo, algumas fontes convergem para a influência de dom Aloísio Lorscheider, secretário-geral e presidente da CNBB por muito anos e, ainda, muito querido em Roma.

O fato detonador da substituição foi a missa que o cardeal dom Agnelo Rossi, arcebispo de São Paulo, rezou em 31 de março daquele ano, lembrando a revolução, segundo os militares (ou o golpe, segundo a oposição). Foi a gota d'água para dom Aloísio procurar o papa Paulo VI e demonstrar que dom Agnelo não poderia ficar a reboque do regime, com a violência instalada depois do AI-5, com muitas prisões, mortes e desaparecimentos. Ao mesmo tempo, dom Aloísio defendeu o nome do fransciscano dom Paulo Evaristo Arns, que já vinha, como bispo-auxiliar da Zona Norte da capital paulista, aplicando, ao pé da letra, as orientações do Concílio Vaticano II (1963/1965) e avançando na aplicação da Teologia da Libertação (1968). Meses depois, em novembro, dom Agnelo era "promovido" para um alto cargo na Cúria Romana e dom Paulo assumia a arquidiocese.

(Sobre o trabalho de dom Paulo como bispo-auxiliar na Zona Norte da capital, você pode acompanhar no capítulo 5).

DOM PAULO LEMBRA DA PRIMEIRA COISA QUE FEZ COMO ARCEBISPO

Quando fui nomeado arcebispo de São Paulo, a primeira coisa que fiz foi visitar os presos, celebrar a santa missa com eles. Foi lá que o Betto me contou que uma pessoa ia ser morta na noite seguinte. Betto me mostrou, de maneira que pude ver a feição daquela pessoa. No dia seguinte, apareceu em todos os jornais um homem morto no Horto Florestal. Era aquele. Casos semelhantes apareciam em todos os lugares. A tortura se tornou lugar-comum para todos os presos.

REALIDADE E FANTASIAS PÁGINA 3

O SÃO PAULO

FUNDAÇÃO METROPOLITANA PAULISTA — ANO XV — SEMANARIO — SABADO, 7 DE NOVEMBRO DE 1970 — N.º 770 — Cr$ 0,40

Dom Paulo Evaristo Arns 5.o Arcebispo Metropolitanô de São Paulo

Em cerimônia realizada domingo último, 1.º de novembro, festividade litúrgica de Todos os Santos e na presença das mais altas autoridades eclesiásticas, civis e militares do Estado e da Cidade, bem como de altos dirigentes de várias comunidades cristãs não católicas, Dom Paulo Evaristo Arns, da Ordem dos Frades Menores, foi empossado como 5.º Arcebispo Metropolitano de São Paulo.

Entre os presentes notamos o Governador Roberto de Abreu Sodré e Sra., o Governador eleito Laudo Natel, o Prefeito da Capital, os Presidentes da Assembléia Legislativa do Estado e da Câmara Municipal, membros do Poder Judiciário e os Comandantes da II Região Militar e II.º Exército. O Corpo Consular de São Paulo também acorreu numeroso.

Dando mais brilho à solenidade, que contou com perto de 5 mil fiéis, lotando completamente a Sé Metropolitana, ali se encontravam, também, os Srs. Cardeais Rossi e Vicente Scherer, Arcebispo de Porto Alegre e novo Presidente da Comissão Central da CNBB, mais 28 Arcebispos e Bispos do Estado e do Brasil. Centenas de sacerdotes dos dois cleros, religiosos e seminaristas, completavam o quadro da solenidade de posse.

Às 17 hs., na escadaria da Catedral, a banda da Polícia Militar executou o Hino Pontifício, em homenagem ao Santo Padre, ali também presente na pessoa do Núncio Apostólico Dom Humberto Mozzoni. Os sinos repicavam festivamente e o Coral da Sé executava solene Te Deum de Ação de Graças.

Processionalmente, todos se dirigiram à capela do SSmo. Sacramento e depois para a sacristia, onde foi lido perante o Cabido Metropolitano, documento oficial dando ciência da nomeação de Dom Paulo Evaristo Arns. No altar-mór seguiram-se os seguintes atos: palavras do Sr. Cardeal Rossi, palavras de Dom Paulo Evaristo Arns, homenagem de obediência do Clero, Missa Concelebrada, leitura da Ata da Posse e cumprimentos pelas Autoridades e Povo presentes. Texto da alocução do Cardeal Rossi e do novo Arcebispo Metropolitano, às páginas 5 e 8.

Um álbum de retratos da Arquidiocese, nos tempos de dom Paulo

Como arcebispo, dom Paulo pôde, então, espalhar por toda a cidade as experiências que vinha desenvolvendo na Zona Norte e avançar ainda mais na proteção dos pobres, dos injustiçados e perseguidos, agindo sempre de acordo com os cânones do Concílio Vaticano II e das orientações do Encontro Latino-Americano de Bispos realizado em Medellín, na Colômbia, em 1968, que levou a Igreja do continente para junto do povo. Ele criou novas pastorais e transformou a Igreja Católica em São Paulo, com forte influência no Brasil inteiro.

O cardeal-arcebispo na cerimônia do lavapés, na Semana Santa.

Nada mais adequado do que um convite assim para a posse de um arcebispo franciscano, mesmo que da maior arquidiocese do mundo.

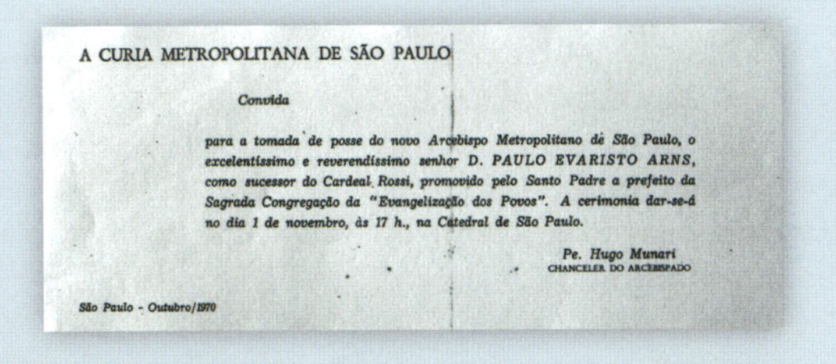

A CURIA METROPOLITANA DE SÃO PAULO

Convida

para a tomada de posse do novo Arcebispo Metropolitano de São Paulo, o excelentíssimo e reverendíssimo senhor D. PAULO EVARISTO ARNS, como sucessor do Cardeal Rossi, promovido pelo Santo Padre a prefeito da Sagrada Congregação da "Evangelização dos Povos". A cerimonia dar-se-á no dia 1 de novembro, às 17 h., na Catedral de São Paulo.

Pe. Hugo Munari
CHANCELER DO ARCEBISPADO

São Paulo - Outubro/1970

No Amparo Maternal, meninas precocemente grávidas são atendidas. A esse local dom Paulo deu total prioridade e lá ia sempre que podia.

Esta enorme bola, representando a Terra, foi o símbolo de uma grande campanha realizada em 1989 e coordenada pela artista plástica M.A.R.A. para que dom Paulo ganhasse o Prêmio Nobel da Paz. Foi o argentino Adolfo Esquivel, Nobel da Paz 1980, que indicou dom Paulo. Quem acabou levando o Nobel daquele ano foi o Dalai Lama.

O holandês Francisco Mooren arruma as flores na Catedral da Sé, na última missa de dom Paulo como arcebispo. Esse ardoroso admirador do cardeal, a cada cerimônia importante, despachava da Holanda dezenas de dúzias de tulipas.

Desde sempre dom Paulo foi um grande defensor do ecumenismo.

As escadarias da Sé foram uma espécie de altar para as celebrações com o povo.

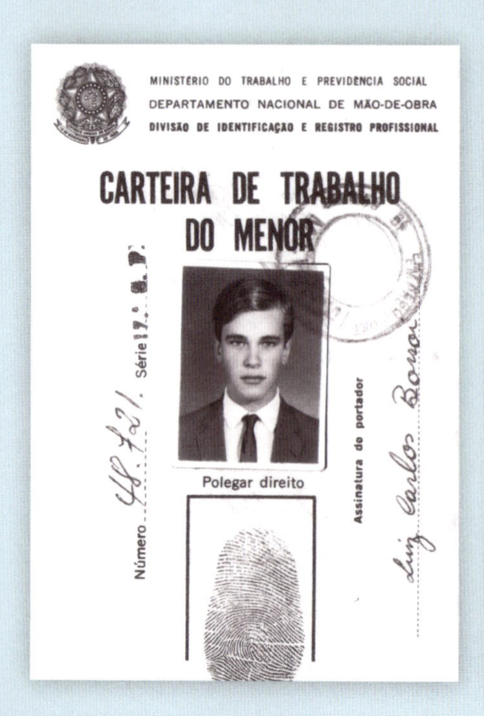

MINISTÉRIO DO TRABALHO E PREVIDENCIA SOCIAL
DEPARTAMENTO NACIONAL DE MÃO-DE-OBRA
DIVISÃO DE IDENTIFICAÇÃO E REGISTRO PROFISSIONAL

CARTEIRA DE TRABALHO
DO MENOR

Número 48.721. Série 17.ª

Polegar direito

Assinatura do portador Luiz Carlos Borsoi

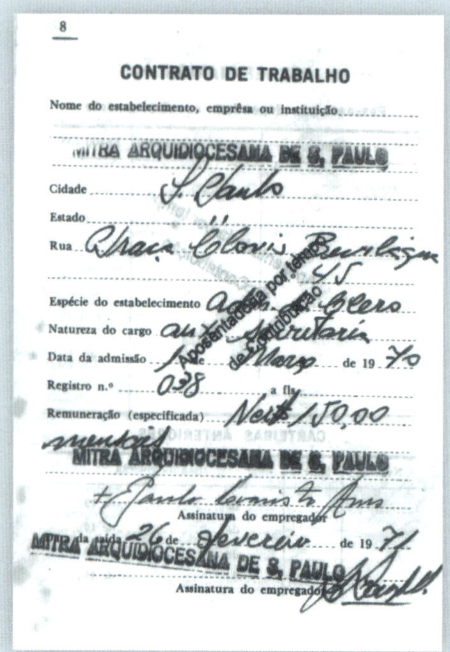

8

CONTRATO DE TRABALHO

Nome do estabelecimento, emprêsa ou instituição
MITRA ARQUIDIOCESANA DE S. PAULO
Cidade S. Paulo
Estado
Rua
Espécie do estabelecimento
Natureza do cargo
Data da admissão 1 de Março de 19 70
Registro n.º 038 a fls.
Remuneração (especificada)
MITRA ARQUIDIOCESANA DE S. PAULO
Assinatura do empregador
da saída 26 de fevereiro de 19 71
MITRA ARQUIDIOCESANA DE S. PAULO
Assinatura do empregador

Era dom Paulo, inclusive, que assinava as carteiras de trabalho dos funcionários da Arquidiocese de São Paulo, como a de Luiz Carlos Borsoi, que foi auxiliar de escritório.

Dom Paulo se prepara para rezar a última missa como arcebispo de São Paulo (1998). Quem o ajuda é o cônego Ildefonso Graciano Rodrigues, que na época era, como se diz na Igreja, o cerimoniário, que está sempre ao lado do arcebispo para ajudá-lo nas grandes celebrações. Uma curiosidade sobre o cônego Ildefonso: ele é major da Aeronáutica e foi capelão da Arma no Amazonas, em Brasília e em São Paulo. Hoje ele faz parte do Cabido, uma espécie de conselho consultivo do arcebispo, que reúne padres mais velhos e mais experientes.

Foto de 1972, feita no salão do Palácio Pio XII por um fotógrafo levado pela madre Ludmilla Prado, então superiora geral das Franciscanas da Ação Pastoral. Da esquerda para a direita: madre Maria de Lourdes Schramm, missionária de Jesus Crucificado (muito conhecida dos jornalistas, pois era ela que atendia o telefone e os pedidos de entrevista, trabalho que ela continuou a fazer na casa do Sumaré), madre Ludmilla Prado, dom Paulo e Maria Angela Borsoi, secretária particular do arcebispo.

11 A cronista que, durante 28 anos, registrou tudo de importante que aconteceu na gestão de dom Paulo como arcebispo

Ela escreveu, à mão, 432 páginas em três livrões daqueles de ata e, um detalhe, com letra de professora!

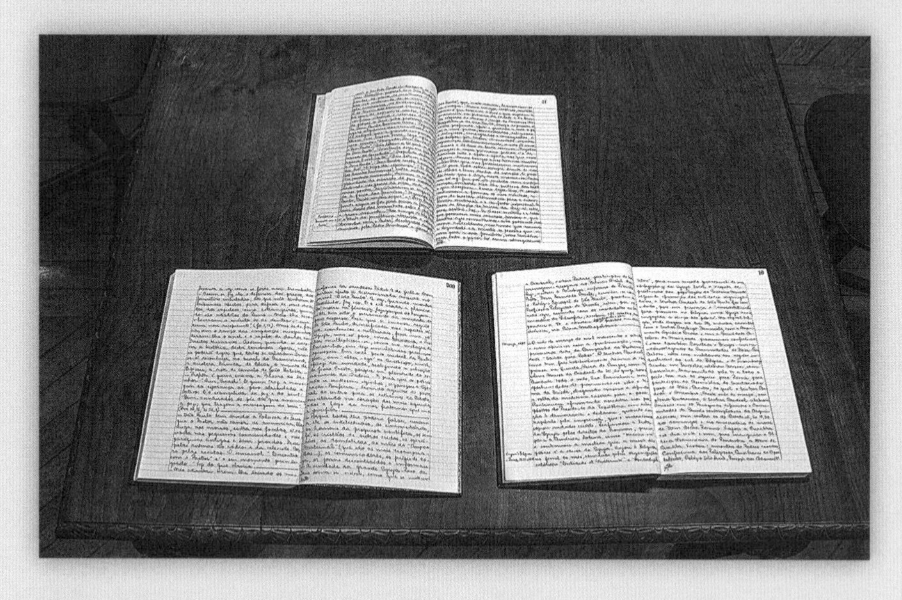

Os três livros onde está anotado o dia a dia da arquidiocese. Exemplo da preocupação constante de dom Paulo com a história.

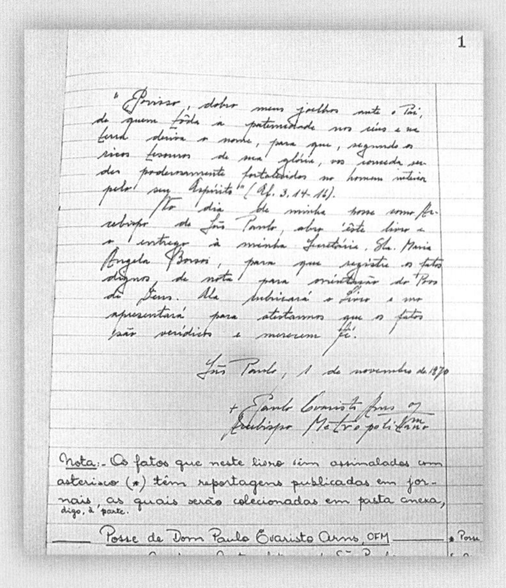

1

"Por isso, dobro meus joelhos ante o Pai, de quem tôda a paternidade nos céus e na terra deriva o nome, para que, segundo os ricos tesouros de sua glória, vos conceda serdes poderosamente fortalecidos no homem interior pelo seu Espírito" (Ef. 3.14-16).

No dia de minha posse como Arcebispo de São Paulo, abro êste livro e o entrego à minha Secretária, Sta. Maria Angela Borsoi, para que registre os fatos dignos de nota para orientação do Povo de Deus. Ela rubricará o livro e me apresentará para atestarmos que os fatos são verídicos e merecem fé.

São Paulo, 1 de novembro de 1970

+ Paulo Evaristo Arns ofm
Arcebispo Metropolitano

Nota:- Os fatos que neste livro têm assinalados com asterisco (*) têm reportagens publicadas em jornais, as quais serão colecionadas em pasta anexa, digo, à parte.

Posse de Dom Paulo Evaristo Arns, OFM — * Posse

Na primeira página do primeiro volume, o pedido formal do arcebispo para que o dia a dia da arquidiocese fosse registrado:

No dia de minha posse como arcebispo de São Paulo, abro este livro e o entrego à minha secretária, Srta. Maria Angela Borsoi, para que registre os fatos dignos de nota para orientação do povo de Deus. Ela rubricará o livro e me apresentará para atestarmos que os fatos são verídicos e merecem fé.

São Paulo, 1º de novembro de 1970
Paulo Evaristo Arns
Arcebispo Metropolitano

Pela primeira vez se tem acesso a essas crônicas, guardadas, desde 1998, nos arquivos da Igreja Católica – sala Dom Paulo Evaristo Arns. A seguir, alguns trechos das crônicas em momentos de particular importância...

Maria Angela Borsoi, a cronista, e dom Paulo, em um dia normal de trabalho.

Encontro com o Presidente da República 5.5.1971 — Aos cinco dias do mês de maio de mil novecentos e setenta e um, em Brasília - Capital Federal, às onze horas e quinze minutos, o Senhor Arcebispo de São Paulo foi recebido em audiência pelo Senhor Presidente da República, General Emílio Garrastazu Médici. A visita teve caráter

No dia 5 de maio de 1971, dom Paulo teve uma audiência com o então general-presidente Emilio Garrastazu Médici, e a cronista, com muita **elegância**, assim registrou o encontro:
"A visita teve caráter geral quanto aos temas tratados, definindo particularmente as posições Igreja-Estado".
Com **elegância**, porque, na verdade, foi um encontro tenso; você pode ter mais detalhes no capítulo seguinte.

velório do Hospital Israelita Albert Einstein, no Morumbi, onde estava sendo velado o corpo do jornalista Wladimir Herzog, Diretor do Departamento de Jornalismo da Televisão Cultura, Canal 2, morto dois dias antes em circunstâncias obscuras nas dependências do DOI, II Exército e por este último dado como tendo praticado o suicídio na prisão. Detalhes mais pormenorizados sobre este acontecimento que sensibilizou a opinião pública do país e do exterior, encontram-se nos jornais destes dias.

O REGISTRO DA CRONISTA, QUANDO DO ASSASSINATO DO JORNALISTA VLADIMIR HERZOG:
"Aos vinte e sete dias do mês de outubro de mil novecentos e setenta e cinco, às dez e trinta, o Senhor Cardeal compareceu ao velório do Hospital Israelita Albert Einstein, no Morumbi, onde estava sendo velado o corpo do jornalista Vladimir Herzog, diretor do departamento de Jornalismo da televisão Cultura, canal 2, morto dois dias antes em circunstâncias obscuras nas dependências do DOI, II Exército, e por este último dado como tendo praticado o suicídio na prisão. Detalhes mais pormenorizados sobre este acontecimento que sensibilizou a opinião pública do país e do exterior encontram-se nos jornais destes dias".

Além de cronista da Arquidiocese, Maria Angela Borsoi trabalhou como secretária particular de dom Paulo durante quarenta anos, um mês e quatorze dias.

crofones da saudosa Rádio 9 de julho. Nem
surtiu efeito a discriminada censura no
jornal "O São Paulo". A voz, quando encontra
obstáculo, faz eco. E o eco acorda a planície.
Só morre na fímbria longínqua do horizonte...
* * *
— Ele tem sido o sacramento da unidade do
povo disperso. Para que a imensa região
de São Paulo, diversificada nos aspectos só-
cio-econômicos e culturais, fosse uma só
Igreja, um só povo, uma koinonia, o Pastor multiplicou-se, como no milagre da
Eucaristia, em dez simultâneas presenças
episcopais. Em cada ponto cardeal da Pauli-
céia, um "alter-ego" do Arcebispo, sinal
eficaz da unidade, realizando a salvação
de Jesus Cristo, porque na plenitude do sacramento da Ordem. E para que os pobres
não se sentissem sozinhos, organizou a Operação-Periferia, levando agentes de pastoral do centro para os extremos da Cidade,
suscitando no coração dos mais aquinho-
ados o fogo do amor fraterno que une
e purifica.
— Porque todos lhe podem falar, vieram
a ele os intelectuais, os universitários,
os homens da pesquisa científica, os sem
fé, os cristãos de outros credos, os operários, as domésticas, as mães do "Amparo
Maternal" (que são as mais desampara-
das...), os comunicadores, os juízes de to-
ga, os jovens descontraídos e informais.
— A unidade da grande Igreja-Povo de
Deus torna-se visível, como que se materia-

DOM PAULO SEMPRE TEVE CONTATO ESTREITO COM A MÍDIA EM GERAL, FATO QUE NÃO ESCAPOU À CRONISTA:

"São Paulo tem ouvido a Palavra de Deus que o Pastor não cansa de anunciar. Ela chega aos morros, entra nas favelas, é recebida nas pequenas comunidades e nas paróquias antigas e bem providas. Desce pelas antenas do rádio e da televisão. Corre pelas revistas. O semanal "Encontro com o Pastor" e o seu momento privilegiado "Voz do que Clama".

Maria Angela e dom Paulo, ainda no Palácio Episcopal, em 1971. A foto foi tirada por uma amiga, a advogada Helcília de Campos.

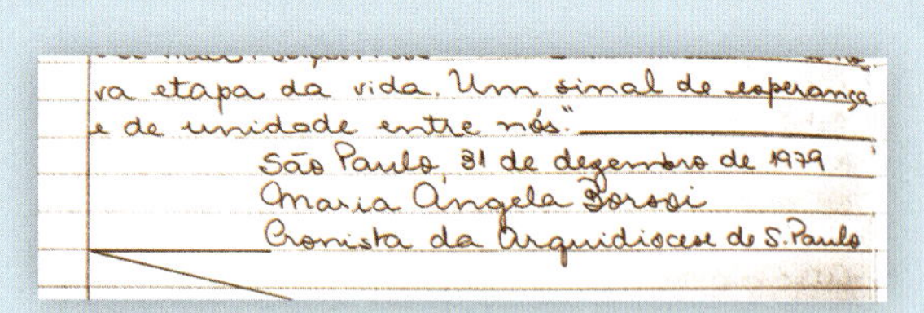

va etapa da vida. Um sinal de esperança
e de unidade entre nós."
São Paulo, 31 de dezembro de 1979
Maria Angela Borsoi
Cronista da Arquidiocese de S. Paulo

Ao final de cada ano, as crônicas eram assinadas pela autora.

Aqui, Maria Angela conta como foi a convivência com o cardeal. E, a nosso pedido, os dois primeiros parágrafos, com sua letra de professora!

Desafio bem grande para mim é este de pela primeira vez tentar descrever, em espaço limitado, qual foi o significado de trabalhar por pouco mais de quatro décadas junto a Dom Paulo Evaristo Arns.

Lançando um olhar retrospectivo sobre a estrada por onde o bom Deus me tem conduzido ao longo de 74 anos, só posso prorromper em sincera ação de graças por tantos dons recebidos de Seu Amor. Sim, porque por mais que eu pense, por mais que eu medite, não encontro outra explicação para o significado de ter encontrado a figura humana e cristã do homenageado deste livro e ser chamada a prestar-lhe serviço por tanto tempo. Afinal, nem em sonho eu imaginara na juventude algo semelhante como ocupação. Servir a Dom Paulo foi para mim, sem dúvida, um imenso, um enorme presente de Deus pelo qual não canso de agradecer. Portanto, puro privilégio, grande honra e permanente motivo de ação de graças.

Abaixo, a complementação da mensagem de Maria Angela:

Nascida em família operária, estudei para ingressar no mundo do trabalho como profissional da saúde. Desde o primeiro emprego como nutricionista, fui arrimo de família para meus pais na luta de conseguirem proporcionar boa educação a meus quatro irmãos mais novos, e ocupava o tempo livre como simpatizante de grupos da Ação Católica, ocasião que coincidiu com a chegada de dom Paulo na Região Norte, área de São Paulo onde cresci e vivo até hoje. Era o ano de 1966, as novidades do Concílio Vaticano II fervilhavam, e a encruzilhada de minha vida aconteceu quando, a convite, fui admitida a integrar a equipe por ele constituída para ajudá-lo nas Missões do Povo de Deus, destinadas a levar o espírito conciliar a cada uma das quarenta e tantas paróquias de sua jurisdição. Situa-se aí o momento da guinada. Aos vinte e oito anos de idade, trabalhando meio período em hospitais, pude dedicar meu tempo livre às atividades missionárias que, conduzidas pelo pioneirismo entusiasmante e o carisma invulgar de dom Paulo, arrebatavam a equipe, na qual aos poucos e naturalmente fui sendo "empurrada" pelos colegas a anotar treinamentos, datilografar esquemas, produzir cópias de textos, montar murais em cartolina, enfim, secretariar reuniões e sessões de trabalho. Foi assim que praticamente minha vida de secretária se iniciou. Quase ao acaso, sem busca anterior ou preparo específico para a função.

Ao mesmo tempo, com a agenda sobrecarregada de atividades missionárias, nosso bispo não conseguia mais cuidar pessoalmente dos assuntos de sua escrivaninha, pois além de tudo o cardeal Rossi o havia encarregado dos meios de comunicação social em âmbito arquidiocesano, e na CNBB integrava a Comissão Central como secretário da Educação. Genoefa Frederico, a saudosa assistente social e amiga de longa data que me levou à equipe, o ajudou muito na solução dos problemas. Além de ser considerada uma espécie de "mãe" na equipe, foi sem dúvida o primeiro "braço direito" de dom Paulo. Considero essa grande leiga de nossa Igreja – de quem eu, jovem, admirava a respeitável experiência, procurando seguir-lhe os passos – a "culpada" de ter me tornado secretária do dom, porque em nome da amizade antiga e da própria habilidade não precisou muito para me convencer a "dar um jeitinho de ajudar o bispo... só você tem máquina de escrever... etc". Deus sabe quanto medo eu sentia, quanta insegurança em dar o primeiro passo! Afinal, naquela época, a educação que eu recebera em colégios católicos me fazia considerar os bispos com muito respeito, mas distantes da minha realidade, pouco mais que – com o perdão do querido papa Francisco – príncipes da Igreja!

Comecei sem abandonar minha profissão original, já que meio período de trabalho era suficiente e estava de acordo com os planos de dom Paulo. Aos poucos, fui me habituando com os muitos impactos, uns pequenos, outros maiores, que seu estilo de agir franciscano causava em nossas vidas. Nossos ensaios individuais e coletivos de palestrantes diante dele, especialista em Didática Geral e Pedagogia, com suas críticas, cobranças e correções, faziam-nos tremer, pensando nas paróquias que nos aguardavam. Ao mesmo tempo, éramos desafiados a reproduzir as Semanas da Palavra a partir do aprendizado recebido de exegetas renomados como frei Gorgulho e Ana Flora Anderson. Já na estreia como secretária espantou-me a coragem do novo bispo em nomear-me cronista, substituindo um sacerdote culto e competente que por razões de força maior tivera que abandonar a tarefa. E a paciência e a caridade em treinar-me, até mesmo nas minúcias como tipo de caneta e tinta a serem usados na escrita daquele livro de capa dura. Feito arcebispo de São Paulo, quando fui despedir-me antes de sua mudança para o Palácio Pio XII, novamente a surpresa me tomou ao ouvir seu convite para continuar a secretariá-lo, se pudesse, no mesmo estilo de colaboração que vinha mantendo, ou seja, no meu tempo livre. Apesar do susto e dos sobressaltos que a simples menção da palavra "palácio" me causava, aceitei sem ter sido capaz de sequer supor o que me aguardaria a partir de então: a continuidade de um aprendizado agora mais intenso, porque mesclado de surpresas, pioneirismo, desafios, alegrias, cansaços, descobertas, temores, sofrimentos e correrias, que marcaria seu longo e corajoso período de governo. Sempre abrasado e conduzido por um ardoroso e incomum espírito missionário.

Dom Paulo foi e é escola para mim. Um evangelizador e mestre em todos os sentidos. Sobretudo da virtude teologal da Esperança, sua marca registrada. Educador da cidadania e catedrático dos direitos fundamentais da pessoa humana, que cuidou com zelo para que nunca houvesse entre nós, comunidade de sua casa, nem sequer um início de manhã, sequer sem a força da Eucaristia e da oração. Que constantemente suavizou a atmosfera pesada dos anos de chumbo que seus ombros e sua maleta traziam das audiências da Cúria e das visitas aos cárceres com o humor e a leveza da jovialidade franciscana. Mas que nos fazia também perder o fôlego correndo atrás de sua enorme capacidade de trabalho e ter raiva de relógios e cronômetros por causa do rigor de sua pontualidade.

Encantada até hoje pela graça de testemunhar de perto o denso ministério episcopal retratado neste livro, reverencio com um simples porém imenso "obrigada!" a figura sem par do pastor, apóstolo e profeta da Esperança que foi e continua sendo meu chefe, o cardeal dom Paulo Evaristo Arns.

12 O dia em que o general--presidente ficou nervoso na frente do arcebispo

Ao longo de todo o regime de exceção, dom Paulo teve diversos encontros com militares de diferentes patentes.

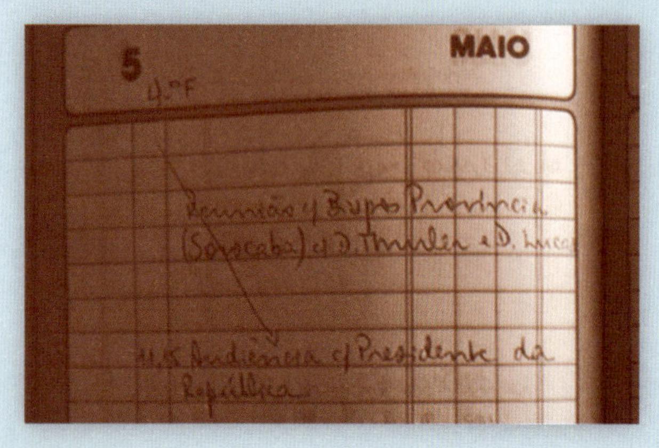

Em sua agenda de compromissos, dom Paulo reservou o dia 5 de maio de 1971 – uma quarta-feira – para o encontro com o general-presidente Garrastazu Médici. Horário: 11h15 da manhã, em Brasília.
Na foto, possivelmente, o início da audiência, porque depois o bicho pegou...

A SEGUIR, TRECHOS DA ENTREVISTA QUE DOM PAULO DEU, EM 1996, AO JORNALISTA ARI SCHNEIDER DA REVISTA *IMPRENSA* SOBRE O ENCONTRO COM O GENERAL PRESIDENTE:

Revista Imprensa (RI): Qual foi seu momento mais difícil à frente da arquidiocese de SP?
Dom Paulo: *Acho que foi o momento de encontrar o presidente Médici e ouvir dele estas palavras: "Nós não arredamos um milímetro da nossa política". Eles estavam prendendo, matando, torturando. E eu ia lá em nome de todos os que estavam sofrendo. Levava um peso enorme no coração. Foi duro ouvir aquilo, dito por um presidente da República, segurando a mesa e tremendo de tanta raiva: "Nós não vamos arredar um só milímetro".*

RI: Houve algum episódio específico que o levou a ir falar com ele?
Dom Paulo: *Os bispos do Estado de São Paulo haviam publicado o primeiro documento de protesto contra a tortura e o crime. Distribuímos 50.000 exemplares nas casas das pessoas, nas portas das igrejas e ordenávamos um dia de jejum para marcar a nossa posição. Naquele momento, quase a metade dos bispos ainda não acreditava que o povo brasileiro pudesse ser torturado pelos próprios irmãos, de maneira que o documento foi aprovado pela diferença de um único voto: o meu. Eu era presidente da Conferência dos Bispos e exerci o direito de voto em caso de empate. Mas os bispos exigiram de mim, em troca, que eu fosse ao presidente da República para exprimir isso diretamente. E foi o que fiz para convencer meus colegas de que aquilo não adiantava e que era preciso agir, era preciso denunciar.*

RI: Foi fácil chegar a ele?
Dom Paulo: *Fui sob outro pretexto. Pedi ao bispo castrense, de Brasília, que me arranjasse essa audiência com o presidente da República para eu entregar a ele um exemplar da* Rerum Novarum, *primeira encíclica social de Leão XIII, escrita em letras góticas, numa confecção finíssima feita com um esmero extraordinário por um artista aqui de São Paulo. Então, consegui chegar ao presidente dizendo que estava levando uma mensagem do papa para ele.*

RI: E ele teve uma reação sanguínea?
Dom Paulo: *A reação foi imediata. Quando ofereci o exemplar da encíclica, ele disse na hora: "Não aceito". Foi um choque esse "não aceito". Então continuei: Senhor presidente, eu sou presidente eleito dos bispos do estado de São Paulo e eles me pediram que viesse aqui conversar com o senhor a respeito das prisões, das pessoas desaparecidas, das famílias, etc.". Ele disse: "A Igreja permaneça na sacristia. Nós sabemos o que fazer. Agradeço a sua visita, o senhor pode se retirar". Não tinha muito mais o que fazer, retirei-me.*

EM SUAS MEMÓRIAS, DOM PAULO FAZ COMENTÁRIOS SOBRE VÁRIOS GENERAIS, COMO O ENTÃO COMANDANTE DO II EXÉRCITO (29/9/1970 A 23/1/1974), CANAVARRO PEREIRA, QUE SE REFERIA A DOM PAULO COMO "O MAIS SUBVERSIVO".

"(...) corria a versão de que o 'mais subversivo' dos bispos fora escolhido sucessor de dom Agnelo Rossi. Essa versão se deveu, sem dúvida, ao fato de eu ter visitado os presos dominicanos e ter relatado a tortura na assembleia nacional dos bispos (...)" (Da Esperança, p. 376)

COMENTÁRIO DE DOM PAULO SOBRE O GENERAL EDNARDO D'AVILA MELLO

"Todos nós sabemos qual foi o desfecho das duas mortes – a de Vladimir Herzog e de Manuel Fiel Filho – que provocaram imensa reação em São Paulo; o general Ednardo foi demitido e substituído (...)" (Da Esperança, p. 380)

COMENTÁRIO DE DOM PAULO SOBRE O GENERAL HUMBERTO DE MELLO E SOUZA, DA LINHA DURA

"O general Humberto Mello e Souza pedira ao ministro que me confinasse no Palácio Pio XII, minha residência, e cercasse aquela zona do bairro do Paraíso com tropas do Exército. (...) O ministro Orlando Geisel ordenou que o comandante não ousasse tocar na minha pessoa. Fui aconselhado a tomar cuidado para evitar acidentes provocados". (Da Esperança, p. 377/378)

Dos militares mais graduados com quem teve contato, o general Golbery foi um que impressionou dom Paulo, que com ele se reuniu, acompanhado de familiares de presos e desaparecidos. Na reunião, dom Paulo apresentou um dossiê com 22 casos de desaparecidos.

ABAIXO, UM TRECHO DA ENTREVISTA QUE O JORNALISTA MATINAS SUZUKI FEZ COM O CARDEAL, NO PROGRAMA *RODA VIVA*, DA TV CULTURA, EM 25 DE DEZEMBRO DE 1995.

Matinas Suzuki: (...) Invertendo um pouco o ângulo, teve algum interlocutor, teve alguma pessoa que estava do lado do regime militar e de quem o senhor guarda uma boa impressão ou um fato positivo? Teve esse momento? O senhor passou por isso também?
Dom Paulo Evaristo Arns: *Ah, sim. O general Golbery do Couto e Silva, por exemplo, que era totalmente do outro lado, que foi o criador mesmo do serviço secreto e que foi o criador da própria ideologia da revolução. Ele se tornou meu amigo no fim da vida, e nós almoçamos muitas vezes juntos e sozinhos, só nós dois, para discutirmos como é que poderíamos acabar com a tortura. E, no momento em que o diretor dessa casa, Vlado Herzog, foi preso, foi torturado e foi morto, naquele momento eu telefonei para ele dizendo: "General Golbery, está acontecendo isto em São Paulo". Ele deu um murro na própria mesa, que eu ouvi por telefone. Ele disse então um palavrão que eu não vou repetir aqui porque é Natal [risos], mas um palavrão, e disse assim: "Esse pessoal não está entendendo mesmo". E o general foi deposto. Aquele general foi deposto. Aquele que matou o Vlado Herzog foi deposto. Então eu penso que eu tive algumas pessoas que são muito discutidas em muitas situações, mas que foram realmente amigas e conselheiras em horas difíceis, em horas tristes. Até um dos comandantes daqui.*

Dom Paulo com o general Dilermando Monteiro, que assumiu o comando do II Exército, com sede em São Paulo, em 20 de janeiro de 1976. Dom Paulo sempre elogiou o general Dilermando, e assim se referiu a ele em suas memórias:
"(...) comandante pacificador ou homem da paz. Foi também este adjetivo que eu empreguei na primeira entrevista e que marcou a imagem e a ação do comandante".

O general também foi muito gentil com dom Paulo,
como fica constatado nestas três mensagens:

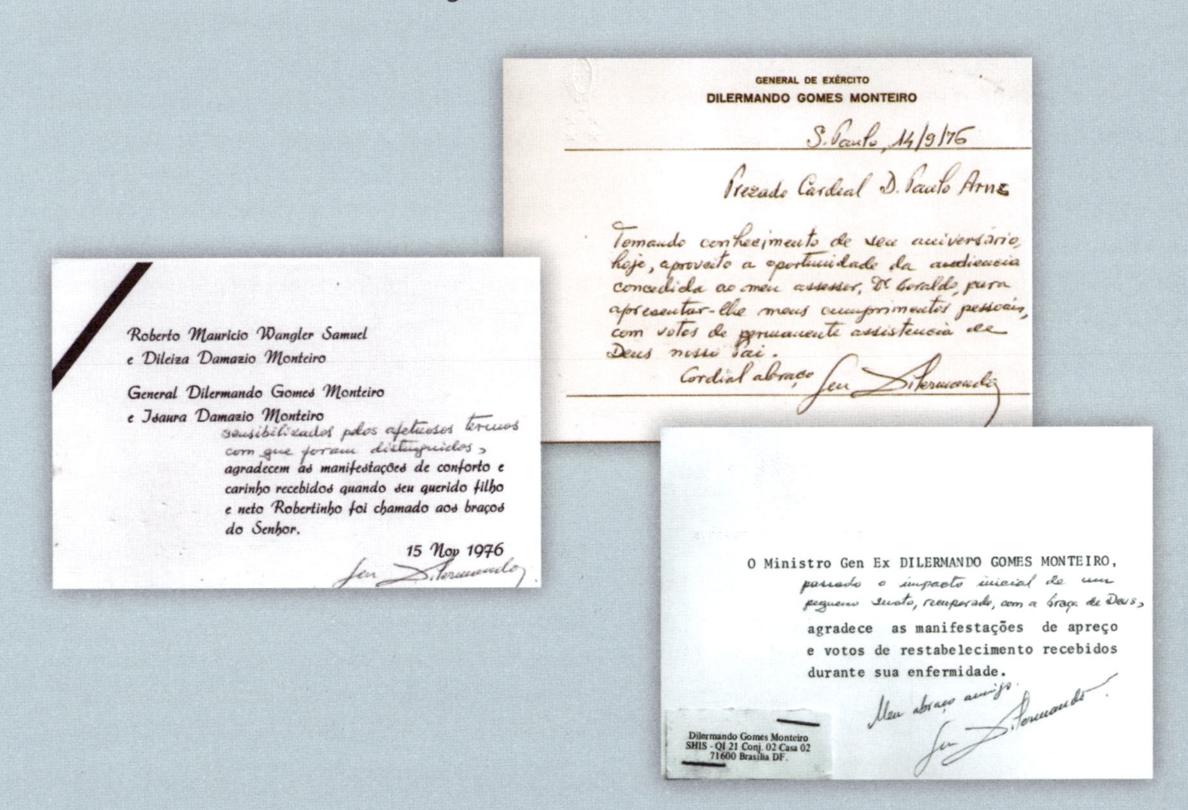

GENERAL DE EXÉRCITO
DILERMANDO GOMES MONTEIRO

S. Paulo, 14/9/76

Prezado Cardeal D. Paulo Arns

Tomando conhecimento de seu aniversário, hoje, aproveito a oportunidade da audiência concedida ao meu assessor, Dr. Geraldo, para apresentar-lhe meus cumprimentos pessoais, com votos de permanente assistência de Deus nosso Pai.

Cordial abraço Gen Dilermando

Roberto Mauricio Wangler Samuel
e Dileiza Damazio Monteiro

General Dilermando Gomes Monteiro
e Isaura Damazio Monteiro
sensibilizados pelos afetuosos termos com que foram distinguidos, agradecem as manifestações de conforto e carinho recebidos quando seu querido filho e neto Robertinho foi chamado aos braços do Senhor.

15 Nov 1976

Gen Dilermando

O Ministro Gen Ex DILERMANDO GOMES MONTEIRO,
passado o impacto inicial de um pequeno susto, recuperado, com a graça de Deus,
agradece as manifestações de apreço e votos de restabelecimento recebidos durante sua enfermidade.

Meu abraço amigo.
Gen Dilermando

Dilermando Gomes Monteiro
SHIS - QI 21 Conj. 02 Casa 02
71600 Brasília DF.

De madrugada, o tiroteio e a morte

Agentes do II Exército desmantelam um aparelho e matam 3 líderes comunistas

Agentes do Departamento de Operações Internas do II Exército, com a colaboraçao de outros órgãos de segurança, desmantelaram ontem um aparelho subversivo localizado na rua Pio XI, 767, Alto da Lapa, após intenso tiroteio em que morreram o ex-deputado federal pelo Partido Comunista Brasileiro Pedro Ventura de Araujo Pomar e os militantes comunistas João Batista Franco Drumond e Angelo Arroyo.

A operação, montada e executada pelo II Exército, começou por volta das 6h30 da manhã e durou cerca de 30 minutos. Na casa, além dos três

Durante muitas horas, até o começo da tarde, os agentes transportavam para as peruas dos órgãos de segurança grande quantidade de livros, jornais, manuscritos, armamentos, roupas e objetos variados.

Uma perua Kombi branca, com chapa de São bernardo do Campo, foi colocada na entrada lateral da casa, para impedir que os jornalistas e curiosos vissem a movimentação no quintal.

Harry Shibata, diretor da Divisão de Perícias Médico-Legais, chegou à residência onde ocorreu o tiroteio pouco antes das 11 horas. Entrou pela lateral e saiu pela porta da frente, quin-

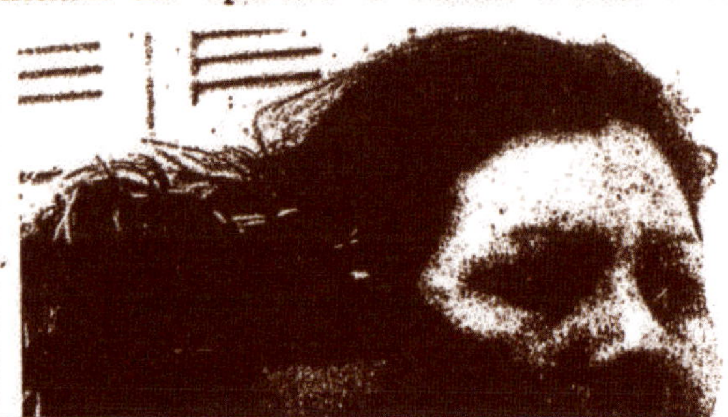

EM DEZEMBRO DE 1986 – 11 MESES DEPOIS DA POSSE DO GENERAL DILERMANDO –, QUANDO FORÇAS DE SEGURANÇA INVADIRAM UMA REUNIÃO DO PCDOB, NO BAIRRO DA LAPA, EM SÃO PAULO, MATANDO, PRENDENDO E DEPOIS TORTURANDO, AS RELAÇÕES GENERAL/CARDEAL ESFRIARAM DE VEZ. QUEM CONTA O QUE ACONTECEU – E POUCA GENTE SABE O QUE ACONTECEU – É O ADVOGADO LUIS EDUARDO GREENHALGH.

Durante todo o ano de 1975 o Brasil inteiro e, especialmente São Paulo, viu se abater violenta repressão sobre militantes políticos, especialmente ligados ao PCB.

O resultado dessa violência, em São Paulo, por exemplo, foi a morte nas dependências do DOI-CODI – II Exército, em julho, do 1º Tenente da PM José Ferreira de Almeida, em outubro, do jornalista Vladimir Herzog e em janeiro de 1976, do operário Manoel Fiel Filho.

Para todos eles a mesma falsa versão: teriam se suicidado nas dependências do DOI-CODI – II Ex.

A situação de absoluto descontrole dos órgãos de segurança causou a queda do então comandante do II Exército, o general Ednardo Dávila Melo, e sua substituição pelo general Dilermando Gomes Monteiro.

Pois bem. O general Dilermando chegou aqui em São Paulo e fez uma visita protocolar ao cardeal. Nessa visita, o militar afirmou a dom Paulo que "na sua gestão não haveria torturas nas dependências do DOI-CODI – II Exército".

Ocorreu que, na Chacina da Lapa, foram mortos, na casa, Pedro Pomar e Angelo Arroyo. E foram presos Vladimir Pomar, Aldo Silva Arantes, Haroldo Lima, Joaquim Celso de Lima, Maria Trindade e Elza de Lima Monerat.

Todos foram torturados nas dependências do DOI-CODI – II Exército (SP), do DOI-CODI – I Exército (RJ) e no DEOPS (SP).

Eu fui constituído advogado de Vladimir Pomar, Haroldo Lima e Aldo Arantes. Lembro-me de que, quando quebrei a incomunicabilidade deles, todos disseram-me terem sido torturados e, em especial, Aldo Arantes, que me foi trazido para a entrevista pessoal advogado/cliente amparado por dois investigadores do DEOPS, pois não conseguia andar sozinho, de tanta tortura.

Depois da visita, no dia seguinte, fui à Cúria e relatei a dom Paulo a situação dos presos, em decorrência das torturas, especialmente a de Aldo Arantes.

Lembro-me de que dom Paulo ouviu o relato em silêncio. Ao final perguntou-me se eles haviam sido torturados no DOI-CODI ou no DEOPS. Eu respondi: "Em ambos, inclusive no DOI-CODI do Rio de Janeiro". Ele ficou em silêncio, meio incrédulo, e pediu-me que eu o mantivesse informado.

Dias depois, a mãe de Aldo veio de Belo Horizonte para visitá-lo. Ficou chocada com a situação do filho. Na saída, pediu-me para levá-la à Cúria Metropolitana, pois queria falar com o cardeal. Dom Paulo prontamente a recebeu, e ela então relatou a ele as torturas sofridas pelos presos da Lapa e principalmente as de Aldo.

Ao final do relato de dona Maria de Lourdes, dom Paulo abaixou a cabeça e disse: "O general mentiu para mim".

Voltamos ao meu escritório. Sugeri à mãe de Aldo que escrevesse uma carta tanto para dom Paulo quanto para o Juiz Auditor, relatando-lhes a visita e a situação deplorável em que se encontrava Aldo.

Assim o fizemos.

Além disso, peticionamos denunciando também as torturas e requerendo da Auditoria Militar que fossem tomadas providências imediatas para fazer cessá-las em relação a todos os presos, e, inclusive, informamos que Aldo Arantes era portador de epilepsia.

O Comando do II Exército considerou a nossa denúncia, e a carta da progenitora de Aldo, uma "afronta, uma deslavada mentira", embora, diante delas, tenha sido o general Dilermando obrigado a requisitar um "Exame de Corpo de Delito", cujo resultado foi o seguinte:

"Dado o que foi observado posso inferir que ALDO DA SILVA ARANTES encontra-se em boas condições físicas (...) embora o examinado alegue ter sofrido sevícias por choque elétrico não há sinais de lesões características que confirmem a citada alegação. Não há sinais de lesões por choque elétrico no tegumento externo."

Tal Laudo foi assinado pelo tenente-coronel médico Eliseu Caldas Correia, em 2 de fevereiro de 1977.

Diante da denúncia, também o então diretor do DEOPS, delegado Sergio Fernando Paranhos Fleury, resolveu requisitar Laudo de Exame de Corpo de Delito de Aldo Arantes, cujo resultado foi o seguinte:

"Não há sinais de lesões por choque elétrico no tegumento externo".

Tal Laudo foi assinado pelos médicos-legistas do IML Frederico L. Hoppe e José Carlos Penteado, também em 2 de fevereiro de 1977.

Diante desses "resultados" dos "Exames de Corpo de Delito", no dia seguinte, o general comandante do II Exército, Dilermando Gomes Monteiro, editou Ofício/Nota Oficial, onde informava ter tomado as providências cabíveis para "apurar a insidiosa acusação contra órgão subordinado ao II Ex, constante da petição do advogado Dr. Luis Eduardo Greenhalgh, defensor do preso ALDO SILVA ARANTES".

Disse o General, no Ofício, que a petição protocolizada na Auditoria Militar acusava que nosso cliente havia sido vítima "de sevícias que teriam sido aplicadas ao preso quando de sua ida, para investigações complementares sobre aspectos de interesse da Segurança Nacional, a dependências do DOI/II Ex. (...)".

Mais. Disse que Aldo, no momento da feitura do Exame de Corpo de Delito, teria se limitado "a acusar os elementos que o interrogaram da aplicação de choques elétricos, o que não foi citado por sua própria mãe" na carta dirigida ao juiz auditor nem pelo advogado em sua petição, "demonstrando essa disparidade, a insídia e a má-fé com que procuram, detido e advogado, tratar um assunto da seriedade do levantado pela petição. A se admitir a acusação de choques elétricos, calúnia que nos merece a mais áspera repulsa, sendo o paciente epilético, como vem sendo continuamente afirmado, suas condições patológicas seriam provavelmente diversas, e deixariam marcas evidentes".

Continuou o general Dilermando, na Nota Oficial: "o teor dos laudos médicos, por si só respondem à acusação com formal desmentido, mas, para maior firmeza dessas informações, determinei pesquisa correspondente na área do DOI, recebendo informações que me permitem afirmar não ter havido qualquer maltrato ao preso quando de sua estada nas dependências do DOI".

Para concluir, da seguinte forma: "Pelo exposto, Sr. Juiz, o Comando do II Exército espera ter apresentado a V. Exa. informações que comprovam a inexatidão das acusações formuladas na petição do advogado (...) É fácil perceber as aleivosias contida no evento, inclusive pela farta difusão promovida através da imprensa, em que se nota o intuito de lançar a opinião pública contra órgãos de segurança – cujo único interesse é a manutenção da paz e da tranquilidade geral –, enquanto eles, falsos patriotas, tramam contra a segurança e a soberania de seu país para depois virem reclamar tratamentos e cuidados que nem mereceriam não fosse nosso extremo zelo em respeitar e fazer respeitar, como vem sendo feito, os direitos elementares e a dignidade da pessoa humana, que não sabem eles, adeptos militantes de partidos antinacionais e proscritos pela Lei, fazer valer, mesmo entre seus filiados e seguidores". Assinado: "Gen. Ex. DILERMANDO GOMES MONTEIRO. Cmt. II Ex.".

Com esse Ofício/Nota Oficial, desafiei então que o II Exército apresentasse o preso à imprensa para que os jornalistas vissem as marcas das torturas. Isso não foi aceito. Meses depois, porém, quando Aldo foi interrogado na Auditoria Militar, teve a oportunidade de mostrar as marcas que ainda trazia no corpo, provenientes dos choques elétricos.

Quando esse episódio se resolveu, estive novamente com dom Paulo. Perguntei-lhe se tinha lido as "explicações do general Dilermando, sobre o caso Aldo Arantes". Dom Paulo, meio desapontado, respondeu-me: "Sim. O general mandou-me cópia. Ele mentiu para mim, e eu já disse isso a ele".

Ele se despediu de mim, como sempre: "Coragem. Vamos continuar".

O PRIMEIRO CONTATO COM OS MILITARES

As biógrafas de dom Paulo, Evanize Sydowe e Marilda Ferri, contam como foi, no livro *Dom Paulo Evaristo Arns. Um homem amado e perseguido* (Editora Vozes).

EM DETERMINADO MOMENTO DA BIOGRAFIA, ELAS CITAM O FRANCISCANO SIMÃO VOIGT, QUE PROCURAVA NOTÍCIAS NO RÁDIO APÓS O DISCURSO DO PRESIDENTE JOÃO GOULART, JÁ PREVENDO O GOLPE.

Voigt pensou em muitas coisas num curto espaço de tempo: "O primeiro quartel que vai receber ordem de segurar os mineiros vai ser o de Petrópolis", "Petrópolis está no fogo", "Avisar a quem?". Teve ideia de falar com Paulo Arns, que era o superior presente naquele momento. Subiu até o andar de cima e bateu à porta do quarto dele. Rapidamente Paulo acendeu a luz, abriu a porta e encontrou o rapaz preocupado.

– Desculpe incomodar a essa hora, mas é que tem um fato importante aí. O que fazer? Alguma providência a tomar?

Paulo parou, ficou olhando para baixo e pensando. Pediu ao frade que fosse dormir e no dia seguinte ele pensaria melhor, pois àquela hora não poderiam resolver nada. Na passagem das tropas próximo a Petrópolis, Arns foi falar com o comandante Mourão Filho. Pediu que não agisse de forma violenta, mas recebeu como resposta um deboche:

– O senhor pensa que mineiro é bobo?*

Essa foi a primeira intervenção do religioso para tentar evitar a morte de brasileiros pela ditadura militar. Depois dela, poucos anos mais tarde, muitas outras viriam.

EM DEPOIMENTO AO JORNALISTA MINO CARTA (REVISTA *CARTA CAPITAL*, MAIO DE 1995), DOM PAULO CONTA, EM DETALHES, COMO ESSA SUA VISÃO POLÍTICA DA VIDA FOI SE FORMANDO.

Tenho refletido sobre isso. Acho que a revolução começou em mim quando convivi na minha classe, na Sorbonne, no primeiro ano, com 250 colegas que tinham, sido prisioneiros de guerra, presos e torturados na Alemanha, muitos com pernas ou braços amputados. Isso acontecia há 48 anos, em 1947. E um professor, bem irônico, que tinha sido ministro da Educação, dizia: "Olha aí o pessoal da esquerda". E apontava para um setor da sala de aulas. E lá no meio estava eu. Tinha um colega que se sentava ao meu lado, que sofrera barbaridades. Depois havia no convento onde eu morava mais de meia dúzia de jovens, mais ou menos da minha idade, que tinham anotado suas experiências. Um, por exemplo, de Dachau, o campo de concentração mais terrível do mundo, me passou as anotações que fizera num caderninho sobre tudo o que acontecia lá dentro. Muitas vezes pensei: "Esse mundo realmente não tem jeito. Estou estudando letras aqui, mas é tudo bobagem." Sempre pensava que era tudo bobagem porque não ia mudar o mundo.

Ao voltar para o Brasil, achei o país muito tranquilo, de início. Quando começou a ferver, a coisa começou a ferver em mim também. Não é nenhum fato extraordinário, mas no dia 1° de abril de 1964 as tropas vieram de Minas Gerais, estrada Petrópolis, peguei o jipe fui ao encontro delas.

Não para receber a revolução, mas para pedir que não houvesse luta, matança.

Encontrei soldados tomando a sua cachaça. Eu apareci lá de hábito franciscano, e eles disseram: "Mas o que o senhor veio fazer?". Eu disse: "Vim aqui pedir para vocês não matarem uns aos outros." Assim bem descarado. Então me disseram : "O Senhor pensa que mineiro é bobo? Nóis não atira em ninguém e ninguém atira em nóis. O senhor pode voltar para casa". Eu peguei o jipe e voltei para casa.

Em Petrópolis eu era professor na Católica, professor de Teologia. Mas também cuidava de sete favelas, e essas sete favelas eram minha escola. Eu passava três dias por semana nas favelas.

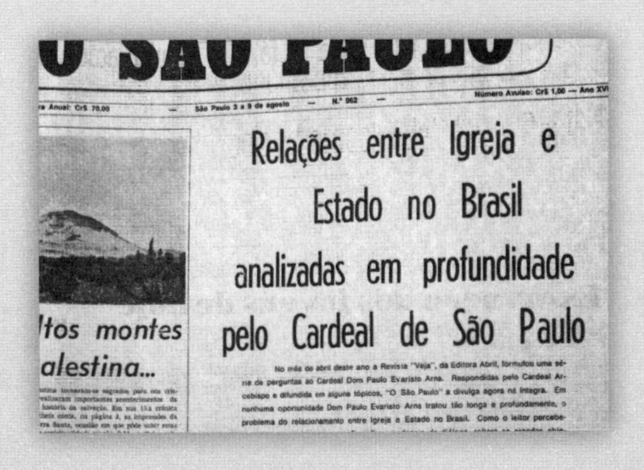
O SÃO PAULO

...a Anual: Cr$ 70,00 — São Paulo 3 a 9 de agosto — N.° 962 — Número Avulso: Cr$ 1,00 — Ano XVI

Relações entre Igreja e Estado no Brasil analizadas em profundidade pelo Cardeal de São Paulo

No mês de abril deste ano a Revista "Veja", da Editora Abril, formulou uma série de perguntas ao Cardeal Dom Paulo Evaristo Arns. Respondidas pelo Cardeal Arcebispo e difundida em alguns tópicos, "O São Paulo" a divulga agora na íntegra. Em nenhuma oportunidade Dom Paulo Evaristo Arns tratou tão longa e profundamente, o problema do relacionamento entre Igreja e Estado no Brasil. Como o leitor percebe-

...ltos montes ...alestina...

Ao longo de todo este tempo, dom Paulo chegou a fazer várias reflexões e análises sobre a relação Igreja/Estado.

13 O DOPS abriu 46 fichas para acompanhar o "subversivo" dom Paulo Evaristo Arns. Estão todas aí

E vale a pena checar o documento que a repórter Mônica Dallari conseguiu resgatar: o registro de entrada de pessoas no DOPS no dia 7 de fevereiro de 1974.

A ficha número 1 é de 9 de novembro de 1970, oito dias depois da posse de dom Paulo como arcebispo de São Paulo, até então a maior arquidiocese do mundo. Foram feitos também diversos dossiês. O prontuário de dom Paulo recebeu o número 5053.

As fichas tentam se referir a tudo o que acontecia na resistência à ditadura. Tem muitas obviedades, já que a maioria das informações eram copiadas de jornais. Mesmo assim, vale a pena destacar alguns trechos deste "fichamento".

Vamos começar com uma figura carimbada daquela época, o coronel Erasmo Dias, secretário da Segurança do governador Paulo Egydio (1979/1982), nomeado pelos militares.

SECRETARIA DA SEGURANÇA PÚBLICA

DEPENDÊNCIA DOPS/SANTOS

PAULO EVARISTO ARNS - Dom (Cardeal) fls.2

26-09-1977 - Ao desembarcar ontem no aeroporto de Congonhas, procedente de Roma, o marginado manifestou-se acerca do inquérito aberto pela PUC-Pontifícia Universidade Católica- por ter sido esta invadida por forças policiais durante a realização do ato público, na última quinta-feira. Na ocasião, declarou: "A PUC, como todas as universidades do mundo, tem autonomia administrativa e acadêmica e, por outro lado, suas dependências também foram criadas para se discutir todos os problemas, sem restrições ou censura. Por isso, a PUC tem o direito de agir com autoridade e será apoiada por todas as universidades do País".

05-10-1977 - Segundo jornal "A Tribuna" de hoje, o marginado confessou-se preocupado com a possibilidade de prisão dos estudantes - indiciados na Lei de Segurança Nacional, após a invasão da PUC, no último dia 22. O cardeal em apreço destacou que "há uma reação desproporcional contra algo que não configura um fato, mas foi imaginado como crime".

Depois de 10 dias de ter invadido a PUC (mais detalhes no capítulo 39), o coronel Erasmo Dias, famoso pela truculência, reuniu jornalistas em seu gabinete para, segundo a ficha do DOPS de 2 de outubro de 1977, dizer o seguinte: “Esse padre (nota do autor: dom Paulo) é que está colocando na cabeça dos estudantes essa ideia de Constituinte. Disse aqui, repito e direi até na frente de Jesus Cristo. O regime não será derrubado como muita gente está querendo. Não posso dizer quem, é muita gente. O religioso não deve incentivar desse jeito os estudantes. Ele poderá ser o responsável pelo que vier acontecer”.

03.04.1975 - Elemento atuante da cúpula da "Ala Progressista" do clero católico do País, que se dedica a conectar o clero esquerdista com os meios sindical e estudantil, valendo-se do prestígio inerente ao seu cargo de Cardeal Arcebispo de São Paulo e das suas reconhecidas qualidades pessoais (dinamismo, cultura e capacidade de manobra), conforme informação nº 111/75-E2 da AD/2, sobre atividades comunistas.

Em 4 de abril de 1975, é bem possível que os agentes do DOPS tenham feito uma “análise mais apurada” da ação de dom Paulo, e veja só a que conclusões eles chegaram: “Elemento atuante da ‘Ala Progressista’ do clero católico do país, que se dedica a conectar o clero esquerdista com os meios sindical e estudantil, valendo-se do prestígio inerente do seu cargo de cardeal-arcebispo de São Paulo e das suas reconhecidas qualidades pessoais (dinamismo, cultura e capacidade de manobra), conforme informação 111/75 da AD/2, sobre atividades comunistas”.

15/7/77 - Inf. O Estado de São Paulo: Os elogios feitos ao comandante do II Exercito, general Dilermando Monteiro, pelo cardeal-arcebispo Arns, na semana passada, e pelo deputado federal Freitas Nobre, do MDB, tiveram a pior das repercussões junto aos militares de São Paulo, para os quais delineia-se uma tentativa de situa-lo

São 46 fichas e você pode acessá-las no portal www.vladimirherzog.org. Para encerrar este capítulo com uma "ficha de ouro", acompanhe o reboliço, segundo o DOPS, que foi, nos meios militares, o fato de dom Paulo ter elogiado o general Dilermando Monteiro, que assumira o comando do segundo exército, em São Paulo.

É a ficha 32, de 15 de julho de 1977. Usando informações do jornal *O Estado de S. Paulo*, a ficha garante que os elogios de dom Paulo e do deputado Freitas Nobre, do MDB, ao general Dilermando "tiveram a pior repercussão junto aos militares de São Paulo, para os quais delineia-se uma tentativa de situá-lo numa área de contestação ao governo (...) Os elogios, pelo que se pode observar da reação desses militares, parecem destinados a 'queimar' o general Dilermando junto aos seus companheiros – e a ideia de queimar pressupõe a admissão de que ela tenha aspirações políticas. Daí a irritação. Nesse contexto, argumentam que os elogios partiram de pessoas abertamente contestatórias à linha do atual governo e que procuram causar a impressão de que o comandante do II Exército é um aliado na luta pelos ideais de uma ala esquerdizante da Igreja bem como do MDB (...)".

Absurdo por absurdo, olha só o que consta numa folha imponente, cheia de salamaleques e carimbos de confidencial:

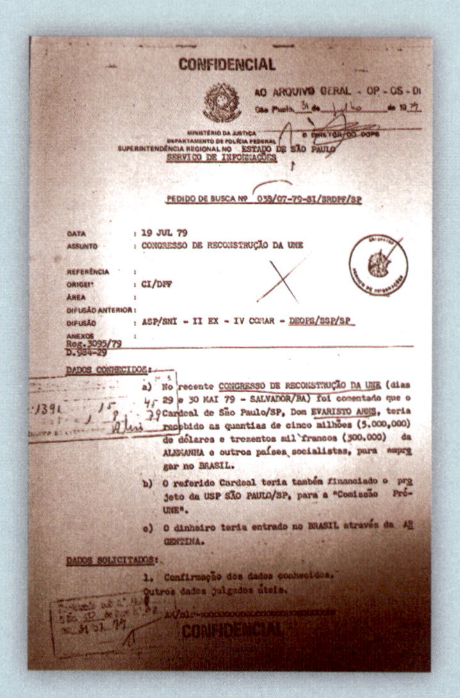
CONFIDENCIAL

AO ARQUIVO GERAL - OP - OS - DI
São Paulo, 31 de julho de 1979
O DIRETOR DO DOPS

MINISTÉRIO DA JUSTIÇA
DEPARTAMENTO DE POLÍCIA FEDERAL
SUPERINTENDÊNCIA REGIONAL NO ESTADO DE SÃO PAULO
SERVIÇO DE INFORMAÇÕES

PEDIDO DE BUSCA Nº 038/07-79-SI/SRDPF/SP

DATA : 19 JUL 79
ASSUNTO : CONGRESSO DE RECONSTRUÇÃO DA UNE
REFERÊNCIA :
ORIGEM : CI/DPF
ÁREA :
DIFUSÃO ANTERIOR :
DIFUSÃO : ASP/SNI - II EX - IV COMAR - DEOPS/SSP/SP
ANEXOS :
Reg. 3095/79
D. 984-29

DADOS CONHECIDOS:

a) No recente CONGRESSO DE RECONSTRUÇÃO DA UNE (dias 29 e 30 MAI 79 - SALVADOR/BA) foi comentado que o Cardeal de São Paulo/SP, Dom EVARISTO ARNS, teria recebido as quantias de cinco milhões (5.000,000) de dólares e trezentos mil francos (300.000) da ALEMANHA e outros países socialistas, para empregar no BRASIL.

b) O referido Cardeal teria também financiado o projeto da USP SÃO PAULO/SP, para a "Comissão Pró-UNE".

c) O dinheiro teria entrado no BRASIL através da ARGENTINA.

DADOS SOLICITADOS:

1. Confirmação dos dados conhecidos.
Outros dados julgados úteis.

CONFIDENCIAL

São três itens:

"a) No recente Congresso de Reconstrução da UNE (dias 29 e 30 de MAI 79 – SALVADOR/BA), foi comentado que o cardeal de São Paulo/SP, dom EVARISTO ARNS, teria recebido as quantias de cinco milhões (5.000.000) de dólares e trezentos mil francos (300.000) da ALEMANHA e outros países socialistas, para empregar no BRASIL.
b) O referido cardeal teria também financiado o projeto da USP São Paulo/SP, para a 'Comissão Pro-UNE'.
c) O dinheiro teria entrado no BRASIL através da ARGENTINA."

Quinta-Feira
07-02-1974

Nome	Cargo	Entrada	Saída
Major Beltrão	militar	1140	
Dr. Geraldo Rezende Del	gab. do diretor	1210	1345
Dr. Tácito P. Machado	Deleg	1215	22:40
Sr. modesto	invest. enc. serv.	1215	
Sr. Pedro Ferreira (Cotuasti)	escrivão	1230	1240
Dr. Acrisio	Del	1235	
Dr. Edward Quass	Del	Plantão	1310
Dr. Emiliano	Del	13,30	-
Dr. Josecyr Cuoco	Delegado	13,50	
Dr. Cirino "DOI"	Delegado	13,50	1430
Dr. Harry Shibata	Medico Legal	14,10	15.00
Dr. Robert Fernandes	Delegado	14,40	15.30
Dr. Renato D'Andrea	Delegado	15,00	/
Dr. [illegible]	Medico [illegible]	15,10	17.40
Mr. Holliwell	Consul Americano	15,10	
Dr. Ruy de Alva Couto	Delegado	15,15	1930
Dr. Antenor de Castro Bellis	Delegado	15,30	18:40
Dr. Sawaia	Delegado	15:43	16:03
Dr. Lucio Vieira	Doutor	—	15,47
Dr. [illegible]	Delegado	15:55	1900
Dom Evaristo Cardeal Arns	Arcebispo	16:30	17.10
Dr. [illegible] Vieira	Diretor	17.10	1930
Sr. [illegible]	Jornalista	17.25	18.15
Dr. [illegible] Honorio Ferreira	Delegado	17.30	
Dr. Edward Quass	Delegado	17.55	1940
Dr. Roberto [illegible]	Delegado	18.10	
Sr. Sidney Gonçalves Pire	Petrobras	1810	
Dr. Edward Rasser	Delegado	1850	19:10
Dr. D. Tuma	Delegado	1850	20:50
Dr. Adolfo	Delegado	19:00	
Sr. Robert Atike	Estudante	19,30	20:55
Sr. Sebastião Cardoso	Escrivão	19.40	19.45

Dia movimentado no DOPS.

Um olhar mais atento ao registro oficial da entrada de pessoas nas instalações do DOPS em 7 de fevereiro de 1974, conseguido pela repórter Mônica Dallari, revela:

Às 15h10, entra o cônsul norte-americano, Mr. Holliwell, e não há registro da hora da sua saída. O que será que um cônsul dos Estados Unidos tem para fazer numa Delegacia de Ordem Política e Social? Presos da época, como Ricardo Zaratini, garantem que altos funcionários do consulado norte-americano assistiam a sessões de tortura ou apareciam para recolher as informações colhidas nas sessões. O delegado Tácito Machado deve ter tido muito trabalho naquele dia, porque entrou às 12h15 e só foi sair às 22h40. Outro delegado, Josecir Cuoco, pegou no serviço às 13h50 e só deve ter largado no dia seguinte. Cinquenta minutos (das 14h10 às 15h00) foi o tempo de permanência do médico-legista Harry Shibata, famoso pela falsificação de atestados de óbito. O delegado Cirino, do DOI-CODI, deu uma passada das 13h50 às 14h30. Esteve por lá também, apenas por meia hora, o delegado Sawaia, um dos coletores de contribuições de empresários para a repressão.

E, com entrada às 16h30 e saída às 17h10, está registrado o arcebispo dom Paulo Evaristo Arns.

14 Tem um "grupo de loucos" nos porões da Cúria!

"A loucura era ter esperança", afirma o coordenador dos "loucos".

Visão externa da Cúria, na Avenida Higienópolis, onde o "grupo de loucos" passou a se reunir a partir do começo de 1974. Frei Gorgulho, teólogo e muito amigo de dom Paulo, contou a amigos, na época, que foi o próprio dom Paulo que deu o apelido de "grupo de loucos". Tanto que ele mesmo anotava em sua agenda de compromissos o dia da reunião como "loucos".

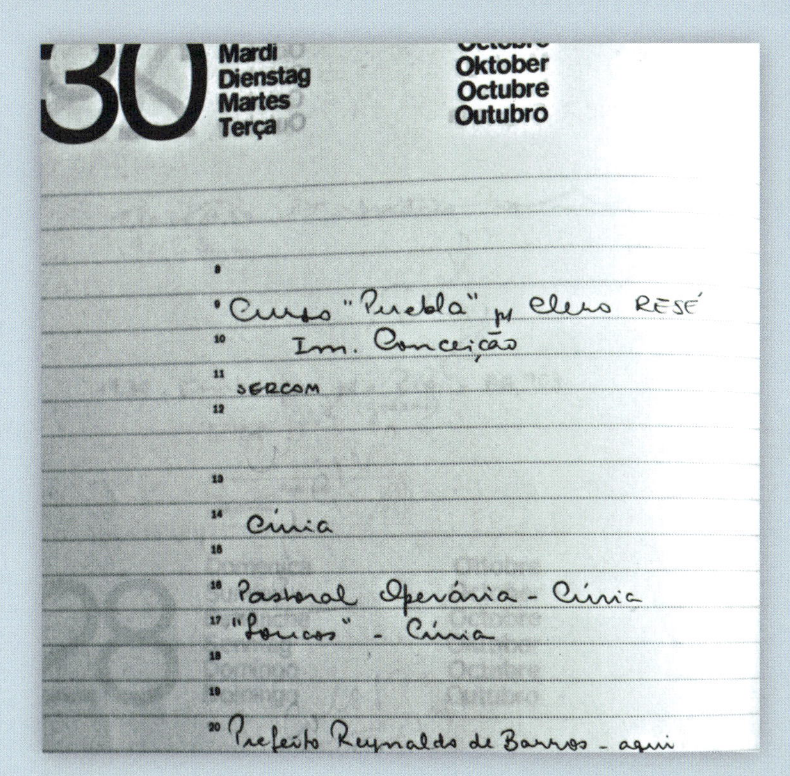

30
Mardi
Dienstag
Martes
Terça
Oktober
Octubre
Outubro
Curso "Puebla" p/ clero RESÉ
Im. Conceição
SERCOM
Cúria
Pastoral Operária - Cúria
"loucos" - Cúria
Prefeito Reynaldo de Barros - aqui

O grupo de "loucos" (assim, entre aspas) está marcado na agenda de dom Paulo do dia 30 de outubro de 1979, uma terça-feira, às 17 horas, logo depois de reunião sobre a Pastoral Operária.

Quem coordenava a reunião era o ainda padre Luis Viegas de Carvalho, que hoje mora no Rio de Janeiro, não é mais padre, tem 88 anos e tirou algumas preciosidades do baú, especialmente para este livro. Ele mesmo arrisca uma explicação para o nome: "A loucura era ter esperança". Nome oficial do grupo: "Ensaios de Abordagem dos Problemas de Evangelização em São Paulo".

Entre permanentes e eventuais, participavam do encontro intelectuais, religiosos, economistas, jornalistas.

AS REUNIÕES

Segundo Viegas de Carvalho, "sob orientação do Prof. Cândido Procópio estudavam-se temas sociológicos, éticos e religiosos relacionados com as diversas situações daquele momento. Essas abordagens serviam para botar a lógica possível em nossas emoções banhadas de sofrimento e revolta perante o horror da ditadura e também das flagrantes injustiças sociais. Ouvimos aulas esplêndidas do psicanalista Hélio Pelegrino sobre os aspectos psíquicos de todos os envolvidos na tragédia, de dona Ruth Cardoso e da professora Lídia sobre favelas e de outras pessoas sobre a indústria bélica. Era uma humilde e pequena *Escola Superior de Paz*, disse uma vez a irmã Stela".

Viegas comenta também que eram muitos os sobressaltos e os infiltrados: "A Cúria Metropolitana, vizinha a um colégio feminino famoso (Colégio Sion), com vários grupos de trabalhos pastorais, era um local público. Porta aberta para qualquer pessoa. Era uma espécie de templo religioso, onde residiam os poderes sobrenaturais. A sede do semanário arquidiocesano *O São Paulo*, sob censura austera, foi transferida do centro da cidade para lá, em busca de alguma segurança. Engano. Havia infiltrações de religiosos e leigos simpáticos à corriola militar. Descobriu-se que o responsável por uma carrocinha de pipoca, que circulava entre o colégio e a Cúria, observando entradas e saídas de pessoas, era de um milico

Frequentavam as reuniões gente como: Paulo Singer, na foto com dom Paulo, Fernando Henrique e Ruth Cardoso, Vinícius Caldeira Brant, Ana Flora Anderson, cônego Dario Bevilacqua, frei Gilberto Gorgulho, Cândido Procópio, Margarida Genevois, Yara Prevedel, Flávio Di Giorgi, irmã Maria Stella Sanches Coelho, Thomas Farkas. Os jornalistas: Paulo Markum, Sérgio Gomes, Hamilton Almeida Filho, Narciso Kalil, Audálio Dantas, Paulo Patarra.

ligado às forças de repressão. Imagine a reunião de pauta, a escolha de assuntos, os convites a cronistas ou articulistas colaboradores, a conversa, os cuidados com anotações, lixo, gravadores e linhas telefônicas. Não faltavam sobressaltos". Jornalistas também participavam eventualmente das reuniões. Eram eles: Paulo Markum, Sérgio Gomes, Hamilton Almeida Filho, Narciso Kalil, Audálio Dantas e Paulo Patarra, além de alguns outros ligados ao jornal *Movimento* e ao jornal *EX*.

Os pedidos de ajuda ao "grupo de loucos" vinham do Brasil, da América Latina, de portugueses fugindo da ditadura e europeus correndo dos regimes comunistas. Alguns exemplos dos acolhidos: um jovem do Recife, apelidado de Cajá, a pedido de dom Helder; parentes do padre Henrique Pereira Neto, que foi assassinado em 1969; parentes de Manoel Fiel Filho e de Santo Dias, entre tantos outros.

Viegas de Carvalho lembra que "pouco antes do culto ecumênico em memória do jornalista Vladimir Herzog, um enviado do governador Paulo Egydio compareceu à residência de dom Paulo, no Sumaré, para avisar que atiradores federais, armados, estavam se instalando nas cercanias da Praça da Sé.

(mais detalhes sobre esta visita no capítulo 37)

O cardeal não se amedrontou. 'É agora ou nunca', disse para si mesmo. Nisso chega dom Helder. Decisão: vamos nos reunir com os fiéis para rezar e implorar a misericórdia divina. Ninguém jogará pedras nas autoridades mesmo que comprovadamente tirânicas".

Segundo Viegas, "uma das preocupações do grupo era a preservação dos documentos. Nesse detalhe a Sra. Margarida Genevois desempenhou um trabalho admirável. Levou o Prof. Cândido Procópio para o Grupo, contatou o Sr. Farkas, perito em fotografias e filmagens, e ainda, através do Instituto Veritas, que funcionava no colégio perto da Cúria, divulgava notícias esclarecedoras sobre o horror das torturas".

1972

15 Operação-Periferia: a grande sacada da equipe de dom Paulo que levou a Igreja, literalmente, para junto do povo

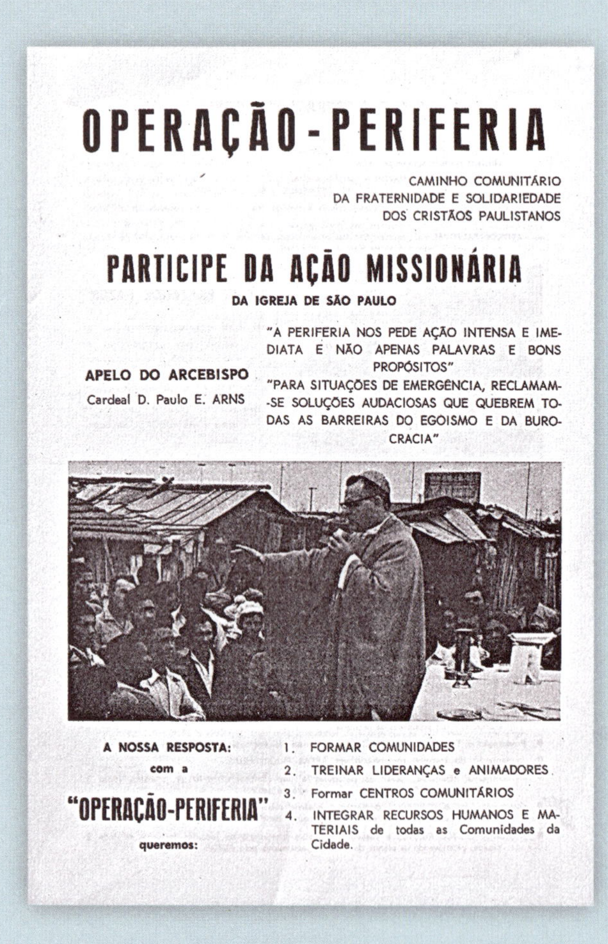

OPERAÇÃO-PERIFERIA

CAMINHO COMUNITÁRIO
DA FRATERNIDADE E SOLIDARIEDADE
DOS CRISTÃOS PAULISTANOS

PARTICIPE DA AÇÃO MISSIONÁRIA
DA IGREJA DE SÃO PAULO

APELO DO ARCEBISPO
Cardeal D. Paulo E. ARNS

"A PERIFERIA NOS PEDE AÇÃO INTENSA E IMEDIATA E NÃO APENAS PALAVRAS E BONS PROPÓSITOS"
"PARA SITUAÇÕES DE EMERGÊNCIA, RECLAMAM-SE SOLUÇÕES AUDACIOSAS QUE QUEBREM TODAS AS BARREIRAS DO EGOISMO E DA BUROCRACIA"

A NOSSA RESPOSTA:
com a
"OPERAÇÃO-PERIFERIA"
queremos:

1. FORMAR COMUNIDADES
2. TREINAR LIDERANÇAS e ANIMADORES
3. Formar CENTROS COMUNITÁRIOS
4. INTEGRAR RECURSOS HUMANOS E MATERIAIS de todas as Comunidades da Cidade.

Com folhetos como este, a Igreja espalhava a notícia do início da Operação-Periferia, chamada de "ação missionária". Na foto, dom Paulo, e, logo acima dela, o apelo do arcebispo: "A periferia nos pede ação intensa e imediata, e não apenas palavras e bons propósitos. Para situações de emergência. Reclama-se soluções audaciosas que quebrem todas as barreiras do egoísmo e da burocracia".

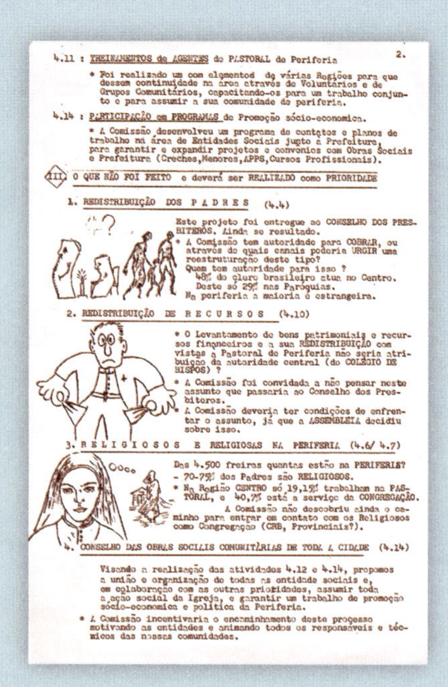

2.

4.11 : TREINAMENTOS de AGENTES do PASTORAL de Periferia

* Foi realizado um com elementos de várias Regiões para que dessem continuidade na área através de Voluntários e de Grupos Comunitários, capacitando-os para um trabalho conjunto e para assumir a sua comunidade de periferia.

4.14 : PARTICIPAÇÃO em PROGRAMAS de Promoção sócio-economica.

* A Comissão desenvolveu um programa de contatos e planos de trabalho na área de Entidades Sociais junto a Prefeitura, para garantir e expandir projetos e convenios com Obras Sociais e Prefeitura (Creches, Menores, APPS, Cursos Profissionais).

III. O QUE NÃO FOI FEITO e deverá ser REALIZADO como PRIORIDADE

1. REDISTRIBUIÇÃO DOS P A D R E S (4.4)

Este projeto foi entregue ao CONSELHO DOS PRESBITEROS. Ainda se resultado.
* A Comissão tem autoridade para COBRAR, ou através de quais canais poderia URGIR uma reestruturação deste tipo?
Quem tem autoridade para isso ?
48% do clero brasileiro atua no Centro.
Deste só 29% nas Paróquias.
Na periferia a maioria é estrangeira.

2. REDISTRIBUIÇÃO DE R E C U R S O S (4.10)

* O Levantamento de bens patrimoniais e recursos financeiros e a sua REDISTRIBUIÇÃO com vistas a Pastoral de Periferia não seria atribuição da autoridade central (do COLÉGIO DE BISPOS) ?
* A Comissão foi convidada a não pensar neste assunto que passaria ao Conselho dos Presbiteros.
* A Comissão deveria ter condições de enfrentar o assunto, já que a ASSEMBLEIA decidiu sobre isso.

3. R E L I G I O S O S E RELIGIOSAS NA PERIFERIA (4.6/ 4.7)

Das 4.500 freiras quantas estão na PERIFERIA?
- 70-75% dos Padres são RELIGIOSOS.
* Na Região CENTRO só 19,15% trabalham na PASTORAL, e 40,7% está a serviço da CONGREGAÇÃO.
A Comissão não descobriu ainda o caminho para entrar em contato com os Religiosos como Congregação (CRB, Provinciais?).

4. CONSELHO DAS OBRAS SOCIAIS COMUNITÁRIAS DE TODA A CIDADE (4.14)

Visando a realização das atividades 4.12 e 4.14, propomos a união e organização de todas as entidade sociais e, em colaboração com as outras prioridades, assumir toda a ação social da Igreja, e garantir um trabalho de promoção sócio-economica e politica da Periferia.

* A Comissão incentivaria o encaminhamento deste processo motivando as entidades e animando todos os responsáveis e técnicos das nossas comunidades.

Em folhetos com linguagem bem popular se faziam os treinamentos de agentes de Pastoral da Periferia, com informação sobre a redistribuição dos padres na região, a redistribuição de recursos, entre outros.

O SÃO PAULO

Comunidades de Base estão se reunindo para debate nacional

A Bíblia serve para conhecer a realidade?

O jornal *O São Paulo*, da Cúria, dava um reforço na comunicação: "Comunidades de Base estão se reunindo para debate nacional".

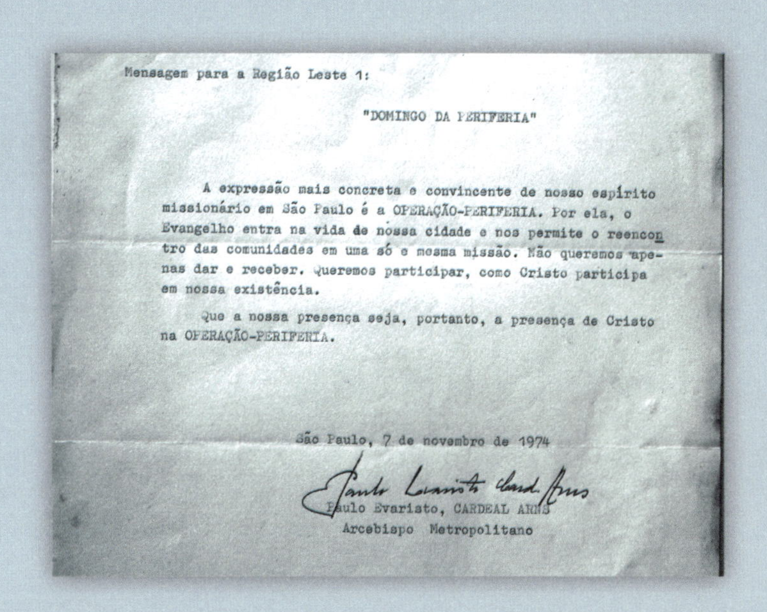

Mensagem para a Região Leste 1:

"DOMINGO DA PERIFERIA"

A expressão mais concreta e convincente de nosso espírito missionário em São Paulo é a OPERAÇÃO-PERIFERIA. Por ela, o Evangelho entra na vida de nossa cidade e nos permite o reencontro das comunidades em uma só e mesma missão. Não queremos apenas dar e receber. Queremos participar, como Cristo participa em nossa existência.

Que a nossa presença seja, portanto, a presença de Cristo na OPERAÇÃO-PERIFERIA.

São Paulo, 7 de novembro de 1974

Paulo Evaristo, CARDEAL ARNS
Arcebispo Metropolitano

Novembro de 1974. Em bilhete assinado e dirigido à Zona Leste 1, dom Paulo conclama a participação no "Domingo da periferia" e salienta: "não queremos apenas dar e receber. Queremos participar, como Cristo participa da nossa existência".

Também nas celebrações religiosas, dom Paulo e seus bispos auxiliares davam o devido destaque às Comunidades Eclesiais de Base. No cartaz pendurado: "CEB's de São Paulo celebrando a vida".

Em folhetos mais bem estruturados, a Igreja pregava uma verdadeira revolução na periferia de São Paulo.

Direitos Humanos e Marginalizados.

A Bíblia diz que todo o homem tem dignidade e deve ser respeitado.

Ficar passivo, resignado, aceitar a injustiça, a discriminação, a opressão e marginalização não está de acordo com o Evangelho de Cristo.

A Boa Nova é que todos os homens são filhos de Deus.

VOCÊ DEVE FAZER ALGUMA COISA:

- conheça e divulgue a Declaração Universal dos Direitos Humanos;
- quando vir um Direito Humano violado procure sua Comunidade;
- com sua Comunidade busque uma ação concreta em defesa desse Direito.

"Os que reinvidicam os próprios direitos mas esquecem por completo os seus deveres ou lhes dão menos atenção, assemelham-se a quem constrói um edifício com uma das mãos e com a outra, o destrói".

(Papa João XXIII)

O DEVER DE TODOS

A Igreja em São Paulo diz a todos: Ninguém pode viver a mensagem de Cristo sem assumir o compromisso de:

- PROCLAMAR:
  é dever de todos anunciar a dignidade humana, pois o Evangelho ensina que todos são filhos de Deus.
- PROMOVER:
  é dever de todos ficar solidário com os oprimidos e marginalizados para melhorar a sua vida.
- DEFENDER:
  é dever de todos respeitar a dignidade humana denunciando opressões e violações.

Em relação aos Direitos Humanos e Marginalizados, por exemplo, o folheto pregava que "ficar passivo, resignado, aceitar a injustiça, a discriminação, a opressão e a marginalização não está de acordo com o Evangelho de Cristo", e concluía: "A Boa Nova é que todos os homens são filhos de Deus".

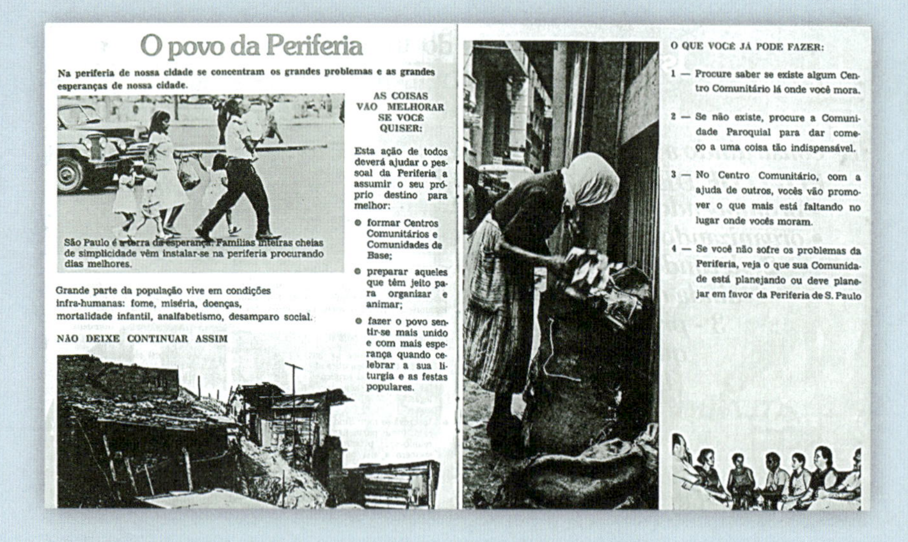

O povo da Periferia

Na periferia de nossa cidade se concentram os grandes problemas e as grandes esperanças de nossa cidade.

São Paulo é a terra da esperança. Famílias inteiras cheias de simplicidade vêm instalar-se na periferia procurando dias melhores.

Grande parte da população vive em condições infra-humanas: fome, miséria, doenças, mortalidade infantil, analfabetismo, desamparo social.

NÃO DEIXE CONTINUAR ASSIM

AS COISAS VAO MELHORAR SE VOCÊ QUISER:

Esta ação de todos deverá ajudar o pessoal da Periferia a assumir o seu próprio destino para melhor:

- formar Centros Comunitários e Comunidades de Base;
- preparar aqueles que têm jeito para organizar e animar;
- fazer o povo sentir-se mais unido e com mais esperança quando celebrar a sua liturgia e as festas populares.

O QUE VOCÊ JÁ PODE FAZER:

1 — Procure saber se existe algum Centro Comunitário lá onde você mora.

2 — Se não existe, procure a Comunidade Paroquial para dar começo a uma coisa tão indispensável.

3 — No Centro Comunitário, com a ajuda de outros, vocês vão promover o que mais está faltando no lugar onde vocês moram.

4 — Se você não sofre os problemas da Periferia, veja o que sua Comunidade está planejando ou deve planejar em favor da Periferia de S. Paulo

Ao destacar o que o povo da periferia poderia fazer, o folheto afirmava que "no Centro Comunitário, com a ajuda dos outros, vocês vão promover o que mais está faltando no lugar onde vocês moram".
Sempre com orientações muito claras sobre as várias maneiras de o povo se organizar, o folheto, em relação ao mundo do trabalho, destacava que "Jesus Cristo foi trabalhador e conta com seus companheiros para mudar este mundo".

O povo foi então à luta, em busca, na prática, dos seus direitos, e passou a reivindicar várias melhorias de vida: de creches a postos de saúde, de escolas e transportes a moradias.

Note que, perto da casa, está um padre, de batina branca e estola...

O povo, em mutirão, construía suas casas, até que...

a polícia chegava...
Negociações se arrastavam, a pressão era mais do que evidente. Mas não para o menino e sua merenda.

Apesar da resistência, nem sempre as coisas conquistadas eram mantidas, e o povo era obrigado a partir em retirada... até a invasão seguinte.

O coordenador da Operação-Periferia foi o padre italiano Ubaldo Steri, na foto com dom Paulo. Ele foi ordenado padre pelo arcebispo de Milão, que se tornaria o papa Paulo VI. Aos 74 anos, o padre Ubaldo, em 2013, ainda era o pároco da Igreja Nossa Senhora das Graças, no bairro do Jabaquara, e sempre fala com muito entusiasmo do tempo em que, com o apoio do cardeal-arcebispo, foram criadas 43 paróquias e surgiram, segundo ele, mais de duas mil comunidades eclesiais de base na periferia, como uma resposta eficaz e efetiva ao crescimento desordenado, à miséria crescente e à migração constante e forçada para a capital de São Paulo.

Boletim Informativo nº 139 dt. de 25-7-72, do C.I.E, com referencia ao nominado, consta que presidiu sessão de abertura da I Semana Internacional de Filosofia, promovida pelo Soc. Bras. de Filósofos Católicos.
Boletim Informativo nº 139 dt. de 25-7-72, do C.I.E., que com referencia ao nominado consta que após seu regresso da Europa e Estados Unidos, manteve contatos e visitas com o objetivo do desenvõlvimento da Operação-Periferia: partocoação dos religiosos nos setores da evangelização, assistência caritativo social e educativa na periferia de São Paulo.
Em têrmos de Declarações prestadas por Jacob Antonio Link, em 23-11-71, consta que foi enviado pela Associação Kolping da cidade de Colonia Alemanhã, para a organização de cursos de formação profissional e promoção humana junto às indus-

É lógico que toda essa agitação rendeu a dom Paulo mais uma ficha no DOPS. "(...) com referência ao nominado (dom Paulo) consta que após seu regresso da Europa e Estados Unidos manteve contatos e visitas com o objetivo do desenvolvimento da Operação-Periferia: partocoação (*sic*) dos religiosos nos setores de evangelização, assistência caritativo social e educativa na periferia de São Paulo".
Uma observação: não foi encontrada no dicionário a palavra "partocoação".
(Para mais informações sobre as 46 fichas de dom Paulo no DOPS, veja capítulo 13)

16 Vannucchi: a morte do estudante que abriu as portas da Catedral

1973

Foi a primeira grande manifestação na Catedral em nome de mortos e desaparecidos, a que dom Paulo deu o nome de "Celebração da Esperança".

A placa, já um pouco gasta pelo tempo, que está na Praça Alexandre Vannucchi, em Sorocaba.

O PRÓPRIO DOM PAULO DESCREVE, EM SUAS MEMÓRIAS, COMO A HISTÓRIA DE ALEXANDRE VANNUCCHI CHEGOU A ELE E TUDO O QUE ACONTECEU:

"Chegou à minha residência do Sumaré, por meio de um grupo de mais de vinte representantes de diretórios acadêmicos da USP, o caso de Alexandre Vannucchi Leme, nascido em Sorocaba, mas residente e estudante em São Paulo (...).
"Disseram-me os estudantes que na cidade universitária achavam-se reunidos mais ou menos sete mil colegas que se diziam dispostos a romper o cerco a partir de um quebra-quebra noturno, caso eu não fosse lá.
"Após muitas negociações, comprometi-me a celebrar missa soleníssima na catedral em sufrágio do estudante. Insisti que a missa não fosse no campus da universidade – todo cercado de policiais – mas na Catedral da Sé. Marcamos dia e hora: às dezoito e trinta da sexta-feira, 30 de março de 1973 (...).
"Preguei em tom forte, denunciando o assassínio oficial e a versão mentirosa. Durante a celebração, entrou a equipe da TV Globo para documentar, mas todos os estudantes diante dos quais desfilava a câmera filmadora cobriam automaticamente seus rostos com a folha dos cânticos distribuída na entrada.
"Os gritos, a tortura e a morte do rapaz foram testemunhados por alguns presos que depois prestaram depoimentos contando o que viram. A violência, talvez, tenha sido maior, pois Leme não denunciou ninguém. Uma das frases que marcaram sua morte, e que foi ouvida por quem estava em celas vizinhas, foi esta: "Meu nome é Alexandre Vannucchi Leme. Sou estudante de geologia. Me acusam de ser da ALN. Eu só disse o meu nome" (...).
"Os pais de Alexandre souberam da notícia três dias depois, quando o rapaz já havia sido enterrado como indigente no Cemitério de Perus, apesar dos militares terem informações exatas sobre quem ele era (...).
"Os universitários se mobilizaram e conseguiram reunir na catedral mais de 3 mil pessoas. Sentadas ou em pé, não havia lugar para mais ninguém lá dentro (...). Naquele dia as redações dos jornais receberam bilhetes da censura proibindo a veiculação de notícias sobre o encontro na Sé.

Celebrar aquela missa e participar dela representava um ato de coragem. Policiais à paisana espalhados por toda a igreja. Do lado de fora, muitos camburões e a cavalaria do Exército ameaçavam quem resolvesse se manifestar contra a polícia, liderada pelo coronel Erasmo Dias. A celebração foi presidida por dom José Melhado (bispo de Sorocaba). A homilia ficou a cargo de dom Paulo.

Só dez anos depois, no dia 26 de março de 1983, sua família pêde sepultá-lo. A identificação da ossada foi feita comparando a arcada dentária com um molde dental de Alexandre feito antes de sua morte por um dentista. Um dia antes do sepultamento em Sorocaba, dom Paulo celebrou uma missa em memória do estudante. (Na mesma missa, estavam os restos mortais de frei Tito de Alencar Lima, chegados da França e depois sepultados em Fortaleza, Ceará). Quatro mil pessoas estiveram presentes.

17 Até a ONU se refugia na Cúria!

1977

A Agência das Nações Unidas para Refugiados (ACNUR) coloca um representante na Cúria para atender os milhares de refugiados políticos, principalmente do Cone Sul, que buscam abrigo junto a dom Paulo.

Centro de Referência para Refugiados
- São Paulo -

Convênio Acnur - Cáritas
Alto Comissariado das Nações Unidas para Refugiados
Cáritas Arquidiocesana de São Paulo

O cardeal dom Paulo Evaristo Arns, arcebispo metropolitano de São Paulo, assina o projeto "Refugiados" para ser entregue aos representantes do poder público e das organizações profissionais e empresariais, como a Fiesp, Senai, Sesi e Senac.

O Brasil abriu as portas a mais de 2.500 refugiados, os reconhece e os protege como cidadãos, mas precisa oferecer-lhes condições de sobrevivência e integrá-los na sociedade e no mercado de trabalho para que se tornem auto-suficientes e possam reconstruir a sua vida e da sua família neste país que generosamente os acolheu.

Documento oficial dirigido ao poder público e à sociedade civil da cidade e do Estado de São Paulo

Integração dos refugiados em São Paulo

A Cáritas Arquidiocesana de São Paulo, em convênio com o Acnur é responsável, em São Paulo, pelo atendimento a cerca de 750 refugiados políticos,acolhidos pelo governo brasileiro.

• Provenientes de 30 países diferentes, e principalmente de Angola, os refugiados vêm em busca de condições que garantam a defesa e o respeito pelos direitos fundamentais da pessoa humana: a vida, a liberdade e a segurança, sem discriminação.

• A Cáritas/Acnur acolhe os refugiados oferecendo proteção, assistência e solidariedade; e através da documentação concedida pelo governo procura integrá-los na sociedade e no mercado de trabalho.

• A Cáritas pretende envolver setores da sociedade e do poder público na realização de projetos de cooperação, visando a recepção dos refugiados e principalmente a sua integração local cultural e sócio-econômica.

Projetos articulados pela Cáritas

Os projetos articulados pela Cáritas para os refugiados e que estão sendo operacionalizados são:

1. **Contratos com os governos** estadual e municipal, para a elaboração de um programa de trabalho envolvendo os órgãos governamentais e as secretarias de Estado que possam prestar serviços nas áreas da justiça, trabalho, ação social, educação e cultura.

2. **Reciclagem e capacitação profissional**, através de entidades conveniadas com o Senai, Sesi e Senac a fim de possibilitar maior integração dos refugiados no mercado de trabalho.

3. **Cadastramento profissional** e encaminhamento para colocação no emprego nos mais diversos setores, através da Fiesp e outros grupos e associações empresariais da indústria, do comércio e da área de serviços.

4. **Fornecer vagas** nas redes estadual e municipal de ensino e garantir acesso aos cursos de estudos supletivos de 1º e 2º graus, contando com apoio da Secretaria da Educação e universidades, também para revalidação de títulos de estudo.

5. **Atendimento** médico-hospitalar na rede pública.

6. **Promover a participação** dos refugiados na programação cultural e facilitar a sua integração na comunidade.

7. **Colaborar** na solução do problema da moradia, tendo acesso aos planos de moradia popular, e possibilitando o aluguel de casas e pensões, através de fiador ou depósito para locação.

8. **Criar um Centro Cultural,** de Apoio e Integração, que funcione como Centro de Referência de Refugiados, onde eles recebam:

- proteção, assistência social e jurídica;
- garantia dos direitos humanos e da cidadania;
- atendimento com programas sócio-educativos;
- orientação para assistência médica e profissional e
- integração cultural.

Com quem conta para a execuçã destes program

Desejamos ampliar e oficializar nhamento de soluções já ofere Senai, Sesi, Sinesp, Unicamp, Secretar cação e outras instituições como a C lha, Fiesp e Senac.

A esses organismos enviamos o no convidando-os para participarem de Conjunta efetuando Convênios de C Efetiva em vista da acolhida, proteção ção dos refugiados na sociedade e no trabalho, para torná-los auto-suficien economicamente.

Apoio e apelo do Cardeal Dom Paulo Evaristo

A Cáritas Arquidiocesana de São Paulo e o Acnur-Alto Comissariado das Nações Uni Refugiados estão a disposição e são os organismos competentes também juridicam estabelecer qualquer tipo de entendimento e convênio que permita a realização deste Pr Integração Local dos Refugiados em São Paulo, e contam com o interesse e o apoio total Dom Paulo Evaristo Arns.

São Paulo, 6 de Dezembro de 199

Ubaldo Steri
Diretor da Cáritas Arquidiocesana de São Paulo

Aprovamos e encaminhamos aos órgãos competentes do poder público e às o empresariais.

Cardeal Dom Paulo Evaristo Arns
Arcebispo metropolitano
Presidente da Cáritas Arquidiocesana de São Paulo

Apelo e convite à cooperação dirigido à Cidade de São Paulo

• Aos representantes do poder público: g secretários de Estado, da Justiça, Educação, T Saúde.

• À Fiesp, Senai, Sesi, Senac, à todos os em organizações profissionais e entidades sociais.

• Aos voluntários que queiram trabalhar refugiados e colaborar com os programas de a integração social e cultural.

Dom Paulo assina projeto "Refugiados". Em convênio com a ACNUR, da ONU, a Cúria Arquidiocesana de São Paulo se responsabiliza pelo atendimento de 750 refugiados políticos. Na prática foram muito mais.

Folheto da Caritas dá informações gerais e explica quem é um refugiado: “o termo ‘refugiado’ se aplica a toda pessoa que, devido a temores de ser perseguida por motivos de raça, religião, nacionalidade, por pertencer a determinado grupo social ou defender determinadas opiniões políticas, se encontra fora do seu país de origem e não pode, devido a estes temores, ser protegida em seu país”.

REFUGIADOS
EM SÃO PAULO

- O Brasil acolhe refugiados do mundo inteiro. São atualmente mais de 2.500 e destes 754 estão em São Paulo.
- O Governo brasileiro é responsável pela concessão do "status" de refugiado e dos direitos de cidadania.
- O Acnur - Alto Comissariado das Nações Unidas para os Refugiados presta assistência aos refugiados, garantindo-lhes proteção legal, nos termos da Convenção de Genebra de 1951.
- A Cáritas em convênio com o Acnur executa os programas de atendimento aos refugiados: de assistência imediata com uma ajuda financeira temporária e de integração social, incluindo a capacitação profissional, treinamento e encaminhamento para a obtenção de emprego.

Quem é o refugiado

O termo "refugiado" se aplica à toda pessoa que, devido a temores de ser perseguida por motivos de raça, religião, nacionalidade, por pertencer a determinado grupo social ou defender determinadas opiniões políticas, se encontra fora de seu país de origem e não pode, devido a esses temores, ser protegida em seu país.

É também considerado refugiado aquele que fugiu do seu país porque sua vida, segurança ou liberdade tenham sido ameaçadas por violência generalizada, agressão estrangeira, conflitos internos, violação massiva dos direitos humanos ou outras circunstâncias que tenham perturbado gravemente a ordem pública.

De onde eles vêm

São mais de 22 milhões os refugiados no mundo inteiro: 4 milhões na Iugoslávia, 800 mil no Zaire, dezenas de milhares em Ruanda, Somália, Angola e Libéria.

Os 2.500 existentes no Brasil são provenientes de 30 países de todos os continentes. O grupo maior é de africanos, vindos de 19 países diferentes e em maior número de Angola, com mais de 15 anos de guerra civil.

O Brasil mantém relações políticas e comerciais especiais com Angola, que é considerada pela diplomacia como a nossa fronteira atlântica. Existem também vínculos históricos, sociais, étnicos e culturais que aproximam os dois países e justificam a especial atenção do Brasil para com Angola.

O governo é responsável

O governo brasileiro acolhe os refugiados, manifestando boa vontade, atitude favorável e compromisso político.

O Brasil concede aos refugiados o visto de entrada, a proteção e a documentação necessária: documento de identidade, carteira de trabalho e previdência social, e passaporte brasileiro para viagens ao Exterior, permitindo a sua integração sócio-econômica no país.

Socialmente, porém, o refugiado enfrenta problemas gravíssimos, não encontrando, na prática, condições favoráveis para a sua integração econômica na sociedade local, através do trabalho.

O governo Brasileiro, por ter concedido o visto de entrada, deve oferecer uma assistência digna e um tratamento humanitário, propiciando a integração local e a inserção produtiva dos refugiados.

Não existindo um programa social do governo para os refugiados, precisa contar com o apoio técnico e financeiro do Acnur e com o trabalho das agências sociais conveniadas, como a Cáritas, para o atendimento direto aos refugiados.

O governo se faz presente através da atenção direta e permanente do Ministério das Relações Exteriores, do Ministério da Justiça e da Polícia Federal.

Programas para refugiados da Cáritas / Acnur

O Acnur - Alto Comissariado das Nações Unidas para os Refugiados tem a função de proporcionar proteção internacional aos refugiados, oferecendo-lhes programas de educação, saúde e sobrevivência, através da legalização de documentos e fornecendo-lhes assistência básica satisfatória.

O Alto Comissariado firmou convênio com a Cáritas, de São Paulo e do Rio de Janeiro, onde se concentram os refugiados no Brasil. O escritório central com o representante encarregado da missão encontra-se sediado em Brasília.

A Cáritas de São Paulo, na sua sede à Rua Venceslau Brás, 78, Centro, atende os refugiados todos os dias, implementando os três programas de proteção, assistência e integração local.

Proteção

- É garantido ao refugiado que não será expulso ou devolvido ao país onde sua vida, liberdade ou segurança, se encontre ameaçada por causa de sua raça, religião, grupo social ou opinião política.
- A proteção dá também direito a receber documentação de identidade e trabalho que lhe permite o exercício da cidadania.
- O processo de reconhecimento do refugiado envolve a Cáritas, o Acnur, o Ministério das Relações Exteriores, que reconhece a pessoa como "refugiado" e a encaminha ao Ministério da Justiça, que autoriza o Departamento de Polícia Federal a emitir o documento de identidade e eventualmente o passaporte.

Assistência

- O programa de assistência tem o objetivo de apoiar o refugiado durante o período em que aguarda a sua documentação e de orientá-lo para conseguir sua integração na sociedade.
- Esta assistência imediata, prestada também através de ajuda econômica, é temporária e de caráter humanitário, e deveria socorrer o refugiado na alimentação, moradia, saúde e educação.
- A ajuda financeira oferecida ao refugiado para a subsistência e para facilitar a sua instalação inicial é bem limitada e exige que o quanto antes ele comece a trabalhar para o seu sustento.

Integração

- Os programas de integração visam a inserção do refugiado no mercado de trabalho.

Com esta finalidade a Cáritas e o Acnur estão desenvolvendo formas especiais de colaboração com instituições governamentais, organizações de classe e empresariais, agências internacionais, para capacitar profissionalmente o refugiado e conseguir-lhe emprego, para que se torne auto-suficiente.

- Na área educacional é necessário revalidar títulos de estudo, conseguir acesso ao ensino formal, aos cursos supletivos e profissionais e às bolsas de estudos para universidades.

Até breve, dom Paulo!

...spede-se o Arcebispo. ...ermanece o Pastor.

Comissão Justiça e Paz de São Paulo

A figura humana de dom Paulo Evaristo Arns jamais será suficientemente louvada por ...s aqueles que têm na alma o sen... da solidariedade e na ação a de... dos Direitos Humanos. ...urante os momentos de maior ...mparo e obscurantismo, que var... no Cone Sul, quando todos os ...eres do Estado, sem exceção, ...sculados e silentes, assistiram ao ...sacre de gerações de secun...stas, universitários e pensadores ...icos; nesse exato momento de ...ilhação, apenas uma voz fez-se ...r: a de dom Paulo Evaristo Arns. ...estemido, levantou o nome da ...ja e trouxe à vida, mais uma ... a imagem e a mensagem de ...to. Como membros da Comis... Justiça e Paz, sentimo-nos re...pensados de ter podido, ainda ...à distância, ombrear esforços ...um cidadão de tamanha enver...ura humana, sacerdotal e polí... Com dom Paulo, o país apren... que o silêncio e a omissão re...sentam a arma subjetiva dos ...erosos contra os fracos e humi...des e que contra ela devemos levantar - sempre! - para im...ir a vitória dos egoístas e dos ...dores. ...sta, contudo, não foi, não é, e ...será a única e mais importante ...ão do Pastor. Prosseguirá ele na ...são de proteger e dar esperanças ...esquecidos do sistema, enfim, a ...s aqueles que integram as mino..., retomando o humilde hábito ...ciscano, após ter dignificado a ...s, através do anel cardinalício. ...breve, dom Paulo!

Alto Comissariado das Nações Unidas (ACNUR) agradece atendimento aos refugiados

Christian Koch-Castr...

Maria Isabel da Silv...

Neste ano em que comemoramos o qüinquagésimo (50°) aniversário da Declaração Universal dos Direitos Humanos, relembramos com admiração especial o empenho e o trabalho de vossa eminência reverendíssima em prol da consagração desses direitos no Brasil.

Em nome do Alto Comissariado das Nações Unidas para os Refugiados - ACNUR - aproveito esta oportunidade para aplaudir vosso papel na consecução de tais direitos e saudar vossa liderança vital nesse empreendimento, sobretudo no que concerne ao tema dos refugiados.

O ACNUR sente-se orgulhoso de estar associado a este tributo.

A contribuição de vossa eminência em prol da causa dos refugiados e do vosso constante e ativo papel no país para manter os ideais universais que a Declaração defende e inspira são sinais evidentes de vosso compromisso com a causa humanitária.

Hoje, mais do que nunca, a Me... dalha Nansen, outorgada a voss... eminência no dia 7 de outubro d... 1985, pelo ACNUR, represent... todo nosso sentimento e estima po... vosso trabalho em favor dos refu... giados.

Receba, eminente cardeal, no mo... mento em que deixa a titularidade d... Arquidiocese de São Paulo, nosso... mais sinceros votos de admiração... respeito e amizade.

Christian Koch-Castro é Encarregado de Missão no Brasil

Quando dom Paulo deixou a Arquidiocese, em 1998, o diretor-geral da ACNUR, Christian Koch-Castro, enviou mensagem ao cardeal ressaltando “a contribuição de vossa eminência em prol da causa dos refugiados e do vosso constante e ativo papel no país para manter os ideais universais que a Declaração defende e inspira são sinais evidentes de vosso compromisso com a causa humanitária.

18 Rádio Nove de Julho fala com o povo e é cassada pelo governo militar

O fechamento da rádio provocou protestos imediatos. E no mundo inteiro.

Em 30 de outubro de 1973, sem comunicar a ninguém da Igreja e de maneira autoritária, o general-presidente Garrastazu Médici, através do Decreto 73.038, declarou perempta a concessão, que, trocando em miúdos, quer dizer, simplesmente, a rádio está cassada!

A notícia caiu como uma bomba nos meios eclesiásticos, e dom Paulo, que estava no Rio de Janeiro, em reunião com os bispos brasileiros, voltou prontamente a São Paulo para tomar algumas providências e se reunir com seus auxiliares.

A cada volta de suas inúmeras viagens ao exterior, dom Paulo dava entrevistas no próprio aeroporto. Na foto, com um gravador daquela época, o repórter da Rádio Nove de Julho, de propriedade da Arquidiocese de São Paulo, entrevista o arcebispo.
O repórter, na verdade, era o padre Assis, diretor-geral da rádio.

Choveram protestos do mundo inteiro contra o fechamento da Rádio Nove de Julho...

São Paulo, 5 a 11 de janeiro de 1974 — O SÃO PAULO — Página 5

O SILENCIO DA RADIO NOVE DE JULHO

O movimento de opinião pública contrário à punição e silêncio imposto por dois decretos federais à Rádio Nove de Julho da Fundação Metropolitana Paulista, continua num crescendo contínuo. Telegramas, cartas, abaixo-assinados continuam chegando a Brasília e ao Sr. Cardeal Dom Paulo Evaristo Arns. Nesta edição d'O SÃO PAULO além do editorial "Explicações que não explicam" em que analisamos declarações do Ministro das Comunicações e do deputado C. Stenzel, na página 3, damos aqui novas mensagens de solidariedade recebidas pelo Pastor da Arquidiocese.

Núncio não falou ao Presidente sobre a Rádio silenciada

Também os presos políticos

Depoimento do Cardeal Marty de Paris, sobre a Nove de Julho

Editorial em revista católica

Telegramas de solidariedade

"The Tablet" dos Estados Unidos noticia

Programação religiosa da Rádio América

Só nesta página de *O São Paulo*, inteiramente dedicada à Rádio, vamos encontrar:
- o depoimento do cardeal Marty, de Paris: "A Igreja não aceitará seja reduzida ao silêncio uma emissora sua";
- o protesto dos presos políticos brasileiros: "A dom Paulo, nesse duro momento... a nossa solidariedade";
- telegramas de solidariedade: de bispos, padres, freiras, ordens religiosas;
- e até uma reclamação do jornal, porque o núncio apostólico, que é o embaixador no Brasil do Vaticano, teve, em Brasília, uma audiência com o general-presidente e não falou absolutamente nada sobre a cassação da rádio da arquidiocese de São Paulo.

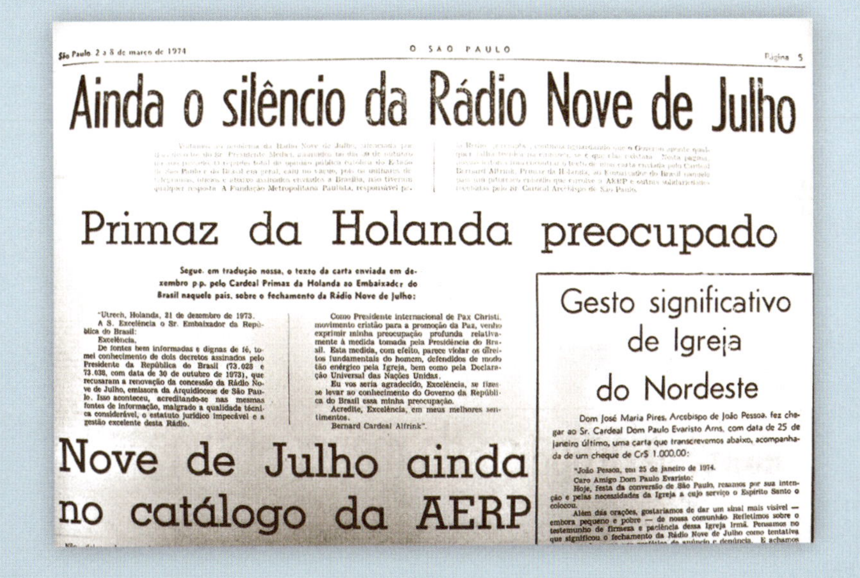

São Paulo, 2 a 8 de março de 1974 — O SÃO PAULO — Página 5

Ainda o silêncio da Rádio Nove de Julho

Primaz da Holanda preocupado

Segue, em tradução nossa, o texto da carta enviada em dezembro p.p. pelo Cardeal Primaz da Holanda ao Embaixador do Brasil naquele país, sobre o fechamento da Rádio Nove de Julho:

"Utrech, Holanda, 21 de dezembro de 1973.
A S. Excelência o Sr. Embaixador da República do Brasil:
Excelência,
De fontes bem informadas e dignas de fé, tomei conhecimento de dois decretos assinados pelo Presidente da República do Brasil (73.023 e 73.038, com data de 30 de outubro de 1973), que recusaram a renovação da concessão da Rádio Nove de Julho, emissora da Arquidiocese de São Paulo. Isso aconteceu, acreditando-se nas mesmas fontes de informação, malgrado a qualidade técnica considerável, o estatuto jurídico impecável e a gestão excelente desta Rádio.

Como Presidente internacional de Pax Christi, movimento cristão para a promoção da Paz, venho exprimir minha preocupação profunda relativamente à medida tomada pela Presidência do Brasil. Esta medida, com efeito, parece violar os direitos fundamentais do homem, defendidos de modo tão enérgico pela Igreja, bem como pela Declaração Universal das Nações Unidas.
Eu vos seria agradecido, Excelência, se fizesse levar ao conhecimento do Governo da República do Brasil essa minha preocupação.
Acredite, Excelência, em meus melhores sentimentos.
Bernard Cardeal Alfrink".

Nove de Julho ainda no catálogo da AERP

Gesto significativo de Igreja do Nordeste

Dom José Maria Pires, Arcebispo de João Pessoa, fez chegar ao Sr. Cardeal Dom Paulo Evaristo Arns, com data de 25 de janeiro último, uma carta que transcrevemos abaixo, acompanhada de um cheque de Cr$ 1.000,00:

"João Pessoa, em 25 de janeiro de 1974.
Caro Amigo Dom Paulo Evaristo:
Hoje, festa da conversão de São Paulo, rezamos por sua intenção e pelas necessidades da Igreja a cujo serviço o Espírito Santo o colocou.
Além das orações, gostaríamos de dar um sinal mais visível — embora pequeno e pobre — de nossa comunhão. Refletimos sobre o testemunho de firmeza e paciência dessa Igreja Irmã. Pensamos no que significou o fechamento da Rádio Nove de Julho como tentativa

Outros protestos pelo fechamento da Rádio. O primaz da Holanda, cardeal Alfrink, por exemplo, escreve carta ao embaixador do Brasil, em Amsterdã, pedindo que ela seja encaminhada ao general-presidente e afirma: "Esta medida, com efeito, parece violar os direitos fundamentais do homem, defendidos de modo tão enérgico pela Igreja...".

São Paulo, 12 a 18 de janeiro de 1974 — O SÃO PAULO — Página 5

RADIO 9 DE JULHO

Prosseguimos na publicação de manifestações de solidariedade recebidas pelo Sr. Cardeal Arcebispo de São Paulo, em razão do fechamento da Rádio Nove de Julho, da Fundação Metropolitana Paulista, por decretos de 30 de outubro de 1973, do Governo Federal.

Um exemplo de abaixo-assinado ao Presidente Médici

Pelas informações que temos devem ter chegado ao Palácio do Planalto, de Brasília, dezenas de milhares de abaixo-assinados pedindo reconsideração para o problema da Rádio Nove de Julho. Uma só Paróquia das 347 da Arquidiocese, coletou duas mil assinaturas no dia 9 de dezembro pp. Vai aqui o texto de ofício enviado pela comunidade cristã que se reúne todos os domingos na Capela do "Anchietanum". Leva, exatamente, 216 asinaturas, que pedimos venia para não publicar, mas que consta dos xerocs que nos foram enviados:

"Excelentíssimo Senhor General de Exército

Emílio Garrastazu Médici

Digníssimo Presidente da República Federativa do Brasil

Palácio do Planalto

A estação católica, pelo seu grande poder de penetração, era ouvida no Brasil todo, mesmo nos mais longíquos rincões, e suas transmissões eram esperadas, ansiosamente, pelo povo.

Falando de perto a todos, sem distinção de raça, cor, posição social e mesmo credo, a estação sempre pautou os seus programas dentro do mais alto padrão de moral e civismo. Tanto isto é verdade que, desde o seu início até hoje, jamais foi criticada ou censurada pelas autoridades competentes.

Obedecendo as palavras do Evangelho que dizem: "Ide e pregai o Evangelho a todos os povos" e "Bem-aventurados os que ouvem a minha palavra e a põem em prática" — a Rádio Nove de Julho se impôs à admiração de todos [...]

almejada integração nacional e cristã, lançamos este apelo para o fiel católico praticante que Vossa Excelência é.

Permita Vossa Excelência que a Rádio Nove de Julho volte ao ar, a fim de continuar a sua nobre tarefa de orientar o povo brasileiro e, assim, colaborar com o Governo, no trabalho edificante do engrandecimento da Nação.

Comunicamos a Vossa Excelência que cópia desta solicitação foi também, nesta data, enviada a Sua Eminência o Senhor Cardeal-Arcebispo de São Paulo, D. Paulo Evaristo Arns, a quem Vossa Excelência, caso julgue conveniente, poderá dirigir a sua resposta.

Confiando no alto espírito de Justiça de Vossa Excelência, do [...]

Solidariedade de um Bispo

Dom Paulo Evaristo Arns recebeu palavras de solidariedade de todo o episcopado brasileiro através da Comissão Representativa da CNBB, reunida no Rio de Janeiro em novembro último. Dezenas de prelados, Arcebispos e Bispos, entenderam que mesmo assim deveriam externar ao Pastor da Arquidiocese, seu apreço e sentimentos [...]

[...] to da Rádio Nove de Julho, parece que o povo se uniu ainda mais.

Também por aqui houve muita estranheza entre o povo por causa do fechamento da querida emissora tão apreciada principalmente pelos jovens, fãs do Pe. Zezinho. Já falei várias vezes na Catedral daqui, lamentando o caso e explicando ao povo o motivo do seu fechamento.

Tomei a liberdade de passar hoje um telegrama ao Presidente da República, cujo texto é o seguinte: "Presidente Emílio Garrastazu Medici — Palácio Planalto — Brasliia — DF — Confiando espírito humanitário Vossência peço nome Deus renovar concessão Rádio Nove Julho Capital paulista cujo fechamento gerou descontentamento população Vale Mucuri nesta Diocese pt Votos boas festas saudações respeitosas pt Dom Quirino bispo Teófilo Otoni".

Li no "Jornal do Brasil" de ontem que o Cardeal Marty de Paris, se pronunciou igualmente a respeito.

Apesar de tudo o que lhe está acontecendo e, justamente por isso, lhe desejo um Feliz Natal e a "Força do Alto" para 1974.

Com um abraço de seu Dom Quirino..."

A cada semana, *O São Paulo* publicou protestos e mais protestos de tudo quanto é canto. Nesta página, o jornal praticamente ensina como fazer um abaixo-assinado para ser enviado ao general-presidente; transcreve a carta do bispo de Teófilo Otoni, em Minas, e uma carta que chegou da Espanha, publicada em espanhol mesmo!

Uma forte emoção na reunião...

O presidente da CNBB na época, dom Aloísio Lorscheider, participou da reunião que dom Paulo organizou com seus auxiliares, levou um documento de apoio assinado por todos os bispos brasileiros e fez um discurso que tocou fundo no coração da arquidiocese de São Paulo:

Foi o presidente Fernando Henrique Cardoso que devolveu à Arquidiocese a Rádio 9 de julho, no dia 9 de julho de 1996. Disse o presidente: "não estamos fazendo nenhum favor, e sim reparando uma injustiça".

"Tenhamos muita coragem. Talvez a Igreja de São Paulo irá sofrer ainda mais. Poderão contar sempre com o apoio contínuo da Presidência da CNBB e de todos os Bispos. As dificuldades que vêm se avolumando, especialmente desde o ano de 1968, se revelam muito benéficas. A tática de quem persegue a Igreja é procurar dividir, calando uns e favorecendo outros. Mas isso tudo tem o efeito contrário: está criando mais união. Também a nossa presença junto ao povo é maior, e o povo assume mais responsabilidade. O Espírito Santo está mesmo trabalhando conosco. Preciso será que tenhamos grande disponibilidade, porque não sabemos o futuro. Os Padres devem comparecer às reuniões, para pôr seu carisma à disposição de todos. Só assim se constrói a Igreja Particular. Eu mesmo, ganhei mais do que dei, nas reuniões. Este fato (o fechamento da Rádio Nove de Julho) parece negativo, mas pode-se revelar muito positivo. Devemos cerrar fileiras, porque há um movimento para destruir certas pessoas. Uma destas está aqui (dom Paulo). Para mostrar que o meu apoio não é só de palavras, voltando para Fortaleza, farei a proposta ao Conselho de Presbíteros, de pôr à disposição da Arquidiocese de São Paulo uma certa importância em dinheiro, para pagar os funcionários da Rádio Nove de Julho.

Quero felicitá-los: o Senhor está mais perto. Ele quer realizar algo de grande com São Paulo. Esta Arquidiocese é chamada a ser um sinal para a Igreja do Brasil e mesmo da Igreja universal, sendo também a maior Arquidiocese do mundo. Sejam dignos do vosso Pastor, e o apoiem, porque, apesar da constante jovialidade, ele também é humano e sofre".

19 Você sabia que dom Paulo nunca teve conta em banco? No bolso, quando muito, um dinheirinho para viajar ao interior...

É lógico que todo mundo pensa que dom Paulo sempre agiu assim por ser franciscano, etc. e tal. Na verdade, seu lado alemão, uma disciplina a toda prova, segue uma decisão informal tomada por bispos brasileiros mais comprometidos com a realidade da Igreja Latino-Americana, logo depois do Concílio Vaticano II (1963/1965). Quem garante esta linha de raciocínio é o padre Ubaldo Steri, um dos idealizadores da Operação-Periferia. Procura daqui, procura dali, ele encontrou no livro *Presença Pública da Igreja no Brasil*, da Editora Paulinas, o compromisso dos bispos brasileiros com todas as letras e intenções: "não possuiremos nem imóveis, nem conta em banco, etc., em nosso próprio nome; e se for preciso possuir, poremos tudo em nome da diocese, ou das obras sociais ou caritativas".

DUAS HISTORINHAS DE BASTIDORES DA RELAÇÃO DE DOM PAULO COM O DINHEIRO

1ª

Quando chegava das suas inúmeras viagens pelo Brasil e ao exterior, dom Paulo nunca esquecia de trazer lembrancinhas para o pessoal da casa, brindezinhos que fossem. Vinha tudo na sua maleta de mão. Mas, se ele andava invariavelmente sem dinheiro, como comprar essas lembrancinhas?

O mistério foi desvendado, quando se descobriu que ele, na verdade, não comprava nada mesmo. Simplesmente pedia às comissárias de bordo coisas que eram servidas durante os voos: doces, chocolates... e o pessoal da casa ficava muito feliz por dom Paulo ter se lembrado delas!

2ª

Uma vez por mês, os bispos-auxiliares se encontravam com dom Paulo para uma reunião de rotina que acabava sempre em almoço.

Em um dos intervalos para o cafezinho, dom Francisco Vieira, que era o procurador da Mitra (cargo que tem como responsabilidade cuidar das contas da arquidiocese) e também bispo de Osasco, estava numa rodinha com dom Paulo presente, falando sobre contas, gastos, e, de repente exclamou: "Dom Paulo, o senhor é, quem sabe, o *único* neste mundo que paga para trabalhar! Nunca vi ninguém assim! O senhor, em vez de receber pelo trabalho, como todos os mortais, paga, doa o seu dinheiro para trabalhar!"

Dom Paulo, sorrindo, saiu-se com esta: "Pra que é que eu precisaria de dinheiro? Tenho tudo aqui em casa... Quando viajo, pego a estrada com o motorista; peço para a madre, e ela me coloca uns trocadinhos no bolso. Claro, eu preciso e uso os trocados nas paradas, quando o Paulinho (motorista) vai abastecer o carro e eu vou visitar 'a titia'!!!!" Já sabe quem é a titia? O banheiro! (rs, rs, rs, como se dá um sorriso hoje em dia nas mensagens de email...).

Só que na hora de se aposentar...

Na verdade, a Mitra da Arquidiocese "obrigou" dom Paulo a abrir uma conta em banco quando da época da sua aposentadoria, por conta da transição de poder, já que assumiria um novo arcebispo que ninguém sabia quem era e que, talvez, pudesse não entender direito um arcebispo abrir mão dos seus próprios honorários.

20 Corinthiano, graças a Deus!

Que o diga o corinthiano Juca Kfouri, ao escrever, com exclusividade, sobre o corinthiano dom Paulo.

Capa da revista *Placar*, com dom Paulo todo orgulhoso, e mais acima, à direita, uma discreta provocação: "Palmeiras na frente".

Juca e dom Paulo na noite de autógrafos do livro *Corinthiano, Graças a Deus!*

FALA, JUCA!

"Um dia, ainda antes de o Corinthians sair do jejum de 23 anos sem conquistas, Dom Paulo escreveu para a revista *Placar* e dela foi capa segurando a bandeira do clube.

Sua "Pastoral ao Povo Corinthiano" dizia, entre outras preciosidades, que "não existem derrotas definitivas para o povo".

Dizia mais: garantia que se o dia da vitória ainda não havia chegado era porque a história seguia seu curso e que, no fim, chegaria.

O dia chegou, e de lá para o mundo deixou de ter fronteiras para a Fiel.

Dom Paulo jamais aceitará que alguém diga que ele tem farta responsabilidade na volta por cima, intérprete sensível que é da alma corinthiana, mas, sobretudo, humilde.

Como não aceita que todo nós, que vivemos a ditadura, vejamos nele o padre protetor, aquele a quem recorríamos e para baixo de cuja batina corríamos para nos esconder.

Dom Paulo não é corinthiano por acaso.

Está no seu DNA a opção preferencial pelos excluídos, e, ao representá-los como membro da maior torcida de São Paulo, ele representa, também, os não corinthianos.

Dom Paulo jamais olhou para as preferências de cada membro de seu rebanho, porque seu sacerdócio sempre teve a marca da inclusão, até dos ateus.

Bastava que cada ovelha respeitasse os direitos do próximo e cumprisse com seus deveres.

E há direito mais sublime que o de gritar o gol da libertação?

Pois foi esse gol que dom Paulo nos ensinou a fazer, às vezes em silêncio, mas na maior parte delas em praça pública.

Na Praça da Sé, no Pacaembu e no Morumbi, até mesmo no Parque São Jorge, santo padroeiro que ele evitou que tivesse seus direitos políticos cassado pelo papa.

Vai, dom Paulo!

Juca Kfouri

DUAS HISTORINHAS SOBRE DOM PAULO CORINTHIANO

1ª

Convidado pelo diretor da Editora Planeta, Pascoal Soto, para escrever 50 razões para ser um corinthiano, dom Paulo pediu para um assessor – o padre Cido, que dirige o jornal *O São Paulo* até hoje – fazer uma lista inicial. O padre Cido, cheio de graça, informou o cardeal que, infelizmente, não poderia atender o pedido, porque é santista. O cardeal não se deu por achado: "Manda do Santos mesmo, que eu adapto".

2ª

Foi dom Paulo para uma reunião de padres no Ginásio do Palmeiras. A reunião foi transcorrendo como deveria ser, até que um dos padres que estava ao lado de dom Paulo resolveu fazer uma brincadeira e, falando bem baixinho, disse ao cardeal: "Dom Paulo, nós estamos na casa dos porquinhos", e riu. Dom Paulo, meio distraído, respondeu com a voz normal: "É sim, na casa dos porquinhos". Como do outro lado do cardeal estava um diretor do Palmeiras, quase eclode a Terceira Guerra mundial. Foi preciso que, depois do encontro, um auxiliar próximo do cardeal fosse pedir formalmente desculpas à diretoria do Palmeiras. Desculpas aceitas, óbvio.

Um detalhe:

Não foi só uma ou duas vezes que dom Paulo conseguiu viver uma grande alegria na vida: vestido à paisana, se misturava à torcida alvinegra para assistir a algum jogo do seu Timão, de preferência no Pacaembu.

Capa do livro que dom Paulo escreveu sobre o Timão. (Veja mais sobre os 58 livros que dom Paulo escreveu no capítulo 60)

GRÊMIO GAVIÕES DA FIEL TORCIDA

FORÇA INDEPENDENTE EM PRÓL DO GRANDE CORINTHIANS
FUNDADO EM 01/07/69

LEALDADE - HUMILDADE - PROCEDIMENTO

SEMANA DA DEMOCRACIA CORINTHIANA

SEGUNDA, 26/08 - Democracia Corinthiana e Revolução Corinthiana
Abertura da mesa: Augusto Juncal
Palestra de Abertura: D. Paulo Evaristo Arns
Coordenadora da mesa: Graça Berman
Debatedores: Sócrates, Casagrande, Vladmir,
Waldemar Pires, Juca Kfouri, Dinei
Francisco Papaiordanou,
Benjamin Beck, Wildner Rocha

TERÇA, 27/08 - Futebol e Sociedade Brasileira
Abertura da Mesa: Augusto Juncal
Coordenadora da mesa: Graça Berman
Debatedores: Washington Olivetto, José Roberto Torero,
Ugo Giorgetti, Silvio Torres, Aníbal Massaíne
Alberto Helena Jr, Major Marinho, Badeco
Juca Kfouri, Wildner Rocha

Dom Paulo também participou dos debates em torno do movimento Democracia Corinthiana. Em 26 de agosto de 2002, ele fez a palestra de abertura da Semana da Democracia Corinthiana, promovida pela Gaviões da Fiel.

21 O milagre da multiplicação: o palácio do bispo vira 1.200 centros comunitários

1973

Três anos depois de se tornar arcebispo, dom Paulo decide vender o Palácio Episcopal e, em suas memórias, faz o seguinte comentário:
"O Palácio Pio XII, residência oficial do arcebispo, foi mais um impacto do que uma surpresa, e a decisão de vendê-lo e de viver na simplicidade franciscana da residência do Sumaré, destinando o resultado da venda do palácio aos pobres e imigrantes, trouxe-me profunda alegria".

A imponência do Palácio Episcopal, que servia apenas como residência oficial do arcebispo. As reuniões importantes eram realizadas na Cúria, primeiro na Sé e depois transferida para Higienópolis. O Palácio foi vendido por 5 milhões de dólares e o dinheiro, destinado para a construção de 1.200 centros comunitários na periferia de São Paulo. Eram construções toscas, de madeira e erguidas pela própria comunidade. A seguir, há fotos que mostram essas construções.

Depois de esperar um bom tempo pela autorização do Vaticano para a venda de um palácio e toda a sua pompa, de passar por mil perrengues com os órgãos oficiais, como o Condephat, feita a mudança, sobrou nas grades do portão uma prosaica informação: "Mudamos para a rua Mococa".

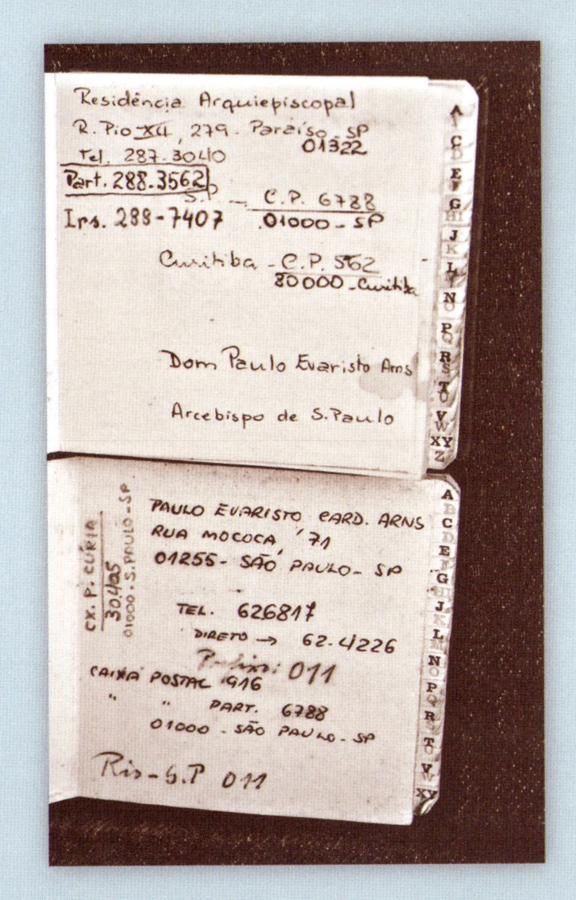

Nas cadernetinhas de telefone de dom Paulo, a mudança de endereço do palácio Pio XII para a rua Mococa.

Com os 5 milhões de dólares arrecadados foram construídos, na periferia de São Paulo, cerca de 1.200 centros comunitários, locais bem mais informais para fazer reuniões do que, por exemplo, as igrejas.

A seguir, um álbum de retratos da construção dos centros comunitários em regime de mutirão que envolve a família toda, crianças, mulheres...

CENTRO
COMUNITÁRI
V. NOVA MINAS GERA

22 5 de março de 1973: o papa Paulo VI nomeia dom Paulo cardeal. Sabe o que mudou na vida dele? Nada!

Ele continuou a fazer tudo que estava fazendo pelos pobres, pelos perseguidos, pelos Direitos Humanos...

Ao voltar de Roma, o cônego Geraldo Magela, que havia acompanhado dom Paulo na viagem, trouxe um quadro com o brasão do novo cardeal, que foi exibido para a família Arns, reunida na casa de dom Paulo, no Sumaré. Foi o primeiro almoço em casa como cardeal.

Bispos e cardeais têm direito a um brasão que simbolize o que a vida religiosa representa para eles. Dom Paulo nunca deu muita bola para a importância de um brasão, mas não deixa de ser curioso saber como ele foi desenhado.

O escudo obedece às regras heráldicas para os eclesiásticos. **O campo de blau (azul)** representa o manto de Maria Santíssima sob cuja proteção o cardeal pôs toda a sua vida sacerdotal. Este esmalte significa: justiça, serenidade, fortaleza, boa fama e nobreza. A **Cruz em Tau** é própria da Ordem Franciscana, à qual pertence dom Paulo e, sendo de jalde (ouro), simboliza: nobreza, autoridade, premência, generosidade, ardor e descortínio. **O in-fólio com a espada** representa São Paulo Apóstolo, numa referência ao padroeiro do Estado, da cidade e da arquidiocese. **O metal argente (prata) da lâmina da espada** simboliza: inocência, castidade, pureza e eloquência; virtudes essenciais num bispo. **Os ramos de café frutados** representam o estado de São Paulo, "Terra do Café", cuja capital é a sede episcopal do cardeal. As expressões "ao natural" e "de sua cor" são recursos para se colocar os ramos de café, naturalmente com a cor sinopla (verde), com frutos de goles (vermelho) sobre o campo de blau (azul), sem ferir as leis da heráldica. **Os ramos, por seu esmalte sinopla (verde),** representam: esperança, liberdade, abundância, cortesia e amizade; e os frutos de café, por seu esmalte goles (vermelho) simbolizam o fogo da caridade inflamada no coração do cardeal, bem como, valor e socorro aos necessitados, e ainda o martírio de São Paulo Apóstolo. No chefe, **a Hóstia de argente (prata) e o Cálice de jalde (ouro) lembram o santo sacrifício da missa,** no qual o pão e o vinho são transubstanciados no Corpo e no Sangue de Nosso Senhor Jesus Cristo. O lema: **"EX SPE IN SPEM"** (De Esperança em Esperança), acompanha dom Paulo desde sempre. É uma expressão da total e confiante adesão a Cristo e do humilde abandono do cardeal nas mãos da Divina Providência.

23 A comissão da justiça, da paz e da coragem

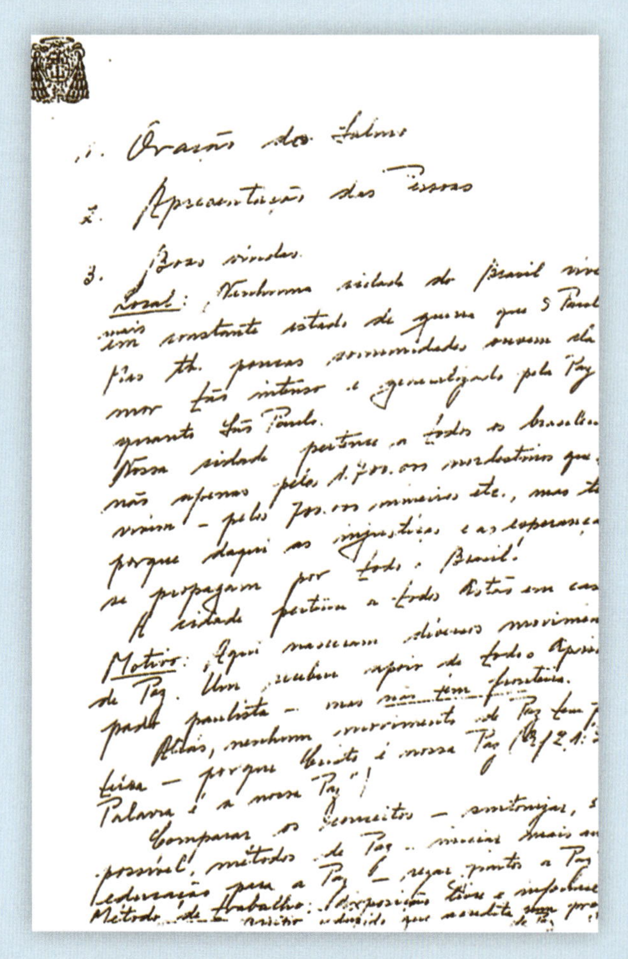

Este manuscrito foi retirado do baú de Maria Angela Borsoi, que trabalhou com dom Paulo mais de 40 anos, e é a cópia do rascunho de algumas anotações que ele usou na noite em que reuniu, em 1972, pela primeira vez, em sua casa, no Sumaré, os convidados para fazer parte do grupo que viria a ser a Comissão Justiça e Paz:

O TEXTO DO MANUSCRITO:

Oração do Salmo

Apresentação das Pessoas

Boas vindas

<u>Local</u>: Nenhuma cidade do Brasil vive mais em constante estado de guerra que S.Paulo. Mas tb. poucas comunidades ouvem clamor tão intenso e generalizado pela Paz quanto São Paulo.

Nossa cidade pertence a todos os brasileiros, não apenas pelos 1.700.000 nordestinos que aqui vivem – pelos 700.000 mineiros, etc., mas tb. porque daqui as injustiças e as esperanças se propagam por todo o Brasil. A cidade pertence a todos. Estão em casa. <u>Motivo</u>: Aqui nasceram diversos movimentos de Paz. Um recebeu apoio de todo o Episcopado paulista – <u>mas não tem fronteira</u>.

Aliás, nenhum movimento de Paz tem fronteira – porque Cristo é nossa Paz (Ef 2,1: "Sua Palavra é a nossa Paz") Comparar os conceitos – sintonizar, se possível, métodos de Paz – iniciar mais ampla educação para a Paz – rezar juntos a Paz.

<u>Método de trabalho</u>: Exposição livre e informal e grupo reduzido, que acredita num programa de Paz.

JUSTIÇA E PAZ
para todos

Chegou Paulo Freire!

Em sua coluna em *O São Paulo*, a Comissão Justiça e Paz saúda o retorno do exílio do educador Paulo Freire.

Um dos fundadores da Comissão, Fábio Konder Comparato, e seis ex-presidentes, Dalmo Dallari, José Carlos Dias, José Gregori, Margarida Genevois, Marco Antonio Rodrigues Barbosa e Antonio Funari Filho, comentam como foi trabalhar com o cardeal arcebispo de São Paulo. Aqui está também o texto do advogado Mario Simas. E mais: o depoimento do homem que enfrentou o esquadrão da morte, Helio Bicudo.

Ao autorizar o uso desta foto, Comparato escreveu: "Pode usar a foto. Atualmente, eu me sinto cheio de vida quando estou com uma criança nos braços".

A CÚRIA COMO CENTRO DE RESISTÊNCIA

Fabio Konder Comparato

Antes de mais nada, é preciso lembrar que a Conferência Nacional dos Bispos do Brasil (CNBB) deu apoio oficial ao golpe militar de 1964, em declaração de 29 de maio, na qual os bispos brasileiros afirmaram que, vendo "a marcha acelerada do comunismo para a conquista do poder, as forças armadas acudiram em tempo, e evitaram que se consumasse a implantação do regime bolchevista em nossa terra".

Dom Paulo Evaristo Arns, porém, assim que assumiu as funções de bispo-auxiliar da arquidiocese de São Paulo, deu-se conta do caráter terrorista do regime empresarial-militar instaurado com o golpe de 1964. Ao tomar posse do cargo de arcebispo metropolitano de São Paulo, em 1º de novembro de 1970, ele fez da Cúria Metropolitana o centro de resistência à política de sequestros, assassínios e tortura de presos políticos.

Dom Paulo foi o primeiro a organizar, na Cúria Metropolitana de São Paulo, a lista dos desaparecidos políticos.

Em 1972, ele criou a Comissão Justiça e Paz de São Paulo, da qual tive a honra de ser um dos membros fundadores. Durante aqueles anos de regime de terror, nossa missão principal consistia em anotar pormenorizadamente todos os fatos relativos à prisão de opositores políticos ao regime. Periodicamente, tais fatos eram levados por Dom Paulo ao conhecimento do General Comandante do II Exército, de modo a desfazer a costumeira explicação oficial de que tais pessoas haviam desaparecido sem deixar vestígios, ou que haviam morrido em tiroteio com as forças policiais.

Documentos guardados pelo Conselho Mundial das Igrejas, em Genebra, mostram que dom Paulo tomou a iniciativa de liderar um movimento internacional de denúncia dos crimes contra a humanidade praticados pelos dirigentes militares em nosso país.

Não foi, portanto, surpreendente que em pouco tempo dom Paulo tenha se tornado o maior adversário do regime militar. Conscientes disso, os chefes militares buscaram fechar um cerco em torno dele, cerceando seus pronunciamentos através dos meios de comunicação social. Fecharam a Rádio 9 de Julho e instalaram a censura na redação do jornal *O São Paulo*, e dom Paulo, que à época já fora nomeado cardeal, pediu-me então que procurasse, na qualidade de seu advogado, o delegado da Polícia Federal encarregado de supervisionar essa censura ao jornal. Na entrevista com o delegado, manifestei minha estranheza com o fato de que os veículos da imprensa, do rádio e da televisão, aqui sediados, falassem abertamente de dom Helder Câmara, arcebispo de Olinda e Recife, e silenciassem o nome do cardeal-arcebispo de São Paulo. Ao que ele me retrucou: "Em cumpro instruções, meu caro senhor. Dom Helder Câmara pode ser mencionado, toda vez que falem mal dele. Não é o que ocorre no jornal *O São Paulo* com a pessoa do cardeal".

Não tendo obtido grande êxito em silenciar dom Paulo, decidiram então os chefes militares buscar apoio na cúpula eclesiástica, a fim de isolar o "rebelde". Procuraram o cardeal arcebispo do Rio de Janeiro, dom Eugenio Salles, que timbrava em manter um "comportamento prudente", como se dizia na caserna, e era o responsável, junto ao Vaticano, pelo funcionamento das Comissões Justiça e Paz no âmbito nacional. Instado pelos militares, dom Eugenio, alegando instruções recebidas de Roma, decidiu transformá-las todas em simples "comissões de estudos" (*commissiones studiorum*), e mandou que um emissário comunicasse essa decisão a dom Paulo.

Ao recebê-lo durante uma reunião da nossa Comissão, dom Paulo declarou que, ou ela manteria a mesma linha de atuação, ou deixaria simplesmente de existir.

Após as despedidas do emissário de dom Eugenio Salles, dom Paulo nos pediu para que preparássemos, desde logo, a transformação da Comissão Justiça e Paz em uma associação civil, dotada de personalidade jurídica e, portanto, independente da autoridade eclesiástica. O que foi feito. Com isso, pudemos prosseguir em nossas atividades, seguindo unicamente as instruções de dom Paulo.

DOM PAULO: INOVADOR INSTITUCIONAL

Dalmo Dallari

Há um aspecto sobre o qual posso dar um depoimento, baseado em meu relacionamento com dom Paulo: é quanto à análise serena e racional das resistências e a busca dos caminhos institucionais mais adequados para superá-las. Isso ocorreu em situações concretas, aplicando-se tanto para superação de obstáculos opostos dentro da hierarquia católica quanto para anulação de acusações feitas por autoridades militares e policiais que tentavam intimidar dom Paulo e os membros da Comissão Justiça e Paz de São Paulo, com a insinuação de que agiam ilegalmente, fazendo parte de uma entidade subversiva.

Como se sabe, a hierarquia católica brasileira apoiou a implantação da ditadura no Brasil. Um dos argumentos para justificar essa posição era a necessidade de barrar o perigo comunista, que estaria implícito na reivindicação dos direitos sociais e da superação das situações de desigualdade e discriminação que faziam parte da normalidade brasileira. Quando, em Roma, sob inspiração das encíclicas sociais do papa João

Com dom Paulo, quatro ex-presidentes da Comissão: Dalmo Dallari, José Carlos dias, Margarida Genevois, Marco Antonio Rodrigues Barbosa.

XXIII, foi criada a Comissão Justiça e Paz, pensou-se na criação de extensões do órgão romano nos países em que fosse marcante a existência de injustiças sociais. E assim foi criada no Brasil uma Comissão Justiça e Paz, sediada no Rio de Janeiro, subordinada ao cardeal-arcebispo dom Eugênio Salles, de orientação conservadora. Quando pressionado pela cúpula da Igreja Católica Brasileira a adotar a orientação da Comissão Justiça e Paz do Rio de Janeiro, deixando de dar apoio aos perseguidos e de denunciar as violências, dom Paulo agiu com rapidez e objetividade. Valendo-se de seu bom relacionamento pessoal com o novo papa, Paulo VI, pediu que ele criasse em São Paulo uma Comissão Pontifícia Justiça e Paz, que assim, sendo Pontifícia, estaria diretamente ligada à Comissão Justiça e Paz do Vaticano, sem qualquer subordinação à do Rio de Janeiro e absolutamente independente. Em 1972 foi então criada a Comissão Justiça e Paz na arquidiocese de São Paulo.

O cardeal tinha notícia de minhas atividades tentando dar proteção aos perseguidos, o que era parte de sua própria luta. E considerou que ter um advogado na presidência da Comissão Justiça e Paz poderia ser de grande ajuda. E assim, por meio do Professor Fábio Comparato, convidou-me para uma conversa. Fui encontrá-lo, muito sensibilizado por ter meu nome lembrado por uma figura excepcional, por quem eu tinha grande admiração e respeito. Dom Paulo então me fez o convite para ser o primeiro Presidente. Surpreendido e sentindo-me honrado, aceitei imediatamente com enorme satisfação, pois havia coincidência entre os objetivos da Comissão e o esforço que eu vinha desenvolvendo buscando dar proteção às vítimas da ditadura e aos seus familiares. E, graças à grande influência de dom Paulo entre os que resistiam à ditadura e valendo-se de seu decidido apoio, a Comissão Justiça e Paz de São Paulo tornou-se logo um dos mais ativos núcleos de resistência às arbitrariedades e violências da ditadura, procurando localizar os presos e desaparecidos, denunciando a prática de tortura e dando auxílio aos brasileiros e estrangeiros que sofriam a perseguição policial, para que deixassem o Brasil.

Mas houve problemas de relacionamento da Comissão Justiça e Paz de São Paulo com a do Rio de Janeiro. Em dado momento, o presidente da Comissão do Rio de Janeiro, professor Cândido Mendes, convidou-me para um encontro. Nessa oportunidade foi dito que a Comissão do Rio de Janeiro, por ter sido a primeira criada no Brasil, tinha a condição de Comissão Nacional de Justiça e Paz. Acrescentou que era inaceitável e inconveniente a orientação da Comissão de São Paulo, pois, segundo ele, a Comissão Nacional estava em bom entendimento com os militares, havendo a possibilidade de que conseguisse a diminuição das arbitrariedades, assim como das prisões ilegais, das perseguições e restrições a direitos dos que se opunham ao regime e também a cessação da tortura. As denúncias e interferências da Comissão Justiça e Paz de São Paulo estavam prejudicando esse diálogo. A Comissão paulista deveria seguir a orientação da Comissão Nacional, suspendendo suas denúncias e seus trabalhos com os perseguidos. Rejeitei a afirmação da superioridade hierárquica e disse que em São Paulo não se tinha verificado qualquer atenuação na prática das violências e que por isso continuaríamos a fazer o que fosse possível em defesa das vítimas.

Em sequência a isso, fiz uma proposta, que foi muito bem recebida por dom Paulo, no sentido de dar uma definição jurídica à Comissão de São Paulo, para afirmação de sua plena legalidade. Minha sugestão foi que a Comissão fizesse o seu registro em Cartório, adquirindo a natureza de pessoa jurídica. Essa proposta se concretizou graças à clarividência de dom Paulo, que enfrentou o dilema de conciliar uma Comissão Pontifícia, subordinada, portanto, ao Vaticano, com uma sociedade de natureza civil, que, do ponto de vista legal, seria autônoma e independente. E com seu decidido apoio a Comissão Pontifícia Justiça e Paz de São Paulo passou a ser uma entidade legalmente constituída, já não podendo mais ser taxada, ameaçadoramente, de ser uma "entidade subversiva".

E assim a Comissão Pontifícia Justiça e Paz de São Paulo teve o privilégio da presença de dom Paulo em muitas de suas reuniões. Inúmeras vezes pude dar esclarecimentos jurídicos a respeito do que poderia ser feito com relação a vários de seus objetivos que encontravam resistências. Ou então eram consultas a respeito do melhor caminho jurídico para a persecução de determinado objetivo. E sempre com grande paciência, além de sua extraordinária capacidade de raciocínio lógico e de sua grande objetividade, dom Paulo foi procurando soluções institucionais, que aplicou com coragem e determinação, sendo essa uma das peculiaridades que fazem dele uma das mais extraordinárias figuras humanas de nossa época.

O CARDEAL CORAGEM

José Carlos Dias

Guardo bem nítida a lembrança de meu primeiro encontro com dom Paulo, em sua residência, na rua Mococa, no bairro do Sumaré. O cardeal convidara-me para uma conversa sobre a Comissão Justiça e Paz que decidira criar. Como advogado criminal, ocupava-me muito da defesa de perseguidos políticos. Dom Paulo pediu detalhes das dificuldades que nós advogados enfrentávamos para atender as famílias que nos procuravam para que assumíssemos as defesas dos que eram presos ou desapareciam sem deixar o rumo de seus destinos. Dizia que se sentia na responsabilidade de liderar como cardeal-arcebispo de São Paulo o trabalho de receber aqueles que clamavam por justiça e esperança de rever seus filhos, companheiros, irmãos que haviam sido presos ou se achavam em lugar ignorado. Afinal, dizia ele, a missão mais importante da Igreja de Cristo é defender os perseguidos, sejam inocentes ou pecadores, dando-lhes proteção para que recebam tratamento justo e sejam julgados com direito a ampla defesa.

Dom Paulo revelou então que a Comissão Justiça e Paz iria assessorá-lo na tarefa de defender os perseguidos políticos e de denunciar as violações a Direitos Humanos praticadas por agentes do governo, perante a opinião pública mundial. Ao contrário de ser tal tarefa ato de antipatriotismo, tinha o significado de expurgar da nossa história as manchas de vergonha que a prática da violência estatal representava.

A Comissão Justiça e Paz seria o endereço para onde convergiriam as denúncias e as queixas de familiares de perseguidos políticos para que alimentasse o cardeal com informações para a formulação de denúncias. Afinal a tarefa maior era salvar vidas, era lutar para que em nosso país imperasse o respeito à justiça e à paz. Daí a razão de dom Paulo reunir um grupo de pessoas que o auxiliasse nessa tarefa fundamental para a Igreja.

E na sua casa modesta de cidadão de classe média, dom Paulo reuniu um grupo de inconfidentes que se dispôs a auxiliá-lo nessa tarefa. Nenhum outro compromisso dom Paulo exigiu de nós, a não ser o de sermos verdadeiros e fiéis à justiça.

Durante todos os anos que participei mais ativamente da Comissão Justiça e Paz, tive a felicidade de conviver mais estreitamente com dom Paulo, quando ocupei a presidência. Visitava-o em casa ou na Cúria costumeiramente, muitas vezes quase exclusivamente para pedir-lhe a benção, um conselho, apresentar-lhe uma dúvida de consciência. Guardo com emoção muitas conversas que tivemos, a firmeza com que sabia sorrir ou quando cerrava os olhos numa expressão de quem está a receber a inspiração de Deus. Os nossos diálogos sempre terminavam com a palavra “coragem”, com que ele sabia nos empurrar para a luta. Nunca, mas nunca mesmo, ouvi de dom Paulo uma palavra de desânimo, de abatimento, nunca o senti derrotado, mesmo nas horas mais difíceis enfrentadas por nós. Cito dois momentos fortíssimos: a morte de Vladimir Herzog e o consequente ato ecumênico celebrado na catedral, talvez o mais significativo ato de toda a vida de dom Paulo como cardeal de São Paulo, e a morte de Santo Dias da Silva, líder operário morto pela Polícia Militar, o enterro precedido por monumental cortejo liderado por dom Paulo.

Se me perguntam qual a marca principal de dom Paulo Evaristo Arns, após bem refletir, teria a dizer: a firmeza e a humildade de sua postura, a síntese do que foi e do que é e do que será sempre: a coragem, palavra miraculosa por ele sempre pronunciada.

Se me indagam qual a frase mais significativa que ouvi de dom Paulo, terei dificuldade de selecionar. De uma me recordo pela curiosidade e pela simplicidade com que foi pronunciada: na posse de um novo membro da Comissão Justiça e Paz, ouvimos desse novo companheiro que não se sentia capacitado para integrar a Comissão porque não tinha certeza de ser católico. A resposta de dom Paulo foi absolutamente inesperada. “Se esta é sua dúvida, fique tranquilo, porque também eu não tenho certeza de ser católico.” E a resposta ele a deu não com ar de troça, mas enfatizando-a com empostação de seriedade.

Afirmo com emoção, ao final deste texto, que dom Paulo terá sido das figuras humanas mais impressionantes que tive a graça de conhecer, impregnando-me de confiança de lutar quantas vezes sentia-me abater na luta que travava. Sua simpatia pessoal, seu sorriso amigo, seu olhar implacável, emolduram a figura de santidade que gravo no coração.

"TIREI A SORTE GRANDE"
Margarida Genevois

Entrei para a Comissão Justiça e Paz logo no começo, em 1973. Pelo estatuto, a comissão deveria ter a participação de uma mulher, de um operário e de um estudante. Fábio Comparato indicou o meu nome. Eu não conhecia pessoalmente dom Paulo e os outros integrantes.

Foi uma experiência fantástica! Eram os tempos sombrios das décadas de 70 e 80. Dom Paulo me pediu para ajudar a receber as pessoas. No começo, eu ia duas vezes por semana, depois todos os dias, de manhã e de tarde.

Nunca perguntamos "de que religião você é?" ou de "de que partido?". Atendíamos a todos, eram seres humanos em desespero. Muitas vezes eu voltava para casa e não dormia.

Uma vez, uma pessoa do exército foi à Cúria saber o que fazia a Comissão Justiça e Paz. Disse a ele que a igreja fazia caridade, que atendíamos pessoas em dificuldades. Mostrei o estatuto, falei que era um trabalho organizado, oficial. Ele saiu de lá pensando que o nosso trabalho era assistencialista. Foi um susto, um frio na barriga.

Fiquei 25 anos na Comissão Justiça e Paz. Fui presidente por dois mandatos e meio – o "meio", substituindo o José Gregori, de quem eu era vice.

Olhando para todos esses anos, tenho a certeza de que tirei a "sorte grande" ao fazer parte desse grupo, muito unido, muito afinado. Dom Paulo era a inspiração de tudo o que fazíamos. Sempre sereno, equilibrado, passava a sensação de paz e de esperança.

Quando entrei, não conhecia ninguém. Hoje, somos todos amigos!"

UM BALUARTE NA DEFESA DOS DIREITOS HUMANOS
Marco Antonio Rodrigues Barbosa

O relacionamento com dom Paulo foi uma das experiências mais gratificantes que já tive. Foi uma convivência de inspiração, muito próxima, muito tranquila e com muito aprendizado.

Dom Paulo é um homem corajoso, que sabe ouvir, que sabe refletir. Foi um baluarte na defesa dos Direitos Humanos. Ele sempre colocou como questão fundamental o aspecto da vida e da dignidade das pessoas. Nos anos 70, vidas foram salvas por interferência dele, com apoio da Comissão Justiça e Paz.

Ele criou o embrião de uma consciência coletiva em relação aos Direitos Humanos, um processo educacional que existe até hoje. Quando começamos esse processo, fizemos um ato no Teatro Municipal pela revogação da Lei de Segurança Nacional. Foi o primeiro tribunal Tiradentes, em 1985, presidido pelo senador Teotônio Vilela. Depois foi a vez do colégio eleitoral.

Nunca, jamais, impôs sua crença como condição para a defesa dos Direitos Humanos. Isso é de uma grandeza humana extraordinária. Um exemplo: em 1982, em plena crise de desemprego, criou-se em São Paulo, uma associação chamada Solidariedade no Desemprego. Foi uma iniciativa de três religiões, católica, kardecista e protestante. E dom Paulo me pediu que representasse a religião católica. Argumentei que não era um frequentador da igreja aos domingos, era um católico relapso. A resposta dele foi firme: "isso não importa, o que importa é o seu compromisso com os valores cristãos".

A associação Solidariedade no Desemprego trouxe muitos frutos, permitiu uma organização popular; as mulheres formaram empresas de corte e costura, os homens fabricavam tijolos, mitigando a crise do desemprego.

Outra contribuição importante ocorreu na Constituinte de 1988. Com o apoio e a liderança de dom Paulo, a Comissão Justiça e Paz integrou um plenário pró-participação popular na Constituinte. Diversas entidades participaram, conseguimos milhões de assinaturas e levamos reivindicações para a assembleia. Vários aspectos inseridos na Constituição Federal de 1988 são resultado dessa iniciativa, especialmente nas questões relativas aos Direitos Humanos. Basta olhar os artigos 5º e 7º: lá estão elencados todos os direitos fundamentais da pessoa humana, os direitos individuais no artigo 5º e os direitos sociais no 7º.

Todas as nossas empreitadas na Comissão de Justiça e Paz eram apoiadas por ele. Jamais houve qualquer tipo de discordância por parte dele. Pelo contrário, a gente se sentia forte e, com isso, a luta avançava.

Dom Paulo é um homem sem preconceitos, de bom humor, uma das pessoas mais importantes no cenário político do século XX.

Marco Antonio Rodrigues Barbosa, advogado, foi presidente da Comissão Justiça e Paz da Arquidiocese de São Paulo de 1987 a 1991.

DOM PAULO, PROFETA DA RESISTÊNCIA
José Gregori

Foi nos anos duros do Brasil sem liberdade (1965-1986) que me aproximei de dom Paulo e, pela convivência militante, tornei-me seu amigo.

Pude medir, então, o tamanho de sua figura na luta dos direitos humanos.

A cúpula eclesiástica da Igreja já se decidira, pelo exemplo de dom Helder Câmara, a não aceitar um regime político de natureza militar que ia se fechando às liberdades públicas. Faltava uma voz regionalizada em São Paulo; dom Helder era uma voz para o mundo externo.

Dom Paulo e José Gregori.

Dom Paulo começou advertindo, continuou pregando nos púlpitos, passando depois a atuar abertamente contra o regime militar e as razões de "segurança nacional" utilizadas na época, com amplo apoio da classe média e da classe produtora, para encobrir o desrespeito aos direitos fundamentais.

Sendo um homem de ação, fundou e liderou a Comissão Justiça e Paz para ser um anteparo, nos limites jurídicos possíveis, à violência de órgãos policiais.

Fiz parte dessa Comissão, que se reunia na Cúria. Éramos uns dez ou doze homens e mulheres indignados. Reuníamo-nos no bairro de Higienópolis, com dom Paulo, sempre que possível,coordenando nossas reuniões com extrema determinação de enfrentar as denúncias que recebíamos. Nesse tempo, não dispensava um cachimbo com o fumo inglês que amigos em viagem lhe traziam, o que compunha o quadro de um homem determinado mas sempre sereno, a ponderar, em cada caso, todos os ângulos dos caminhos a seguir.

Num período de garantias jurídicas suspensas por atos institucionais do regime militar e a imprensa, abafada é difícil contar quanta gente foi protegida, pois nossa tarefa imediata era sinalizar com o estrondo possível, que sabíamos que alguém devidamente individualizado estava em poder da polícia. Como as denúncias eram precisas, o poder militar foi percebendo que o que vinha da "casa do Bispo" era sério, grave e verdadeiro. E assim, muitas vidas foram salvas.

Dom Paulo sabia que a violência política, quando surge, se espalha e vai intimidando e tolhendo pessoas e instituições; mas sabia também que a resistência, ainda que não a elimine, vai penetrando e constrangendo seus excessos. A resistência à violência tem efeito, portanto. Não é uma abstração romântica.

Daí a imensa importância de dom Paulo na resistência democrática. Sua liderança foi crescendo, se expandindo contra o regime. Inclusive nas vilas da periferia, as famosas comunidades eclesiais de base.

Nunca defendeu, nessa sua luta de resistência, o confronto ou o apelo, ainda que dissimulado, ao revide.

Mas, como me orientou pessoalmente no dia que prenderam toda a cúpula sindical do ABC, juntamente com o presidente e o ex-presidente da Comissão Justiça e Paz, José Carlos Dias e Dalmo Dallari, "é preciso, de imediato, que você, como advogado, transponha todas as barreiras e, lá dentro do DOPS, procure o responsável pelas prisões". Fui; não consegui grande coisa, mas estive presente, o que no entendimento de dom Paulo, era importante porque constrangia o regime na prática da violência. Dom Paulo sabia que o silêncio e o sigilo são os aliados seculares das ditaduras.

Teve o mesmo procedimento quando apoiou as lutas do novo sindicalismo em São Bernardo do Campo nos tempos "Lula, o metalúrgico". Na mesma linha de presença, testemunho e protesto, sua tríplice linha de ação, atuou quando da morte violenta de Vladimir Herzog, encoberta como encenado suicídio que urgia desmascarar. O culto ecumênico que fez realizar na Catedral da Sé, ao lado do Rabino Henri Sobel, pela multidão reunida em silêncio mas em gritante protesto, foi o mais forte "basta" que o regime militar sofreu antes da campanha pelas Diretas Já.

Cobriu com sua liderança orgânica e lúcida, sempre na tríplice linha presença, testemunho e protesto, o pequeno grupo de valentes e aguerridos advogados de presos políticos, o novo sindicalismo, os intelectuais militantes, os religiosos pós-conciliares, os jornalistas que não silenciaram, sempre com sua palavra precisa e presença acolhedora, mas que não se afastava do realismo de considerar a correlação de forças que, na época, era favorável ao poder, poder violento que foi às últimas consequências para manter-se.

Com toda a objetividade, considero que dom Paulo foi uma das forças de maior peso histórico na resistência e na reconstrução democrática no Brasil. Especialmente na década de 70.

É uma história ainda a ser contada, o exemplo de dom Paulo e seus conselhos na própria organização do desenho partidário dos atuais grandes partidos políticos. Diluiu o que era pequeno e, como os profetas, aconselhou os longos caminhos que abrangem o todo, a nação.

O ex-governador Leonel Brizola, que historicamente deixou sua marca nessa fase, uma vez exclamou: "Se dom Paulo não fosse bispo, seria meu chefe".

Como filho de São Francisco, imagino dom Paulo ele onde buscou força e inspiração e onde tantas vezes o surpreendi em oração, na minúscula capela de sua casa no bairro do Sumaré. Esta fé robusta que o fortaleceu jamais se sectarisou, pois, pelo contrário, num ecumenismo ativo, acolheu a todos, judeus, católicos, protestantes, ateus, comunistas, pois na luta contra a ditadura a repulsa sincera à violência é o que fez a diferença.

A BÊNÇÃO DE DOM PAULO
Antonio Funari

O último ato público de dom Paulo como arcebispo de São Paulo foi a bênção que deu início à Marcha Global contra o Trabalho Infantil, na Quarta-feira de Cinzas de 1998.

Em março daquele ano, presidente da comissão Justiça e Paz, fui procurado por integrantes da Organização Internacional do Trabalho responsáveis pela Marcha Global Contra o Trabalho Infantil. Com objetivo de denunciar e inibir o uso da mão de obra infantil, as Marchas se iniciariam em cada um dos continentes e se dirigiriam a Genebra, onde todas se encontrariam.

Como a cidade de São Paulo foi escolhida para sediar o início da Marcha que percorreria os países da América do Sul, queriam que a CJP articulasse com as entidades de Direitos Humanos, pastorais, sindicatos, autoridades. Queriam, principalmente, um contato com dom Paulo para pedir apoio à iniciativa com sua bênção à Marcha logo após a Missa das Cinzas.

Na reunião, dom Paulo, antes mesmo que terminássemos de explicar, interrompeu: "Já entendi. A ideia é tão boa que não deve se limitar a uma cidade de cada país. A Marcha tem que se interiorizar. Este assunto tem que ser discutido pelo maior número de pessoas, inclusive por aqueles que, bem intencionados, entendem que o trabalho faz bem para a formação da criança".

Dom Paulo foi convincente. Além da Marcha para o Uruguai, outra, contemporaneamente, percorreria todo o estado de São Paulo. Estava criada a vertente paulista da Marcha Global.

Dom Paulo abençoou do alto das escadarias da Catedral da Sé, perante uma multidão, os dois braços da Marcha, que se dirigiram: um a Montevidéu; outro, sugerido pelo cardeal, a Osasco.

Em Osasco, a caravana, composta por crianças, professores da rede pública, do SESC e do SEAC, sindicalistas, e integrantes das pastorais das crianças foi recebida por suas congêneres de lá. Após a realização de amplo debate público, com grande cobertura da imprensa sobre o trabalho infantil, no sábado, a caravana se preparava para ir para Sorocaba quando uma criança surgiu com uma tocha acesa.

Em Sorocaba, a criança que conduziu a tocha acendeu uma pira, que foi providenciada às pressas, criando uma prática que acompanhou toda a Marcha. Após uma semana de atividade em Jundiaí, onde foi recebida com banda de música, a Marcha seguiu em direção a São Carlos.

Todo sábado, a Marcha com a tocha chegava a uma cidade central de 19 regiões do estado. Como queria dom Paulo, caravanas foram criadas a partir das cidades centrais, e o debate sobre o trabalho infantil atingiu todas as cidades do estado e se espalhou por todo o Brasil.

Entre as atividades merece destaque a corrida de revezamento com a tocha por atletas do SESI, de Guarulhos a Aparecida. Os atletas acenderam piras, que foram colocadas pelas entidades.

Cento e dezessete dias depois, caravanas de cerca de 100 cidades se encontraram com as instituições promotoras da Marcha em frente à Catedral da Sé. Traziam em cartazes os resultados da Marcha em cada município. Os cartazes dos municípios e das instituições, inclusive o da CJP, conduzido por Fester, foram colocados em frente à escadaria da catedral da Sé, em cerimônia presidida por dom Cláudio Hummes, recém-nomeado arcebispo de São Paulo.

A Marcha teve início com a bênção de dom Paulo e terminou com a bênção de dom Cláudio.

Em dois anos, houve queda de 50 por cento de trabalho infantil.

NA AUDITORIA MILITAR, O ADVOGADO MARIO SIMAS DEFENDE, EM 1971, OS FRADES DOMINICANOS, QUE ESTÃO SENTADOS NA PRIMEIRA FILA.

Mario Simas

O ilustre e combativo jornalista Ricardo Carvalho pede-me para escrever algumas linhas a respeito da pessoa de dom Paulo Evaristo, Cardeal Arns, no tocante à sua participação durante a ditadura militar a que esteve submetida a nossa gente de 1964 a 1985. É muito difícil cumprir a pretensão reclamada em poucas linhas, porque Sua Eminência teve um destaque marcante e exemplar no correr do período referido. Procurarei, não obstante, não me estender, ressaltando a atuação de três episódios que julgo de muita importância.

O primeiro caso prende-se a uma profunda injustiça e desumanidade a que foram sujeitos soldados e cabos da Polícia Militar do Estado de São Paulo. Os milicianos, com muito esforço e inúmeras dificuldades, conseguiram constituir o Centro Social dos Cabos e Soldados da Polícia Militar do Estado de São Paulo, que congregava, à época, aproximadamente sessenta mil associados. Lembro-me, com muita tristeza, que o fato que irei relatar ocorreu durante o governo de Paulo Maluf.

Sem qualquer aviso ou mesmo sinal, quase toda a diretoria da entidade foi presa e levada aos xadrezes do DOI/CODI do 2º Exército, sofrendo toda sorte de vexações e suplícios e mantida durante longo tempo incomunicável para com os membros de suas famílias.

Naquele tempo, porque fechados todos os canais de comunicação, a única porta a que restava bater, para os perseguidos, era a da Arquidiocese de São Paulo.

Inconformados e muito atemorizados, os familiares procuraram a Comissão Justiça e Paz, relatando o que estava acontecendo. Dom Paulo, ciente da lamentável ocorrência, convocou uma reunião do Conselho de Presbíteros a que deveriam estar presentes também o senhor capelão da Polícia Militar e eu, como advogado da entidade e membro da aludida Comissão.

O senhor capelão confirmou que realmente muitas prisões haviam sido feitas no seio da corporação, porque os milicianos perseguidos eram considerados comunistas e, como tal, prejudiciais. Deixei claro, por minha vez, que os presos nunca haviam feito qualquer proselitismo na sede da agremiação e eram inteiramente voltados a preocupações de ordem social e humana. E, mais, que as famílias estavam sentindo muita, muita dificuldade em levar adiante as obrigações que lhes eram inerentes, em razão da ausência de seus chefes.

Face ao quadro que se lhe apresentou, dom Paulo não vacilou em determinar que a Comissão Justiça e Paz se pusesse a campo para providenciar a defesa dos presos e que todas as medidas necessárias para satisfazer as necessidades das esposas, pais e mães, filhos e filhas dos militares fossem levadas à prática para resolver a situação dos encarcerados, o que foi rigorosamente cumprido, sem delonga, por todos nós.

Recordo-me, também, que, ciente do que ocorria nas prisões, ao saber que um padre e uma assistente social haviam sido presos e levados ao Presídio Tiradentes (que não mais existe), dom Paulo, sozinho, foi ao presídio para se inteirar por que, onde e como havia sido presa a dupla.

A direção do estabelecimento penal, surpresa com a visita de Sua Eminência, em princípio negou-lhe o acesso às dependências da casa, porém acabou cedendo ao desejo do arcebispo.

De plano, dom Paulo indagou dos presos se eles haviam sido torturados e, em caso positivo, onde acontecera o fato. Os detidos confirmaram a ofensa e esclareceram que tal ocorrera no Departamento Especializado de Ordem Política e Social (DEOPS), hoje Memorial da Resistência, no largo General Osório. Para lá se dirigiu o incansável franciscano e, em ali chegando, interpelou o diretor daquela repartição, pois queria ver, com os próprios olhos, as câmaras de tortura. Obviamente, tal pedido foi-lhe negado.

Em decorrência, dom Paulo dirigiu-se para o Palácio Episcopal e solicitou a minha presença e a de um médico, seu amigo. Assim que chegamos ao Palácio, Dom Paulo telefonou para o governador do estado, Abreu Sodré, dizendo-lhe que havia tortura no DEOPS e que as vítimas, isto é, o padre e a assistente social, deveriam ser submetidas a uma perícia médica, vez que as lesões ainda eram visíveis, e adotadas as providências jurídicas para que fossem apuradas as responsabilidades pelo crime. O governador pediu a dom Paulo que aguardasse algum tempo que ele iria verificar o que acontecera e lhe daria um retorno. Como não viesse qualquer resposta, Dom Paulo voltou a chamar Abreu Sodré, reclamando uma solução ao que lhe fora noticiado, porém o governador disse que, por estar em fim de mandato, não gostaria de criar problemas de qualquer natureza com relação ao que acabara de saber.

Face a tal situação, dom Paulo determinou, sem enleios, que fossem afixadas publicações nas portas de todas as igrejas da Arquidiocese de São Paulo, para que os fiéis soubessem o que realmente acontecia com os presos políticos e, mais, caso não houvesse cobro daquele descalabro, em todas as missas dominicais os celebrantes divulgariam, de viva voz, o criminoso acontecimento.

Tendo presente a observação de não ser longo no meu escrito, aqui vai o terceiro episódio: dois médicos, funcionários do Instituto Médico Legal do estado do Rio de Janeiro, sentiram-se injuriados na obra *Brasil nunca mais*, editada pela Vozes, de Petrópolis, e que veio à lume sob a responsabilidade da Arquidiocese de São Paulo.

A obra retratou com fidelidade absoluta as misérias vivenciadas pelo aparelho de Estado, quer no âmbito do Poder Executivo quer do Poder Judiciário, durante o regime autoritário que acometeu o nosso país.

Os facultativos ajuizaram, de per si, ações penais perante o foro da Comarca de Petrópolis, pretendendo chamar dom Paulo ao banco dos réus.

A defesa foi exercida de forma compartilhada por mim e pelo leal Hélio Bicudo. Formulamos duas ordens de *habeas corpus* junto ao Tribunal de Alçada Criminal do estado do Rio de Janeiro, sustentando a impropriedade e a falta de consistência nas irrogações. Atendendo à fundamentação jurídica e fáctica da defesa, o Tribunal determinou o trancamento das duas ações penais, como medida de serena e imprescindível justiça.

Em síntese, como frisei no início deste escrito, abordar tema referente ao modo de agir de dom Paulo Evaristo, Cardeal Arns, durante o período de trevas suportado pela nação brasileira, exigiria mais, muito mais, porque o bom e singular pastor destacou-se como membro da hierarquia católica, na defesa da dignidade humana, valendo-me, pois, da mensagem bíblica, enfatizo que dom Paulo foi rijo ao tratar do respeito devido às criaturas humanas, foi viril, e um grande homem, sendo que caberá somente a Deus reconhecer se foi anjo.

Hélio bicudo e dom Paulo

NÃO PODIA FALTAR, NESTE ESPAÇO RESERVADO AOS ADVOGADOS, O DEPOIMENTO DO HOMEM QUE ATACOU, SEM TRÉGUA, O ESQUADRÃO DA MORTE.

Hélio Bicudo

Dom Paulo Evaristo é credor da sociedade brasileira, no que respeita à convivência democrática.

Inaugurou seu mandato como arcebispo de São Paulo com a criação da Comissão Justiça e Paz, instrumento que utilizou na luta contra a ditadura militar, para denunciar, quando não pôde intervir para evitar o avanço do autoritarismo nos chamados "anos de chumbo": nos crimes cometidos por agentes do Estado.

Recém-chegado a São Paulo, dele recebi apoio nas investigações que procedia, na averiguação dos crimes do "esquadrão da morte" comandados pelo delegado Sérgio Fleury, e que não se limitavam ao problema da criminalidade comum, mas se constituía num dos fundamentos da ditadura militar.

Inúmeros são os homicídios e delitos contra a pessoa humana praticados em nome do regime que se autodenominava "democracia" e que atuou na certeza da impunidade, com o objetivo de preservar o poder nas mãos dos militares.

Dom Paulo assumiu a Arquidiocese de São Paulo quando a luta pela preservação das ditaduras militares atingia o seu ponto mais alto na América Latina, quando se abraçavam os governos que se instalaram no chamado "cone Sul" do nosso continente.

A democracia, ainda que de maneira incipiente, tornou-se possível mediante posições que, em nome da Igreja, foram assumidas por dom Paulo, que afrontou os generais e todo o sistema militar, em nome dos direitos fundamentais da pessoa humana.

Dom Paulo visitou os presídios da ditadura, acalentando as esperanças das pessoas que ali se encontravam pelo fato de atuarem para manter acesas as chamas dos ideais de liberdade. Instituiu nos lugares da Cúria Metropolitana, assento seguro para tantos quantos, brasileiros ou não, procuravam o restabelecimento do que poderíamos chamar de poder civil, com a democracia a inspirar o poder do Estado.

Quando hoje passa a funcionar uma Comissão da Verdade, é preciso acentuar que o que se pretende fazer agora, deve-se remeter a dom Paulo, o bispo que empenhou sua pessoa na luta pela preservação dos ideais democráticos, afrontando perigos que sequer podemos imaginar.

Pelo menos dois livros sobre a Comissão Justiça e Paz narram, com precisão, a trajetória da comissão criada informalmente por dom Paulo em 1972. Os dois autores, Antonio Carlos Fester (*Justiça e Paz: Memórias da Comissão de São Paulo*. São Paulo: Loyola, 2005) e Maria Victoria Benevides (*Fé na Luta: A Comissão Justiça e Paz de São Paulo, da ditadura à democratização*. São Paulo: Editora Lettera) tiveram importante participação na elaboração do Projeto Educação em Direitos Humanos, idealizado por Marco Antonio Rodrigues Barbosa e Margarida Genevois, com a assessoria de Paulo Freire e o acompanhamento sempre interessado do Cardeal Arns.

Com Paulo Freire como secretário municipal de Educação na gestão Luiza Erundina, a Comissão levou o projeto à maioria das escolas municipais com mudanças comportamentais importantes:

"Escolas frequentemente depredadas pela vizinhança não ostentavam sequer um vidro quebrado, pois o envolvimento com as comunidades dos bairros, a abertura das escolas nos fins de semana, para jogos e outras atividades lúdicas ou comunitárias, tornaram a população consciente de que a escola pública é sua e não do Estado. Em todas as escolas constataram-se profundas modificações de comportamento e melhoria no aproveitamento escolar, com consequente diminuição da repetência e da evasão", escreveu Fester em seu livro.

O mesmo projeto foi levado ao Paraná, por solicitação de Wagner D'Angelis, redundando num Congresso Latino-Americano em 1993 (Curitiba), com a participação do jesuíta Luiz Perez Aguirre (1941-2000), educador em Direitos Humanos com assento na Unesco.

Em 1995, Margarida Genevois fundou a Rede Brasileira de Educação em Direitos Humanos, reunindo educadores de todo o Brasil, muitos ainda em atividade e felizes em ver, anos depois, o Brasil contando com um Plano Nacional de Educação em Direitos Humanos, incluindo a disciplina em faculdades e cursos os mais variados.

24 O pastor que salva almas e vidas

O caso do sociólogo Vinícius Caldeira Brant e do então seminarista Roberto Romano

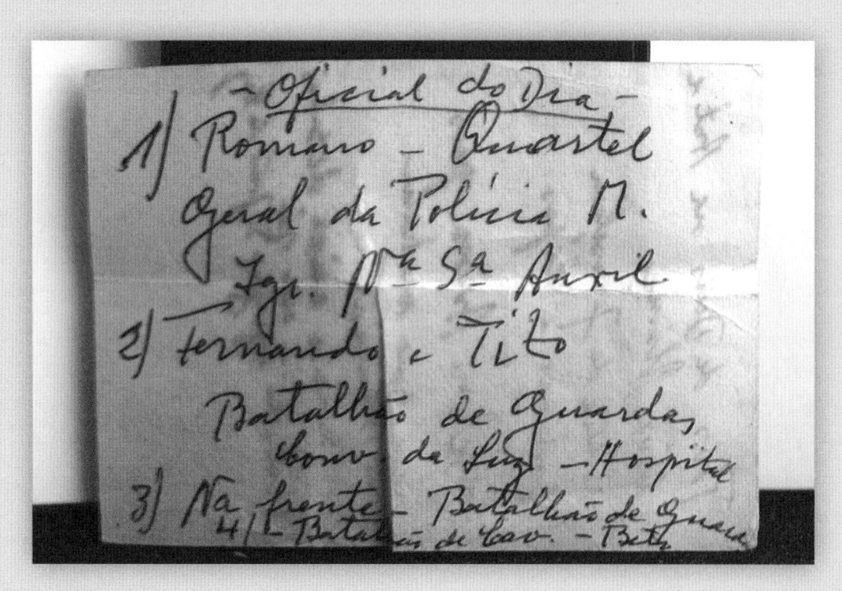
– Oficial do Dia –
1/ Romano – Quartel
Geral da Polícia M.
Igr. Nª Sª
2/ Fernando e Tito
Batalhão de Guardas
da Luz – Hospital
3/ Na frente – Batalhão de Guar
4/ – Batalhão de Cav.

Dentro de uma das cadernetas, anotada à parte, em um papelzinho, a agenda de visita aos religiosos presos. No item 1, a visita ao seminarista Roberto Romano.

EM SEU LIVRO DE MEMÓRIAS, DOM PAULO DESCREVE O MOMENTO DA VISITA QUE FEZ, NO PRESÍDIO, AO SEMINARISTA DOMINICANO ROBERTO ROMANO:

"O seminarista Roberto Romano foi preso na rodoviária de São Paulo quando tentava embarcar para o Rio, onde pretendia avisar os pais de frei Ivo que seu filho estava detido. A depressão em que as condições da prisão o deixaram afetou seu equilíbrio emocional e ele tentou se matar, cortando os pulsos (...). Fui visitá-lo com frei Gorgulho. Roberto Romano, que parecia adormecido, assustou-se ao nos ver e em seus olhos surgiu uma pungente expressão de desamparo e temor, como se o fôssemos acusar pela tentativa de suicídio. Instintivamente, a misericórdia me impulsionou em sua direção. Ignorando as armas que nos ameaçavam, sentei-me ao seu lado, abracei-o e, sem mesmo refletir, ninei-o, talvez reproduzindo o gesto amoroso com que minha mãe me confortara na infância".

A NOSSO PEDIDO, ROBERTO ROMANO, QUE É PROFESSOR DE FILOSOFIA NA UNICAMP, COMENTA A PRESENÇA DE DOM PAULO NO PRESÍDIO:

"Se existe figura humana contrária à crueza dos atos criminosos cometidos por agentes estatais, é a de Dom Paulo Evaristo Arns. Responsável pela Pastoral Carcerária durante a repressão, ele conheceu a verdade em todas as suas faces. E não hesitou ao optar pelas vítimas em vez dos tiranos: sua coragem foi inaudita ao enfrentar poderosos que fizeram da tortura a sua lamentável razão de Estado.

Na prisão tivemos a presença amiga e solícita de dom Paulo a nos proteger. E sua solicitude se exerceu mesmo contra a falta de caridade de alguns eclesiásticos. Após uma greve de fome encetada no Presídio Tiradentes, sendo o ambiente de sofrimento o mais atroz, atentei contra a minha vida. O ritual perene dos que voltavam da tortura, o isolamento diante da sociedade (salvo alguns setores, nos quais a figura de Dom Paulo era a mais generosa), tudo me levou ao gesto irrefletido (a idade contou, pois entrava eu naqueles dias nos vinte anos).

Para vencer a resistência dos presos em greve de fome, os frades dominicanos foram retirados do Presídio Tiradentes. Uns foram conduzidos ao Quartel Tobias Aguiar, eu fui posto no Quartel General da Polícia Militar. Dom Paulo ali me visitou algumas vezes. Certo dia aparece na cela um eclesiástico que diz solenemente: "decidimos que dom Paulo não mais estará com os frades". Revoltei-me e exigi da pessoa uma resposta imediata: "quem é o sujeito oculto pelo 'nós' da frase?". Não tive resposta. Passados dois dias, acordo à noite com forte ruído de discussão na frente do Quartel (a cela ficava junto à calçada, com vitrais abertos para fora). Policiais civis exigiam do Major no comando a minha entrega, para ser conduzido a lugar desconhecido. O soldado, após várias trocas de invectivas, disse em alto e bom som : "o preso só poderá sair daqui com ordens do Comandante do Segundo Exército". Com a ameaça, insisti junto ao responsável pelos presos que eu deveria ficar com os meus colegas, no Tobias Aguiar. Foi o que ocorreu. Mais tarde fiquei sabendo que, durante todo o episódio, apesar de não poder estar conosco, dom Paulo lutou por nós com todas as suas forças.

Tudo isso ocorreu após a greve de fome dos presos. Mas o fato que dom Paulo narra deu-se antes. Ele me visitou no Hospital Militar e me confortou segundo o preceito evangélico. A segurança por ele oferecida, embora quase nula diante da prepotência repressiva, me possibilitou retomar o ânimo e a vontade de viver. Fica explicada a causa de minha indignação quando o eclesiástico a que me referi anunciou que dom Paulo não mais estaria conosco por decisão de um "nós" que até hoje ficou sem identidade. Quem seria aquele "nós"? Autoridades militares e religiosas? Autoridades civis e religiosas? Autoridades apenas militares, com ajuda de um religioso? A pergunta pode ser, talvez, respondida pelo setor da Comissão da Verdade que investiga as relações da Igreja com a repressão.

Mas o que a Comissão da Verdade tem como certeza, por testemunho universal dos perseguidos pela tirania, é que Dom Paulo Evaristo Arns foi uma das poucas vozes na Igreja e no Estado a manter viva a fé nos valores humanos e cristãos, sem os quais a vida se resumiria à selva onde o homem é o lobo do homem. Até o último alento serei grato ao grande frade, ao grande bispo, ao grande cardeal que ajudou a salvar a esperança na Igreja, no mundo e no Brasil. Deus o abençoe!

Agosto de 2013

Carta de dom Paulo dirigida ao general comandante do 2º Exército, general Ednardo D'Avila Mello, surtiu efeito imediato e interrompeu a tortura do sociólogo Vinícius Caldeira Brant (na foto, de camisa preta).

O PRÓPRIO DOM PAULO CONTA COMO DECIDIU ESCREVER ESTA CARTA

"Instado a intervir para salvar as vidas dos pesquisadores Vinícius Caldeira Brant, Paul Singer e outros, voltei de imediato a São Paulo (...) Convenceram-me a comunicar-me, pessoal e energicamente, com o general-comandante do 2º Exército, Ednardo d'Ávila Mello (...) O leitor pode imaginar que dificilmente eu conseguiria conciliar o sono naquela noite. Tomei calmante para dormir e raciocinar ao mesmo tempo. Só conseguia imaginar à minha frente torturadores e torturados. Às duas da madrugada levantei-me. Fui ao escritório e redigi carta enérgica ao comandante, acusando-o de responsabilidade por esses atos atrozes, que seriam comunicados a todos os centros de difusão da Europa e dos Estados Unidos. Lembro-me de que a letra me saía um tanto trêmula e desfigurada, como acontece quando estou cansado ou interiormente perturbado.

"O efeito da carta, entregue sob protocolo ao general na manhã seguinte, em pleno domingo, dia 22 de setembro de 1974, surtiu efeito instantâneo. Ednardo veio pessoalmente à minha residência, acompanhado apenas por um oficial, e negou qualquer tortura ou dano aos prisioneiros. Provei-lhe, de imediato, que o pesquisador Vinícius Caldeira Brant, torturado horrorosamente, estava nas últimas, e entreguei-lhe a lista de outros nomes já sob tortura ou com ameaça de sofrê-la (...) Ednardo não me perguntou como eu pudera obter informações tão exatas. Eram, porém, rigorosamente verdadeiras. No mesmo dia, à tarde – às quinze horas mais ou menos – alguém gritou pelas salas de interrogatório e de torturas: 'O chefe manda suspender o trabalho'. Depois ouvi que fora a hora certa para salvar o Dr. Vinícius e talvez outros."

UM DETALHE

Maria Angela Borsoi, que foi secretária de dom Paulo por mais de 40 anos, nunca chegou a datilografar uma carta dele dirigida a militares: "Correspondência tipo papel-ofício, datilografada por mim, jamais existiu. Cartinhas ou cartas em momentos emergenciais, sim, mas em geral o dom as escreveu de madrugada – como ele mesmo gosta de contar –, para ir correndo, logo cedo, ao QG. Detalhe: quando isso aconteceu (não sei dizer quantas foram as vezes), não deixou cópia para a posteridade (porque ele as escrevia de próprio punho, com caneta)".

25 A solidariedade que se mudou para a Amazônia

Em 1973, a Arquidiocese de São Paulo assumiu como igreja-irmã a prelazia de Itacoatiara, no Amazonas. Dom Paulo envia padres, irmãs e agente de educação para desenvolver projetos com as comunidades predominantemente indígenas. E vai, em 1979, conhecer os projetos.

DEZ ANOS ANTES, EM 1969, AINDA COMO BISPO-AUXILIAR, DOM PAULO ESTEVE PELA PRIMEIRA VEZ NA AMAZÔNIA E GRAVOU, EM SUAS MEMÓRIAS, O SEU TESTEMUNHO EMOCIONADO:

"Recebi com satisfação bem compreensível o convite para ir, acompanhado de parte da Equipe Regional, até Boa Vista, capital do então território de Roraima, para lá lhes ensinarmos o método empregado na missão (...).

"À noite, a partir das dezenove e trinta, reuníamos o povo num belo lugar à frente da matriz para a exposição da doutrina essencial da Igreja e para a preparação da formação bíblica que iria iniciar-se depois. Como não havia luz elétrica em Roraima, os padres, tão inventivos quanto missionários, iluminavam a figura do bispo com um refletor a pilha. O povo se assentava à frente do pregador, como no tempo de Jesus, e não se cansava de ouvi-lo. Assim, pude contar a trajetória do Povo de Deus, como também histórias edificantes do povo brasileiro (...).

"O calor, os mosquitos e todas as demais manifestações da natureza nada são em comparação com as invasões das terras e a perseguição aos índios por parte de gente gananciosa do Sul (...). Vale a pena lutar e conquistar sempre maiores amigos em favor de autênticas missões, tanto no Norte do nosso país quanto em outras partes, sobretudo se isso é feito em comunhão ecumênica com todos aqueles que amam o Cristo Jesus, modelo dos autênticos missionários do mundo" (Da Esperança, p. 123 a 128).

Nas crônicas da arquidiocese, o registro do dia em que dom Paulo viajou para a Amazônia.

Aos dois dias do mês de julho de mil
novecentos e setenta e nove, às nove
da manhã, no aeroporto de Congonhas,
o Senhor Cardeal embarcou, acompanhado
do Vigário Geral Monsenhor Luciano
Gulli, para visita de cinco dias à
Prelazia de Itacoatiara, no Amazonas.
Na Igreja-irmã da Arquidiocese de São Paulo,
visitou grande número de comunidades, celebrou em várias delas e reuniu-se com
os agentes de Pastoral, locais e voluntários
paulistas, para uma avaliação do programa de cooperação que vem sendo ali

Embarque p/ Itacoatiara
2 a 11.7.1979

A alegria de dom Paulo está estampada em cada foto.

em nossas escolas | professores. De 1.o a 15 de julho ainda, a mesma Delegacia preparou outros 33 professores, que se revelaram al- | munhão com o Cristo e o seu Povo. Para tanto, rezamos: PAI NOSSO...

tiara

o aos padres.
ocupação é que
e canse demais
atender bem a
encontros. As
ão feitas com
motores. Um
sua disposição
viajam nos ou-
tamos habitua-
urar as nossas
gostaríamos de
cama num mo-
or luxo — mas
sr. não chegue
pontos de en-

irian, o casal-
o, tiveram seu
bê aqui em
o depois che-
da morte do
por isso vol-
lo para a Itá-
am de esperar
mas não será
primeira vez
epois de cinco

o voluntário
ta definitiva-
semana.
rês são novos
nos. Cristo-

vão está em São Paulo, de férias. Chegará no dia 1.o de agosto.

Pe. Miguel foi eleito Superior Geral de Scarboro Pe. Jorge, candidato a Administrador, deverá estar conosco por ocasião de sua visita.

Irmã Nair vai realmente muito bem, sòzinha, em Itapiranga. Pe Lui tem ido passar uns dias cada mes por lá. Estamos planejando condução para Itapiranga e Pe. Lui atende também o município de Silves. Talvez haja uma troca entre o Pe. Haddad e eu.

Tudo vai bem, graças a Deus, e esperamos que sua visita venha trazer um pouco de luz para os pontos ainda não claros em nosso relacionamento na Prelazia. A turma de São Paulo continua muito unida e muito amiga.

Um abraço em Cristo.

Pe. Celso Pedro da Silva

Abraço do Pe. Haddad e Pe Lui.

Chancelaria Metropolitana

LEU DE PRATA SACERDOTAL

icamos que quarta-feira passada, 24
mês, celebrou o Jubileu de Prata de
ício o Revmo. Padre Francisco Mul-
ongregação dos Padres do Espírito

em Cork — Irlanda em 1922, fez os
Dublin, onde terminou seu Maestra-
o e Ebraico, e em Frieburg, onde for-
Teologia. Ordenado sacerdote em ...
o Instituto Bíblico, em Roma, for-
n Sagrada Escritura. Sempre muito
ra o bem da sua Congregação, da
bém Conselheiro Provincial, o Pa.
ntinua a dar o melhor de seus dotes
morais e intelectuais à mesma, ago-
São Paulo, junto dos bons Padres da
Nossa Senhora do Carmo, de Vila
os quais colabora zelosa e exemplar-
citando-o cordialmente, formulamos
rancisco Mulcahy os votos de longos
balho apostólico na seara de Cristo.

São Paulo, 27 de julho de 1974
Mons. Hugo Munari

Na rota das missões Cardeal Arns visita Itacoatiara

Na terça-feira, 22 do corrente, na sede da Vigararia Oeste I, Lapa, promovida pelo Vigário Episcopal, Mons. Gabriel Fortier, realizou-se uma reunião, presidida pelo Sr. Arcebispo, Dom Paulo Evaristo, Cardeal Arns, para reflexão sobre o espirito missionário em geral, e de modo particular em relação à "Igreja Irmã" de Itacoatiara. Presentes, além de vários sacerdotes e religiosas, estiveram alguns leigos que se sentem motivados para trabalhar no campo missionário. Destes, quatro, sendo um jovem da comunidade da Lapa e uma moça da comunidade de Santo Humberto (Arquidiocese de São Paulo) e duas moças, uma da Diocese de Assis e outra de Franca, estão recebendo preparação adequada para partirem, em janeiro de 1955, rumo a Itacoatiara, a fim de oferecerem ao Povo de Deus desta Prelazia amazônica toda fé e entusiasmo de sua juventude.

Nesta reunião, o conceito de vida missionária ficou perfeitamente esclarecido pela oportunidade que Dom Paulo deu a cada um de expor o que dele pensava. Também se acentuou a idéia dos cristãos missionários levarem uma imagem da Igreja Particular de São Paulo, particularmente de fidelidade ao Magistério da Igreja, e de atualização da ação pastoral que aqui se desenvolve, em conformidade com o espirito do C. Veticano II e documentos decorrentes deste, sem esquecer a perfeita sintonia existente nétre nosso Arcebispo e o Papa Paulo VI. Por outras palavras, o modo como a Igreja Particular de São Paulo reflete o sentir da Igreja Universal, cujo centro de união é o próprio Papa.

Dom Paulo lembrou a responsabilidade do batizado por todas as comunidades cristãs do mundo. Disse que foi Itacoatiara que nos chamou. Esse apelo foi interpretado como chamamento de Deus. "Nós vamos a Itacoatiara para mútuo enriquecimento, levamos o que podemos e recebemos o que nos pode dar o Povo de Deus daquela Prelazia". Dom Paulo sintetizou o relacionamento entre o pecado dos que estão invadindo e saqueando, indiscriminadamente, as terras dos aborígenes, com nosso dever de missionários, repetindo a

conseguirmos ajudar o homem total em seu autêntico contexto social. Empobrecer para se entregar inteiramente aos demais homens, a exemplo de Cristo, é o nobre ideal. Depois da exposição de outros substanciosos pensamentos, Dom Paulo lembrou o fato do próprio Brasil ter despertado para a Amazônia depois de países estrangeiros nos terem precedido, lembrando a obra realizada pelos Padres missionários canadenses em Itacoatiara.

Mons. Gabriel Fortier comunicou que recebeu de Dom José Thurler, Bispo Auxiliar de São Paulo, a importância de Cr$ .. 10.000,00, com a promessa de outro tanto que será entregue oportunamente, com destino a esta obra missionária. Foi lembrada a vantagem de despertar, entre os profissionais, o desejo de colaborarem nesta ação, levando a Itacoatiara os benefícios de seus conhecimentos com espirito missionário. Foi recordada a estadia, apenas por um mês, de um cirurgião canadense que transmitiu aos médicos locais certas práticas de pequena cirurgia que seguem resolvendo muitos problemas. Este e outros benefícios foram expostos pelo canadense, missionário em Itacoatiara, presente nesta reunião, Padre Humberto Den Tandt.

Dom Paulo Evaristo, saindo de Congonhas no dia 2 de agosto pf., estará em Itacoatiara durante cinco dias, voltando a São Paulo no dia 7. Sua finalidade é levar à Prelazia — "IGREJA IRMÃ" — o conforto humano e cristão de quantos oram e se interessam pelos nossos irmãos da Amazônia. A esperança de ampliação de projetos concretos de ajuda em pessoal e donativos junta-se à observação direta, feita "in loco", do trabalho já realizado e do desenvolvimento da ação missionária que deverá ser intensificada. Foi recordado o estimável trabalho já ali realizado pelos três Padres que começaram sua vida de missionários em janeiro passado, junto à algumas irmãs e leigos. Por fim, Dom Paulo Evaristo lembrou que São Paulo não pode ignorar ainda outros campos de ação missionária em países estrangeiros, noma-

26 Dom Paulo nunca se distanciou dos políticos, de qualquer partido, em qualquer época...

Deveria considerar sua obrigação como bispo, arcebispo e cardeal manter as portas abertas.

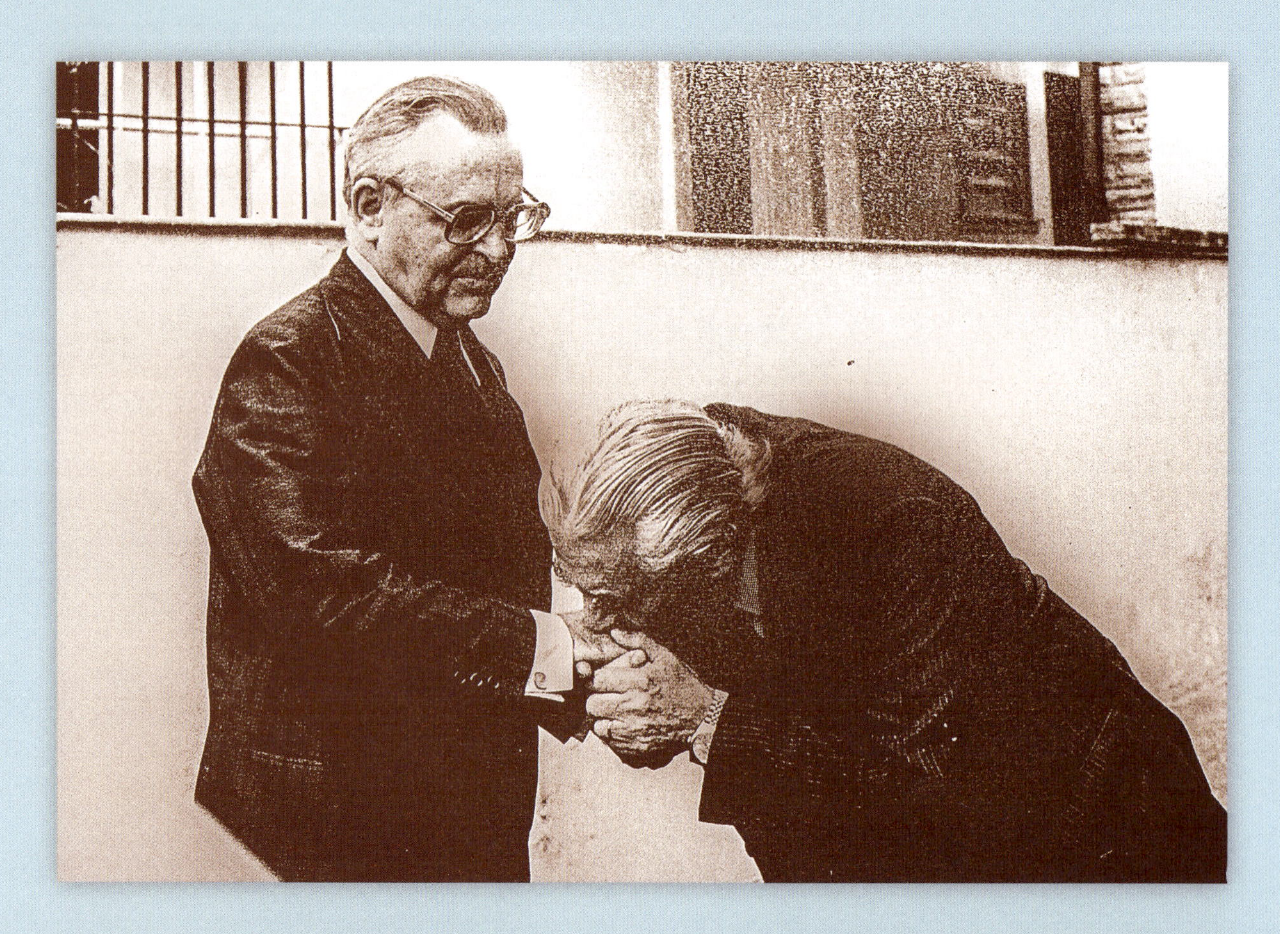

Às vezes, o próprio semblante de dom Paulo estampava um certo constrangimento, como neste exagerado beija-mão de... deu para reconhecer? Ele mesmo, Jânio Quadros!

Sentado entre Luiza Erundina, prefeita de São Paulo e Fleury Filho, governador, ambos eleitos pelo voto direto.

Acenando para Reynaldo de Barros, prefeito nomeado de São Paulo.

Saindo da catedral ao lado de Franco Montoro, governador de São Paulo eleito pelo voto direto em 1982 e com forte tradição católica, desde o Partido Democrata Cristão (PDC).

Uma das inúmeras vezes em que Lula e dom Paulo se encontraram.

Com Fernando Henrique e Mário Covas.

Na periferia, dom Paulo esbarrava em cartazes de duras críticas a Paulo Maluf.

Em 2012, já aposentado há muitos anos – desde 1998 – e vivendo em verdadeiro retiro, no Taboão da Serra, na grande São Paulo, dom Paulo recebeu a presidenta Dilma Rousseff.

27 Não se tem notícia de algum cardeal mandar uma mulher para representá-lo em cerimônias oficiais. Dom Paulo fez isso diversas vezes

Quem sempre o representava era Margarida Genevois, que foi chamada para integrar a Comissão Justiça e Paz em 1973 e dela participou sempre, inclusive como presidente.

Fidel Castro e Margarida Genevois.

COM A PALAVRA, MARGARIDA GENEVOIS

Ouso dizer que dom Paulo é feminista! Ele sempre valorizou muito o trabalho das mulheres.

Em 1980, a Comissão Justiça e Paz recebeu um convite para participar de um congresso ecumênico em Moscou. Quando informei dom Paulo, ele me disse que também havia sido convidado, mas não poderia ir. Eu seria a sua representante. Quando cheguei lá e me apresentei como representante do cardeal, foi um espanto, caiu o queixo das pessoas! Era um círculo grande, e todos diziam que isso seria impensável em seus países. Eu passava pelas galerias, e as pessoas me apontavam: "Aquela representa um cardeal".

Lembro-me ainda dos comentários. Um dos participantes me disse: "Agora entendo por que a Igreja do Brasil é considerada revolucionária". Para dom Paulo, isso era a coisa mais normal, não havia nada de extraordinário.

Trabalhar com ele foi um grande presente de Deus! Quem se aproxima dele cresce!

MESMO CONHECENDO FIDEL PESSOALMENTE, MARGARIDA O CRITICOU DURAMENTE E CHEGOU A ASSINAR POR DOM PAULO UMA CARTA DIRIGIDA AO COMANDANTE. DOM PAULO ESTAVA DE FÉRIAS. ELA MESMA CONTA COMO FOI:

Aconteceu um episódio que acho até chato contar, não sei se é bom para o dom Paulo, mas todo mundo dizia que dom Paulo era amigo íntimo de Fidel Castro e que viviam se falando. Tudo aquilo era para prejudicar dom Paulo. Aí Fidel condenou à morte aqueles companheiros que eram importantes no partido.

Estávamos em plena campanha contra a pena de morte, na Comissão Justiça e Paz de São Paulo. Lembro-me que era janeiro, e havia reunião de comunidades de base, em Nova Iguaçu ou Caxias, e eu fui com o Marco Antonio Barbosa. Estava um calor! Um negócio bárbaro. Lembro-me até do detalhe, assim fora do pátio, junto a um campo de futebol. E aí veio à notícia. Comentamos: "Que coisa absurda isso condenar imediatamente. Nós temos que nos manifestar contra, por mais simpatia que tenhamos para com o Fidel".

Bom, ai nós dissemos: "Dom Paulo também tem que se manifestar". Então, como fazer? Dom Paulo estava de férias. Ninguém ia falar com ele, ninguém sabia onde ele estava, então como faríamos? Eu pensei que, já que eu era presidente, nessa ocasião, eu poderia assinar em nome de dom Paulo. Aí, disseram: "Você vai assinar?" Eu disse: "Sim, porque tenho certeza de que, se ele estivesse aqui, ele faria. E vai ficar péssimo a gente mandar e ele não". Então mandamos as notícias para os jornais. Coisa pouca, mas estava ali, para constar que nós repudiávamos aquilo, éramos contra, assinado pelo cardeal e por nós, da Comissão.

Quando dom Paulo voltou, fui lá falar com ele: "Dom Paulo, o senhor desculpe a ousadia, mas achei que, politicamente, era importantíssimo o senhor manifestar-se. O senhor não podia ficar quieto, ninguém ia entender isso. O senhor me desculpe, mas sei como o senhor pensa." E ele: "Ah! Fez muito bem, fez muito bem, eu vi no jornal". E depois me disse uma frase assim, para colocarem na minha sepultura: "Toda vez que você quiser falar em meu nome, você pode fazer, só me avise depois o que você disse". Não é incrível?

"Como é que ele faz isso? É uma prova de confiança. Evidentemente, eu nunca mais fiz isso. Mas o jeito dele de falar faz muito bem: "Pode fazer quando você achar necessário". Quero dizer, ele tinha confiança. Fiquei tão emocionada! Nunca vou esquecer isso.

Mas então foi esse tipo de relacionamento, que facilita a vida das pessoas. Essa é uma qualidade humana fantástica. Mas havia outras coisas também: às vezes ele estava pensando, as vezes batíamos papos muitos interessantes. Eu ficava comovida. E ele vinha, por exemplo, chegava lá embaixo e conversávamos e conversávamos.

Aliás, incentivar a participação da mulher na ação pastoral da Igreja foi um forte diferencial de dom Paulo à frente da Arquidiocese, como está constatado em manchetes de *O São Paulo*.

O SÃO PAULO

SEMANÁRIO

Semana de 7 a 13 de dezembro de 1979 — ANO XXIII

agora para se aposentar 5 aos 65 anos

Mulher faz congresso e exige mais participação política

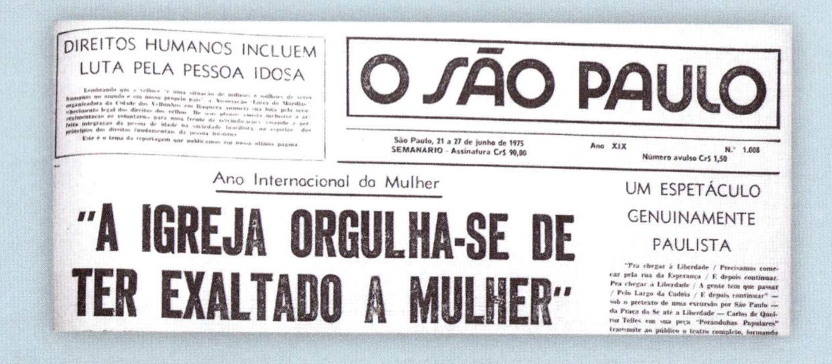
DIREITOS HUMANOS INCLUEM LUTA PELA PESSOA IDOSA

O SÃO PAULO

São Paulo, 21 a 27 de junho de 1975 — SEMANARIO — Ano XIX

Ano Internacional da Mulher

"A IGREJA ORGULHA-SE DE TER EXALTADO A MULHER"

UM ESPETÁCULO GENUINAMENTE PAULISTA

A forte simbologia. Em missa celebrada pelos assassinatos no campo, uma camponesa é "crucificada" em pleno altar da Catedral da Sé.

Dom Paulo escreveu dezenas de artigos e dois livros sobre o papel das mulheres na Igreja.

EM SUAS MEMÓRIAS, ELE EXPLICA DE ONDE VEIO A INSPIRAÇÃO DE FORTALECER A POSIÇÃO DA MULHER NA IGREJA. ALGUNS TRECHOS DAS SUAS REFLEXÕES.

No momento em que me foi comunicado que três de minhas irmãs se consagrariam à vida religiosa, dando todo seu entusiasmo à ação da Igreja em favor da formação humana e religiosa dos jovens, comecei a interessar-me de modo todo especial pela condição da mulher e seu lugar dentro da Igreja.

Ao ser designado para celebrar todos os dias a santa missa num convento dominicano de Paris, fui informado da influência da mulher na evolução da pastoral da Igreja, que se preparava então para o Concílio Vaticano II.

Nos dez anos e meio que consagrei à pastoral nos morros de Petrópolis, contei com a ajuda constante de mulheres empenhadas em levar tanto a paz quanto o progresso para dentro das famílias, das escolas, da saúde e de todos os demais problemas dos pobres. Ao iniciar meu trabalho de bispo em São Paulo, procurei reunir as religiosas de todas as congregações.

Todo esse despertar para a ação nas comunidades, excitante como as descobertas da infância, me entusiasmou de tal sorte que cheguei a formar, no Colégio Marilac, em Santana, mais de uma dezena de grupos dirigidos por lideranças religiosas. Elas aprofundavam o Evangelho e revelavam todas as consequências da ação de uma Igreja que assumira de maneira decidida a ação missionária, num momento crítico de nossas relações políticas e religiosas após o Concílio e o golpe militar que nos afligia.

Chegou o momento, porém, em que emergiu o que já se esperava: a existência de muitas mulheres, intelectual e espiritualmente preparadas, que não podiam, ou não queriam, entrar na vida religiosa, mas sabiam que a felicidade é feita da entrega ao mais profundo impulso de amor que nos move.

Foi naquela hora que surgiu, dentro da Igreja, um novo decreto do papa Paulo VI abrindo perspectivas e possibilidades. Tratava-se do decreto de 31 de maio de 1970 sobre a consagração das virgens.(...)

Depois de dedicar várias reuniões para estudar o decreto da consagração da mulher à Igreja – que só veio a ser divulgado no Brasil em abril de 1972 –, fiz diversas consultas à Congregação para o Culto Divino, querendo sentir o alcance dessa inovação dentro da Igreja. Talvez nem devesse falar de inovação, porque a Igreja, em seus inícios, soube apreciar de tal forma a disponibilidade feminina que o próprio Cristo apareceu, em primeiro lugar, a Maria Madalena para que ela comunicasse a Pedro a ressurreição – fato mais importante de toda a história da humanidade. A mulher, portanto, devia também ser convocada para as maiores missões dentro da Igreja que se expandia pelo universo.

Iniciamos, pois, a preparação das candidatas leigas para essa nova fase da consagração da mulher ao trabalho exclusivo da Igreja. A primeira consagração realizada em São Paulo em 31 de maio de 1972, nos revelou que o cerimonial se assemelhava muito ao da ordenação sacerdotal.(...) O fato de o cerimonial litúrgico reservar ao próprio bispo a consagração da mulher e de insistir que essa consagração fosse pública, e até se possível realizada na Catedral, parecia revelar que se abriam imensos horizontes para a ação feminina fora das congregações e dos estatutos costumeiros aprovados por Roma.

O bispo e seus padres, a quem a Igreja confiava uma porção do Povo de Deus, podiam contar, a partir de então, com as inspirações e a ajuda constante do gênio feminino, tão necessário para entender muitas passagens da Bíblia e muitíssimas situações da história da humanidade.

28 Mártires anônimos de uma igreja que escolheu ficar do lado do povo

Em São Félix do Araguaia, interior de Goiás, o povo abre suas faixas e protesta contra os assassinatos no campo.

O bispo de São Félix, o espanhol dom Pedro Casaldáliga, ao lado de padres e outros bispos, participa dos protestos.

Na Catedral da Sé, em São Paulo, a dois mil quilômetros de distância, dom Paulo celebra uma missa e lê trechos do livro *Assassinatos no campo*. Ao seu lado, uma militante do movimento.

O simbolismo sempre presente: em forma de cruz, a camiseta ensanguentada de um mártir assassinado.

29 O jornal *O São Paulo*, da Cúria, vai à luta e é censurado

Foi uma censura implacável, com um detalhe: as lideranças que recebiam o jornal esquartejado recebiam também todo o material que havia sido censurado. Será um milagre?

Na verdade, era simples assim: a redação enviava às lideranças comunitárias e aos padres, pelo correio, as laudas vetadas pela censura. Quem lembra a história é o padre Cido Pereira, que dirige *O São Paulo* desde 1982 e fez uma tese acadêmica sobre os oito anos da rígida censura ao jornal.

INDICE

A Igreja e a censura política no Brasil é a tese do padre Cido, que destaca, em profundidade, as relações Igreja/Estado, no Brasil, numa perspectiva histórica.

Exemplos de como a censura agia em *O São Paulo*

ANTES, EM ENTREVISTA AO *ESTADÃO* (28 DE JUNHO DE 1976), UMA FRASE DEMOLIDORA DE DOM PAULO SOBRE A CENSURA AO JORNAL DA CÚRIA.

Em dez anos como bispo nunca fui advertido pelo papa. É por isso que eu não compreendo por que é que o jornal que eu dirijo, O São Paulo, *destinado fundamentalmente aos meus agentes pastorais, com o objetivo de orientá-los, tem de ser submetido à censura prévia para vir um leigo dizer ao arcebispo como ele deve falar aos seus amigos. Ainda assim, nós vivemos de esperança.*

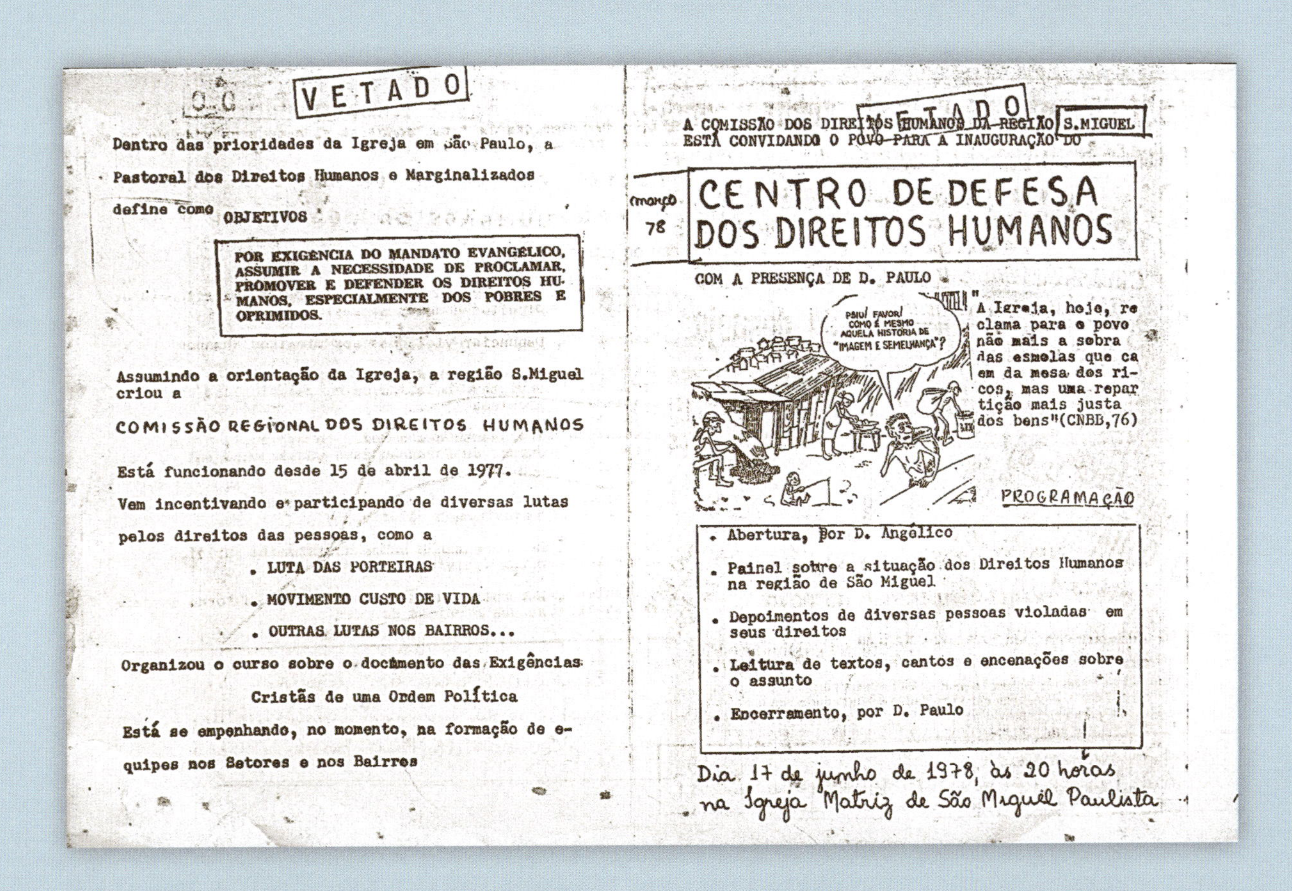

VETADO

Dentro das prioridades da Igreja em São Paulo, a Pastoral dos Direitos Humanos e Marginalizados define como OBJETIVOS

POR EXIGÊNCIA DO MANDATO EVANGÉLICO, ASSUMIR A NECESSIDADE DE PROCLAMAR, PROMOVER E DEFENDER OS DIREITOS HUMANOS, ESPECIALMENTE DOS POBRES E OPRIMIDOS.

Assumindo a orientação da Igreja, a região S.Miguel criou a

COMISSÃO REGIONAL DOS DIREITOS HUMANOS

Está funcionando desde 15 de abril de 1977.

Vem incentivando e participando de diversas lutas pelos direitos das pessoas, como a

- LUTA DAS PORTEIRAS
- MOVIMENTO CUSTO DE VIDA
- OUTRAS LUTAS NOS BAIRROS...

Organizou o curso sobre o documento das Exigências Cristãs de uma Ordem Política

Está se empenhando, no momento, na formação de equipes nos Setores e nos Bairros

VETADO

A COMISSÃO DOS DIREITOS HUMANOS DA REGIÃO S.MIGUEL ESTÁ CONVIDANDO O POVO PARA A INAUGURAÇÃO DO

março 78

CENTRO DE DEFESA DOS DIREITOS HUMANOS

COM A PRESENÇA DE D. PAULO

"A Igreja, hoje, reclama para o povo não mais a sobra das esmolas que caem da mesa dos ricos, mas uma repartição mais justa dos bens"(CNBB,76)

PROGRAMAÇÃO

- Abertura, por D. Angélico
- Painel sobre a situação dos Direitos Humanos na região de São Miguel
- Depoimentos de diversas pessoas violadas em seus direitos
- Leitura de textos, cantos e encenações sobre o assunto
- Encerramento, por D. Paulo

Dia 17 de junho de 1978, às 20 horas na Igreja Matriz de São Miguel Paulista

Toda vez que aparecia a expressão "Direitos Humanos", os censores barravam, nem que fosse um simples convite para inauguração de um centro comunitário. Neste caso, tinha como "agravante" a presença de dom Paulo.

09 tas em favor de maior vitalidade democrática têm frequentemente esbarra
10 do em argumentos preconceituosos quando não de força. E, com isso, o
11
12 povo tem sido impedido de participar efetivamente do processo político
13 e de levantar a voz para defender seus legítimos interesses.
14 No momento em que o presidente da República rompe um longo silen-

VETADO

Às vezes, o veto era a uma frase da matéria. Trecho vetado: "(...) o povo tem sido impedido de participar efetivamente do processo político e de levantar a voz para defender seus legítimos interesses".

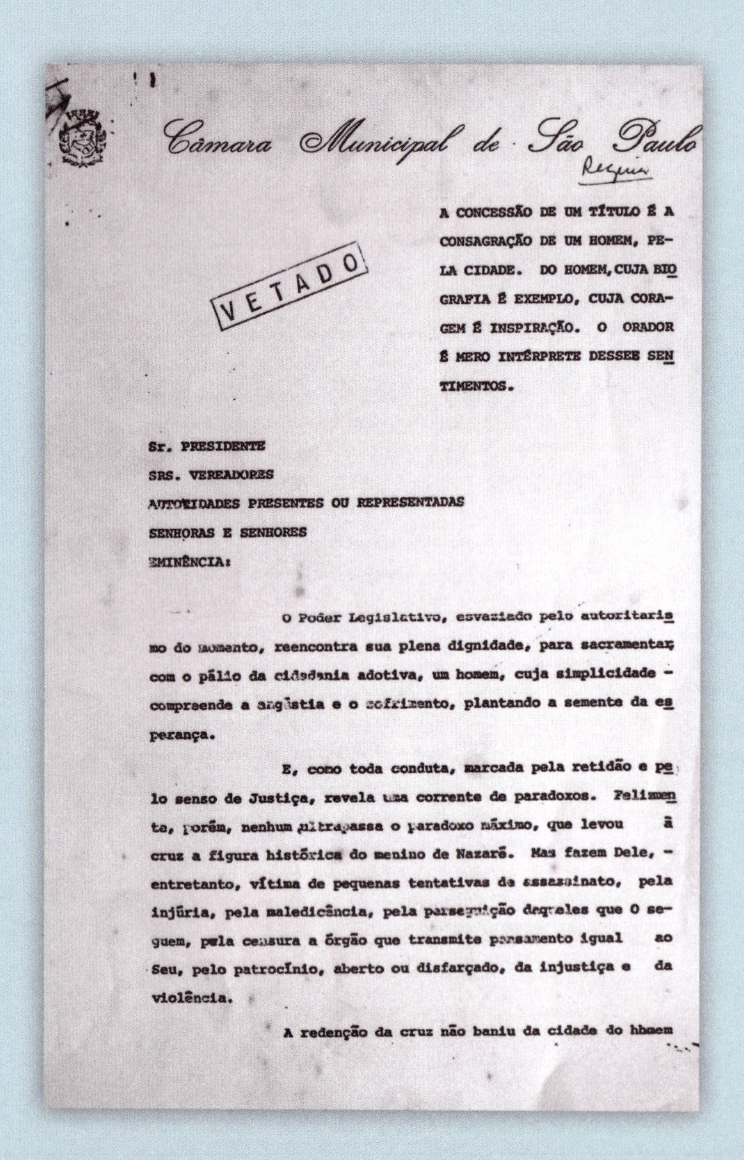

Câmara Municipal de São Paulo

A CONCESSÃO DE UM TÍTULO É A CONSAGRAÇÃO DE UM HOMEM, PELA CIDADE. DO HOMEM, CUJA BIOGRAFIA É EXEMPLO, CUJA CORAGEM É INSPIRAÇÃO. O ORADOR É MERO INTÉRPRETE DESSES SENTIMENTOS.

VETADO

Sr. PRESIDENTE
SRS. VEREADORES
AUTORIDADES PRESENTES OU REPRESENTADAS
SENHORAS E SENHORES
EMINÊNCIA:

O Poder Legislativo, esvaziado pelo autoritarismo do momento, reencontra sua plena dignidade, para sacramentar, com o pálio da cidadania adotiva, um homem, cuja simplicidade compreende a angústia e o sofrimento, plantando a semente da esperança.

E, como toda conduta, marcada pela retidão e pelo senso de Justiça, revela uma corrente de paradoxos. Felizmente, porém, nenhum ultrapassa o paradoxo máximo, que levou à cruz a figura histórica do menino de Nazaré. Mas fazem Dele, entretanto, vítima de pequenas tentativas de assassinato, pela injúria, pela maledicência, pela perseguição daqueles que O seguem, pela censura a órgão que transmite pensamento igual ao Seu, pelo patrocínio, aberto ou disfarçado, da injustiça e da violência.

A redenção da cruz não baniu da cidade do hhmem

Os censores vetavam cópias de ofícios, como este da Câmara Municipal de São Paulo, quando dom Paulo recebeu o título de cidadão honorário.

CNBB – A morte do Pe. Burnier – 77

O SÃO PAULO

Redator Data / /

Título	Col. - 4	Corpo -	Medida	RETRANCA	Lauda
Texto	Col. -	Corpo -		SP-720	

Escreva de margem a margem com a máquina regulada no espaço dois

TÍTULO — PÁGINA 7

VETADO

CNBB contesta Falcão:
a morte de Burnier
não foi um ato isolado

4 colunas.
Nº 19

Neste caso, o veto foi ao título da matéria: "CNBB contesta Falcão: a morte de Burnier não foi um ato isolado".

O SÃO PAULO

NÚMERO AVULSO: Cr$ 5,00
São Paulo, de 14 a 20 de Janeiro de 1978

SEMANÁRIO — ASSINATURA: Cr$ 250,00
ANO XXI N.º 1.140

RABALHO E JUSTIÇA PARA TODOS

iro (quarta-feira de Cinzas),
(Domingo de Páscoa),
co brasileiro
lo sobre
judos problemas
, e que é tema da
Fraternidade deste ano.
lho para Todos
a meditação,
los católicos de todo o País,
Quaresma deste ano,
como de hábito,
de pastoral,
Fraternidade.

blica, durante esse período,
teiro de preparação,
meses
valiação.
, a
raternidade
ta realização da CNBB,
ator de
ral de
Brasil.
, muita gente pensou
a da Fraternidade
va
cadar fundos,

ólicos foram se conscientizando,
e o dinheiro
tores do bolo todo,
portante.
foram ganhando
seu conteúdo,
s seus temas,
s católicos que despertavam.
ito mesmo.
s pensar sobre o
ça para Todos. E agir.

LEIA NA PÁGINA 5

TRABALHO
E JUSTIÇA
PARA
TODOS.
CAMPANHA DA FRATERNIDADE 1978 CNBB

Afinal, um plano de manutenção do Clero

Quanta estória você já ouviu sobre o dinheiro dos padres?

Você sabe como vive o Padre? De onde vem a sua renda? Será que todas as estórias que você ouve a este respeito, são verdadeiras?

Depois de 90 anos o sistema vai ser mudado. Quebrando tabus, vem aí o I Plano de Manutenção do Clero.

O que é o Plano, como é, quando começa?

Na última página há uma entrevista com Mons. Luciano Tulio Grilli, Vigário Geral, Procurador da Mitra e Diretor da Cáritas, que fala um pouco como era o antigo sistema e como será o novo.

Você precisa conhecer o plano, porque como diz São Paulo em sua primeira Carta aos cristãos de Corinto: "Não sabeis que os que trabalham no santuário, e que os que servem o altar têm parte no altar? Se nós semeamos entre vós as coisas espirituais, é porventura muito, recolhermos dos vossos bens temporais?"

NBB fala de nações: escola ser uma delas

tamos em contato com nossos alu- horas por dia, trinta ou quarenta a(...) Têm os nossos educandos itos? E que direitos têm? Muitos sem poder e mesmo sem voz. Será nam parte da classe dos reprimidos

dos muitas perguntas que o pe. Mi- z em um dos textos de discussão o das Jornadas Internacionais por Superando as Dominações, que o novendo.

mento, apresentado na página 4, tra de que forma a escola e o pro- rmam num instrumento de domi- à economia produtivista e copi- le educar e promover primeiro de spirações humanas e suas necessi- além de provocar e instalar a ltural, principalmente sobre os

imeiro de uma série de textos de ornadas Internacionais, apresen- rmas de dominação em todas as que O São Paulo passa a publicar.

oteamentos stinos: povo se nizou. E agiu

de aproximadamente um ano, a o se transformou em verdadeiro periência popular de manifesta- e solidária já despertou a aten- religiosos interessados na novida- efende, organizado.
978, para as personagens deste çou no último dia 10, na primei- o destinada a dar continuidade

Em São Paulo, mil pessoas falam da morte. E do medo

Você tem medo da morte? Você já viu alguém morto? Alguém que você ama já morreu? Você aceita o suicídio? E o homicídio? A eutanásia? Você gostou de ser entrevistado sobre a morte?

Mil pessoas foram entrevistadas sobre a morte. As respostas revelaram tendências: curiosas algumas, estarrecedoras outras. Por exemplo: 20 pessoas, em cada 100, admite o suicídio. No mesmo grupo de 100 pessoas, mais de oito aceitam o homicídio, e quatro acreditam em sua própria capacidade de matar alguém. No campo da psicologia social, esta pesquisa foi realizada pela primeira vez em São Paulo, orientada e dirigida pelo professor e psicólogo Jacob Pinheiro Goldberg. Ele vai escrever um livro sobre a morte, e também vai apresentar, neste jornal, uma análise dos resultados obtidos. Por enquanto, publicamos a opinião de mil pessoas da cidade. Sobre a morte. Na página 6.

"Pela Justiça e Libertação": duas cartas e uma demissão

No primeiro número da revista "O Cruzeiro" sob nova direção — agora pertence ao grupo Copersucar — foi publicada a carta do deputado Alvaro Valle, da Arena carioca sobre o documento "Pela Justiça e Libertação". O deputado transcreveu alguns trechos do documento visando atingir o Cardeal Arcebispo de São Paulo. Dom Paulo Evaristo Arns enviou uma carta à direção de "O Cruzeiro" pedindo a publicação integral do documento, confiando em que o povo brasileiro saberia avaliá-lo de modo responsável. E o ex-presidente Jânio Quadros demitiu-se do quadro de colaboradores da revista, enviando ao mesmo diretor uma carta dizendo exonerar-se, de forma ir-

Quem paga imposto no Brasil? É quem pode?

Os impostos são pagos ao governo que os usa para seus gastos: pagar os funcionários públicos, construir usinas e muitas outras coisas. Mas existem tipos diferentes de impostos: progressivo, proporcional e regressivo.

Quem diz isto para nós — e explica tudo muito direitinho — é o Grupo Economia e Povo, na página 3. Ficamos sabendo que o imposto progressivo, quem ganha mais, paga mais, seria o mais justo. E também que, se os gastos do governo se voltassem para rede de esgotos, educação e saúde pública, as diferenças sociais tenderiam a diminuir, porque o povo estaria recebendo benefícios financiados com o dinheiro também dos mais ricos.

Mas não é bem isso o que acontece: 70% do dinheiro arrecadado pelo governo sob forma de imposto se deve ao ICM e ao IPI, que são impostos regressivos, isto é, quem ganha mais paga menos e quem ganha menos acaba pagando mais, o que só ajuda a aumentar as diferenças sociais.

Defendendo a população, militar foi assassinado

Às 11 horas da noite de 1.o de janeiro numa travessa da rua Dr. Cesar, em Santana, atendendo a chamado dos moradores, a guarnição da RP 379 tentou interceptar o Volkswagen laranja de chapa RR-8330.

Um dos ocupantes do carro, ao receber ordem para se apresentar, reagiu a balas, atingindo os policiais e fugindo em alta velocidade na direção da av. Alfredo Pujol.

Dois militares foram feridos.

O cabo Wilson Antônio Fontoura foi medicado. Faleceu com uma bala no coração o soldado

Viver a vida do povo é o projeto de Ir. Dirce

Estudante universitária, enfermeira emprega em um posto de saúde e dona de casa na pe riferia, Dirce Pontes também é religiosa. E faze trabalho de Igreja, para esta Irmãzinha da Assun ção é viver um compromisso muito sério com o povo. Na cozinha da casa do Jardim Mutinga, em Osasco, onde a irmã Dirce está morando com outras quatro religiosas, ela esteve falando desse compromisso. Naquele dia, a irmã Dirce estava de folga no Posto de Saúde, e sua aparência tranquila, o corte simples no cabelo curto, calças compridas, sugeriam a figura de uma dona de casa preocupada com o preço do leite e a conta do gás. Seu depoimento está na página 10, em primeira pessoa.

Leia e divulgue "O São Paulo"

Nem a primeira página escapava. E ficava assim, banguela.

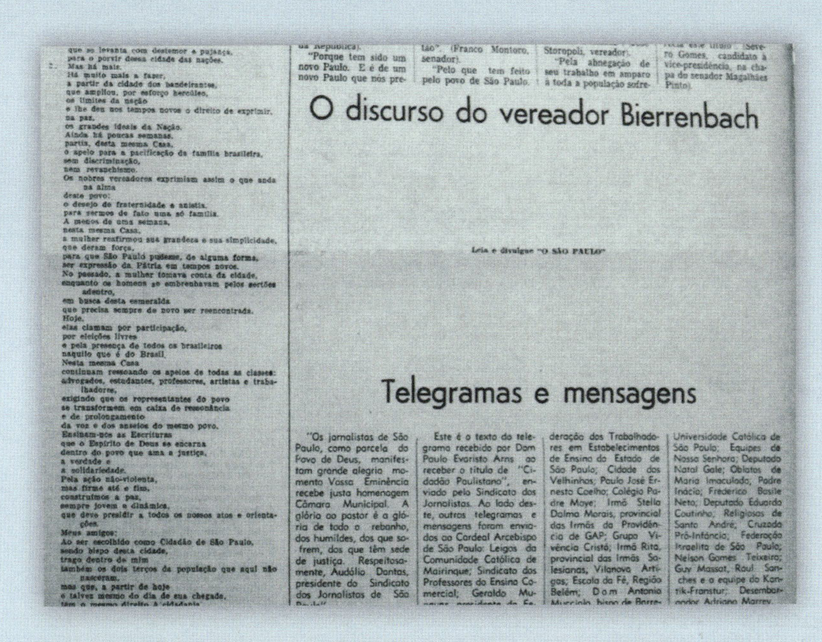

da República).
"Porque tem sido um novo Paulo. E é de um novo Paulo que nós pre-

tão". (Franco Montoro, senador).
"Pelo que tem feito pelo povo de São Paulo.

Storopoli, vereador).
"Pela abnegação de seu trabalho em amparo à toda a população sofre-

Severo Gomes, candidato à vice-presidência, na chapa do senador Magalhães Pinto).

O discurso do vereador Bierrenbach

Telegramas e mensagens

"Os jornalistas de São Paulo, como parcela do Povo de Deus, manifestam grande alegria momento Vossa Eminência recebe justa homenagem Câmara Municipal. A glória ao pastor é a glória de todo o rebanho, dos humildes, dos que sofrem, dos que têm sede de justiça. Respeitosamente, Audálio Dantas, presidente do Sindicato dos Jornalistas de São Paulo".

Este é o texto do telegrama recebido por Dom Paulo Evaristo Arns ao receber o título de "Cidadão Paulistano", enviado pelo Sindicato dos Jornalistas. Ao lado deste, outros telegramas e mensagens foram enviados ao Cardeal Arcebispo de São Paulo: Leigos da Comunidade Católica de Mairinque; Sindicato dos Professores do Ensino Comercial; Geraldo Mu... presidente da Federação dos Trabalhadores em Estabelecimentos de Ensino do Estado de São Paulo; Cidade dos Velhinhos; Paulo José Ernesto Coelho; Colégio Padre Moye; Irmã Stella Dalma Morais, provincial das Irmãs da Providência de GAP; Grupo Vivência Cristã; Irmã Rita, provincial das Irmãs Salesianas; Vilanova Artigas; Escola da Fé, Região Belém; Dom Antonio Mucciolo, bispo de Barre-... Universidade Católica de São Paulo; Equipes de Nossa Senhora; Deputado Natal Gale; Oblatas de Maria Imaculada; Padre Inácio; Frederico Basile Neto; Deputado Eduardo Coutinho; Religiosas de Santo André; Cruzada Pró-Infância; Federação Israelita de São Paulo; Nelson Gomes Teixeira; Guy Massat, Raul Sanches e a equipe do Kontik-Franstur; Desembargador Adriano Marrey...

Quando só o título escapava: "O discurso do vereador Bierrenbach". Ficava a impressão de que os censores haviam se esquecido de cortar o título.
Os jornais noticiaram a suspensão da censura a *O São Paulo* em 9 de junho de 1978.

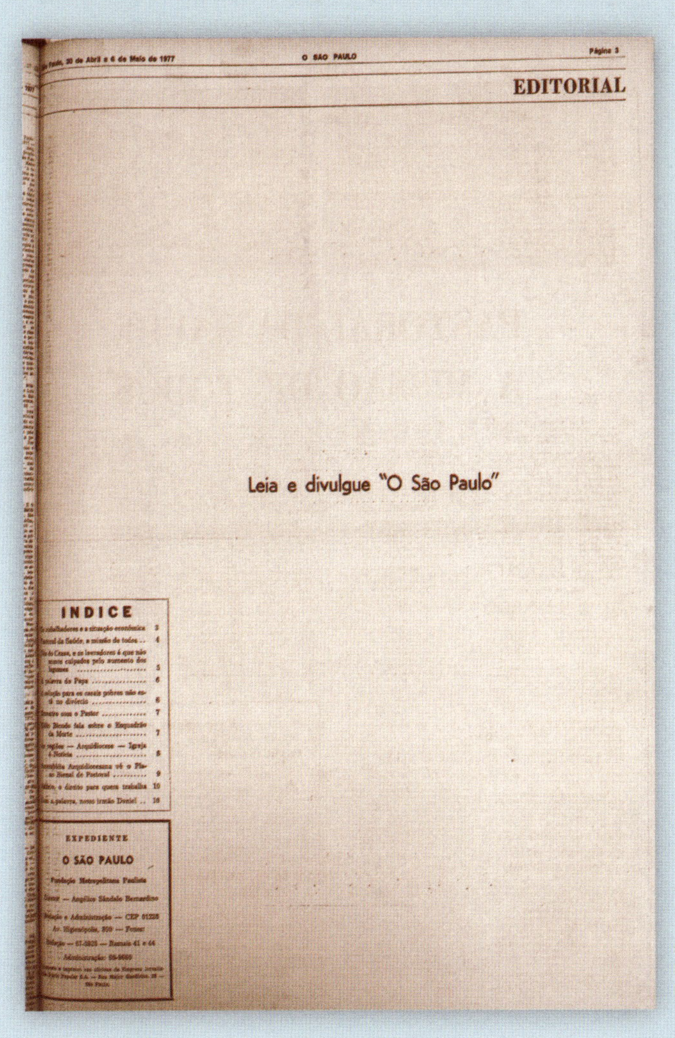

O SÃO PAULO — Página 3

EDITORIAL

Leia e divulgue "O São Paulo"

INDICE

EXPEDIENTE
O SÃO PAULO

Nesta página destinada ao editorial do jornal sobram apenas a frase *Leia e divulgue "O São Paulo"*, o índice e o expediente.

30 O time de dom Paulo recebe um reforço considerável. Chegam os novos bispos--auxiliares e, atenção, um deles pode virar santo!

1975/1976

Aqui está o Colégio Episcopal de São Paulo, hoje: 10 Bispos

D. Angélico, D. José, D. Celso, D. Joel, D. Luciano, D. Fernando D. Paulo, D. Décio, D. Mauro e D. Francisco

Entre 1975 e 1976, chegam seis novos bispos para São Paulo, juntando-se aos três que lá já estavam. Na foto de *O São Paulo* da época, da esquerda para a direita: dom Angélico Sândalo Bernardino, dom José Thurler, dom Antonio Celso Queiroz, dom Joel Ivo Catapan, dom Luciano Mendes de Almeida, dom Fernando José Penteado, dom Paulo Evaristo Arns, dom Décio Pereira, dom Mauro Morelli e dom Francisco Manoel Vieira.

E como foi trabalhar com dom Paulo?

DOIS DO EX-BISPOS-AUXILIARES DE DOM PAULO, DOM CELSO QUEIROZ E DOM ANGÉLICO SÂNDALO BERNADINO, RESPONDEM, ESPECIALMENTE PARA ESTE LIVRO.

DOM ANGÉLICO SÂNDALO BERNARDINO

Durante 23 anos, trabalhei com dom Paulo Evaristo, integrante que fui do Colégio Episcopal da Arquidiocese de São Paulo. Formamos uma família de irmãos, unidos aos presbíteros, religiosos, religiosas, leigos e leigas, entregues, com entusiasmo, à evangelização da metrópole paulistana.

Trabalhar com dom Paulo significou intensa vida de oração, contemplação, banho de alegria, compromisso inarredável com a construção do Reino de Deus, feito de ternura, misericórdia, amor, justiça e paz.

Dom Paulo Evaristo, a exemplo de Francisco, o pobrezinho de Assis, sempre teve os olhos fixos em Jesus; o Evangelho é sua cartilha diária; homem de Deus, da Igreja. Como pastor, viveu misturado ao Povo de Deus, fazendo evangélica opção pelo pobres, trabalhadores, presos, marginalizados.

Homem do diálogo ecumênico, inter-religioso, sem fronteiras. Na defesa da liberdade e da justiça, enfrentou ditadores e déspotas com a coragem de João Batista. Sofreu perseguições fora e dentro de nossa amada Igreja.

Paulo Evaristo, apóstolo de Jesus, sou testemunha, foi humilde servidor; não sucumbiu à tentação do poder, caminhando em intensa comunhão, participação, com seus bispos-auxiliares, presbíteros, leigos, religiosos.

A Igreja de São Paulo, com o profeta Paulo Evaristo à frente, se fez profecia! Os ditadores calaram a Rádio 9 de julho, censuraram *O São Paulo*, mas não conseguiram abafar o entusiasmo desta Igreja sempre desperta, animada, por dom Paulo Evaristo a nos confortar com a constante exortação: coragem!

Não posso, ainda, omitir a emoção que me invade quando rememoro o culto inter-religioso presidido por dom Paulo e de que participei, na Catedral da Sé, em memória do jornalista Vladimir Herzog. Tenho, igualmente, viva no coração a recordação de quando, no Instituto Médico Legal, dom Paulo e eu fomos ao encontro do corpo de Santo Dias, vibrante militante da Pastoral Operária. Dom Paulo rezou o Pai Nosso. Jamais, em minha vida, contemplei a imagem de Jesus morto, o peito cortado pela lança do soldado, como no de Santo Dias, varado pela bala assassina da ditadura militar!

Hoje, passados tantos anos, quando me encontro com dom Paulo, menino com mais de 90 anos, aflora-me aos lábios o cântico da Mãe de Jesus e nossa: "Magnificat", por ter tido a felicidade de viver ao lado desse apóstolo que, entre nós, a exemplo de Jesus, passou fazendo o bem.

DOM CELSO QUEIROZ (NA FOTO, DE PÉ)

Trabalhar com dom Paulo foi muito gratificante. Foi uma nova maneira de viver a presença da Igreja numa cidade grande.

Tradicionalmente – antes e depois de dom Paulo – a igreja nunca foi capaz de ter um tipo diferente de presença na cidade. O bispo-auxiliar somente ajudava o bispo-titular. Não tinha raízes naquele lugar, com o povo, ficava alguns anos e depois era nomeado para uma diocese onde fosse realmente bispo.

Dom Paulo tinha visão diferente. Achava que a cidade grande é um fenômeno novo na história. Era preciso uma presença mais efetiva do bispo.

Então ele sonhou com uma nova maneira de viver a Igreja na cidade grande. Elaboramos um projeto em que a cidade, sem ser dividida em dioceses independentes, teria regiões pastorais, cuidadas por bispos que não eram simplesmente auxiliares.

O bispo que trabalhava com dom Paulo era efetivamente bispo de um lugar, de uma região, criava seu presbitério, seu ministério. A unidade da cidade, da arquidiocese, era preservada porque esses bispos tinham uma vida e um pensamento em comum.

Éramos 10 ou 11 bispos-auxiliares. Nós nos reuníamos duas vezes por mês, uma manhã inteira, na casa de dom Paulo ou de algum de nós, e mais um dia e meio fora de São Paulo, no Instituto Paulo VI. Duas vezes por ano, passávamos três ou quatro dias juntos. No inverno, em Campos do Jordão, e, no verão, na praia.

Ficamos assim por 25 anos, numa convivência profunda. Nenhum de nós pensava em sair daqui, estávamos juntos com dom Paulo. Nos respeitávamos, nos queríamos bem, e assumíamos a responsabilidade conjunta pela cidade.

As regiões eram muito diferentes, tinham seus próprios projetos, e tínhamos também os projetos comuns, arquidiocesanos. A gente se ajudava e trocava experiência, e ao mesmo tempo lutava para conservar uma unidade frente à cidade como tal, nos temas políticos, nos programas sociais.

A experiência tinha sido conversada com o papa Paulo VI, que pediu que se pensasse em um projeto global. Mandamos a proposta para Roma, mas eles nem responderam, acharam um absurdo, não conseguiram perceber o apelo da cidade grande.

Só fomos embora de São Paulo porque a hierarquia da Igreja, a Cúria Romana, não compreendeu esse projeto e nos transferiu para outros lugares.

O modelo que propusemos era para ser discutido. Era uma proposta que estava sendo experimentada e aprovada, não existia até então. Até hoje, a Igreja não conseguiu resposta para a cidade grande.

Dom Paulo trouxe uma visão nova, de Igreja comunhão, Igreja povo de Deus. Foi um tempo de muita luta. Por causa da ditadura, das perseguições, as lideranças eram visadas, principalmente da pastoral mais popular.

Foram tempos difíceis. Mas, qualquer atitude que a gente tomasse, a gente sabia que não estava sozinho. Era um colegiado verdadeiro.

DOM LUCIANO MENDES DE ALMEIDA

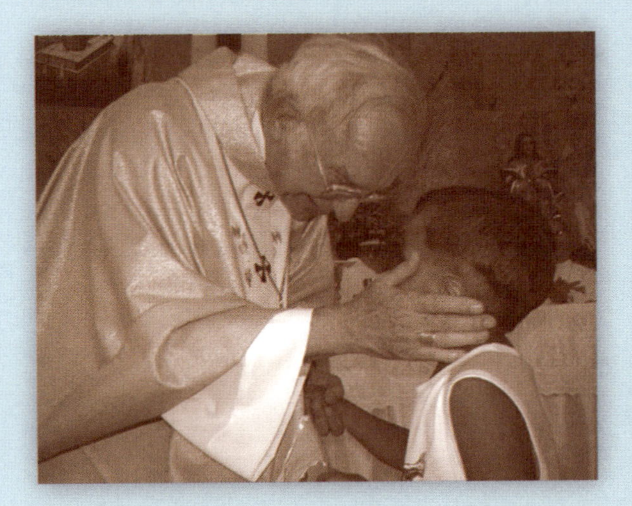

Um dos iniciadores da Pastoral do Menor no Brasil, o bispo-auxiliar de dom Paulo que pode virar santo é dom Luciano Mendes de Almeida. Jesuíta, como o papa Francisco, dom Luciano foi também arcebispo de Mariana (MG), por 18 anos, e morreu em 27 de agosto de 2006.

E como anda a causa de beatificação e canonização de dom Luciano Mendes de Almeida? O atual arcebispo de Mariana, dom Geraldo Lyrio Rocha, já pediu à Santa Sé a abertura do processo.

A aprovação da Congregação das Causas dos Santos é o primeiro passo do processo, que continua com a coleta de material pelo tribunal diocesano que, por sua vez, analisa presumíveis milagres e ouve testemunhas.

Independente do milagre, dom Luciano sempre se destacou pela simplicidade e sempre foi reverenciado pelo povo pela sua caridade.

O TESTEMUNHO ABAIXO É DE DOM GERALDO LYRIO ROCHA, ARCEBISPO DE MARIANA.

"Dom Luciano é uma figura que marca muito a Igreja no Brasil. Ele teve uma atuação que se projetou em toda a América Latina e em muitos países na Europa, especialmente na Itália. Dom Luciano é uma figura admirável, pelo brilho de sua inteligência, uma memória prodigiosa, um homem cheio de qualidades, de virtudes, mas, sem dúvida alguma, o traço mais marcante de dom Luciano é a caridade. Dom Luciano era um servidor dos humildes, dos pequenos, dos pobres, dos marginalizados. Em São Paulo teve uma atuação muito importante, especialmente junto às crianças e aos menores. Ele é um dos iniciadores da Pastoral do Menor no Brasil e marcou muito a Arquidiocese de Mariana. O clero e o povo de Mariana têm uma profunda veneração por dom Luciano. Um sinal disso é a visitação de seu tumulo, na cripta da Catedral de Mariana, onde há sempre pessoas em oração. Quando encaminhamos o pedido a Santa Sé para a autorização do início do processo de beatificação, pudemos contar com o apoio de mais de 300 bispos, que subscreveram esse pedido enviado à Congregação para as causas dos santos. Estamos aguardando a resposta, sabemos que esses processos caminham muito lentamente, porque, graças a Deus o número de causas que chega à Congregação é muito grande."

ENCONTRAMOS TAMBÉM UM TEXTO DO FUTURO SANTO, DOM LUCIANO, COMENTANDO A EXPERIÊNCIA DE TER TRABALHADO COM DOM PAULO EVARISTO ARNS.

COLEGIALIDADE EPISCOPAL: UMA VIVÊNCIA BEM-SUCEDIDA EM SÃO PAULO

Quem se refere a dom Paulo Evaristo pensa logo no seu testemunho de coragem em defesa da pessoa humana, no zelo pela evangelização e na atenção pastoral pelos mais necessitados. Muitos têm presenciado as celebrações litúrgicas na Catedral ou nas periferias, quando o povo, em volta do Pastor, vive a alegria da fé e, no encontro fraterno das comunidades, assume com esperança o desafio da luta cotidiana. Há quem, todos os dias, espera, com emoção, ouvir pelo rádio a palavra do cardeal de São Paulo. Outros leitores assíduos de seus livros aprendem a rezar e a meditar à luz da Palavra de Deus, sob a guia fiel e destemida deste incansável Mestre Espiritual.

Talvez não seja conhecida uma das maiores virtudes de dom Paulo Evaristo, a de saber organizar a ação pastoral da vasta Arquidiocese de São Paulo, através de uma vivência bem-sucedida de colegialidade episcopal.

Tive a graça de participar, durante doze anos, dessa singular experiência. Desejo partilhar com os leitores alguns aspectos dessa intensa colaboração entre pastores.

A colegialidade entre bispos é característica da sucessão apostólica. Logo após a vinda do Espírito Santo, os doze escolhidos por Jesus intensificaram em volta de Pedro os laços de amizade e de mútuo apoio, de discernimento e apostolado em comum. Ainda hoje, quem é nomeado bispo sabe que assume não só a missão que lhe é especialmente confiada, mas também se torna solidário com os demais pastores pelo bem da Igreja universal e pela ação missionária de propagação do reino de Deus. O exercício constante de colegialidade episcopal, em comunhão com o sucessor de Pedro, alcança seu momento mais forte por ocasião do Concílio Ecumênico. A colaboração entre bispos se exerce de vários modos, e, entre nós, uma das formas mais recentes é colocar em comum o zelo apostólico, é a participação na Conferência Episcopal, em nível nacional ou regional, bem como a atuação nas províncias eclesiásticas.

No caso da Arquidiocese de São Paulo, sob a orientação de dom Paulo Evaristo, a colegialidade se explicitou de modo muito original.

Entende-se, facilmente, que a cidade de São Paulo e as áreas limites que integram a Arquidiocese, até 1989, apresentam um largo desafio à ação pastoral. Basta pensar na população de dezesseis milhões de habitantes e na ebulição do maior centro cultural e industrial do país.

A primeira decisão de dom Paulo foi a de garantir a presença de alguns bispos auxiliares e de subdividir a Arquidiocese em regiões e setores de ação pastoral. À frente das regiões foi colocado um presbítero com autoridade de vigário-geral. Pouco mais tarde, dom Paulo solicitou ao Santo Padre mais bispos auxiliares e confiou a cada um deles uma região pastoral. Essa fase, que se implantou em 1975, desenvolveu-se até atingir nove regiões, incluindo, cada uma, seis ou mais setores com os respectivos coordenadores.

Essa experiência de amizade e trabalho entre o Cardeal e os dez bispos-auxiliares veio trazer para a Igreja universal notáveis valores e revelar dores, até então menos conhecidos, de dom Paulo Evaristo.

Houve lenta procura de melhores formas de divisão de serviços e responsabilidades. Todos os bispos-auxiliares receberam jurisdição de vigário-geral sobre a Arquidiocese, mas a cada bispo foi atribuído um território próprio, no qual representasse a autoridade do arcebispo. Além disso, para assegurar a solicitude para com toda a Arquidiocese e a vivência delegada ao pastoreio, ficou cada bispo responsável por coordenar uma pastoral específica para toda cidade. Assim, a dom Joel Cataplan, bispo-auxiliar da região de Santana, coube a Pastoral das Vocações e da juventude, e a dom Angélico Sândalo, responsável pela região de São Miguel, foi confiada a Pastoral Operária, e, de modo semelhante, para os demais auxiliares.

Dois encontros mensais convocados pelo Cardeal, além de reuniões sobre assuntos especiais, permitiram o discernimento em comum da ação pastoral. Uma dessas reuniões era de dois dias, geralmente, na Casa Paulo VI, onde o ambiente retirado oferecia condições de trabalho e oração mais intensos. O segundo encontro era na casa de dom Paulo, durante uma parte do dia. Podemos imaginar quantas vezes os bispos se encontraram ao longo desses quase quinze anos. E nesse clima de amizade emerge a personalidade do arcebispo: afável, sabe colocar os bispos-auxiliares à vontade, numa experiência de abertura e confiança. Dom Paulo tem dotes exímios de coordenação: pontual, prepara com exatidão a pauta, assegura o rendimento intelectual, encontra meios para evitar o cansaço, distribui a palavra. Insiste para que todos coloquem a própria posição. Ouve, dialoga, reflete em comum. Muitas vezes, após escutar o parecer dos bispos-auxiliares e assessores convidados, agradecia e mostrava a nova luz que a questão recebera e a posição a que se chegava em comum. Eram aulas de discernimento espiritual e de zelo pelo bem do povo. O dia do encontro começava sempre pela celebração da eucaristia. À leitura da Palavra de Deus, seguia-se a partilha fraterna e a alegria de entregar toda a esperança nas mãos de Deus. A oração acompanhava o dia de trabalho. Às vezes, diante de uma situação difícil, notava-se que a reunião se transformava de novo em intensa prece diante de Deus.

Os planos de pastoral da Arquidiocese de São Paulo nasceram e cresceram nesse ambiente de verdadeira colegialidade.

Apesar das características próprias de cada região episcopal, havia pontos em comum, e eles eram intensamente tratados nessas reuniões: o acompanhamento no Seminário Central, faculdade de Teologia Nossa Senhora da Assunção, as decisões pastorais fundamentais nas diversas áreas, a solução dos casos emergentes, que atingem a vida do povo, e também as questões administrativas, velando para que os bens patrimoniais ficassem aplicados às necessidades de toda a Arquidiocese.

Houve, também, momentos da fraternidade mais profunda na troca de experiências pessoais, no auxílio recíproco espiritual, na partilha de alegrias e sofrimentos entre irmãos na fé e no ministério.

Em todas essas situações, a presença do arcebispo, embora discreta e sempre afável, é o centro de unidade e comunhão. Dom Paulo vem dedicando a seus colaboradores, especialmente aos bispos-auxiliares, o melhor de seu tempo e de sua amizade. Cada um guarda na lembrança e no coração momentos de inesquecível transparência e afeto fraterno.

O saldo dessas conversas amigas é sempre o da fidelidade à Igreja e da coragem apostólica que nasce da esperança que dom Paulo coloca em sua vida e em seu lema pastoral: "De esperança em esperança".

Dentre as ocasiões mais expressivas e solenes dessa colegialidade, sobressaem as celebrações eclesiais de Corpus Christi, a Festa da Unidade. Dom Paulo Evaristo, à frente da catedral, na Praça da Sé, aguardava a chegada dos fiéis das várias regiões. Nas igrejas vizinhas reuniam-se os membros de cada região.

Depois, em larga caminhada com o clero e o respectivo bispo, vinham numa vibração inesquecível, o pastor recebendo com palavras de emoção os grupos que entravam na praça. Dezenas de milhares de fiéis cantam, rezam, experimentam alegria de serem um só povo de Deus.

Segue-se a celebração com os bispos e sacerdotes ao lado do pastor. Espetáculo, ao mesmo tempo, grandioso e de evangélica simplicidade, na exultação do povo de Deus, vivendo a própria unidade.

Ao lado dos momentos solenes há outros modestos, que não aparecem em público e revelam a grandeza do coração do pastor. Ao lado das alegrias partilhadas, há também os dias de prova, de doença e de abatimento. Lembro-me, depois de um acidente de carro, quando, ainda atordoado pelo choque e pela dor, vi a cama do hospital cercada dos bispos-auxiliares ao lado de dom Paulo. Vinham trazer a palavra e a prece solidária.

Como esquecer gesto de tanta sincera fraternidade? O sorriso amigo do pastor dom Paulo ficou-me impresso até hoje, na retina e no coração.

A vivência dessa colegialidade merece ser ainda conhecida e aprofundada.

Para mim fica a certeza de que os dez anos passados em companhia de dom Paulo Evaristo e dos caros irmãos no episcopado constituem uma das maiores graças de minha vida.

Muito obrigado, dom Paulo!

31 Dom Paulo no hospital...

convalecendo, depois de um acidente de carro em Florianópolis, visitando pacientes com AIDS e apoiando greves.

Grevistas do Hospital Emílio Ribas recebem o apoio presencial de dom Paulo.

Dom Paulo no Hospital Emílio Ribas, na ala dos doentes de AIDS.
Há uma história, que tem tudo para ser verdade, que conta que quando dom Paulo soube que um padre havia, discretamente, se internado no Emílio Ribas, teria dado uma ordem para que ele fosse constantemente visitado e que era proibido perguntar como ele tinha sido infectado.

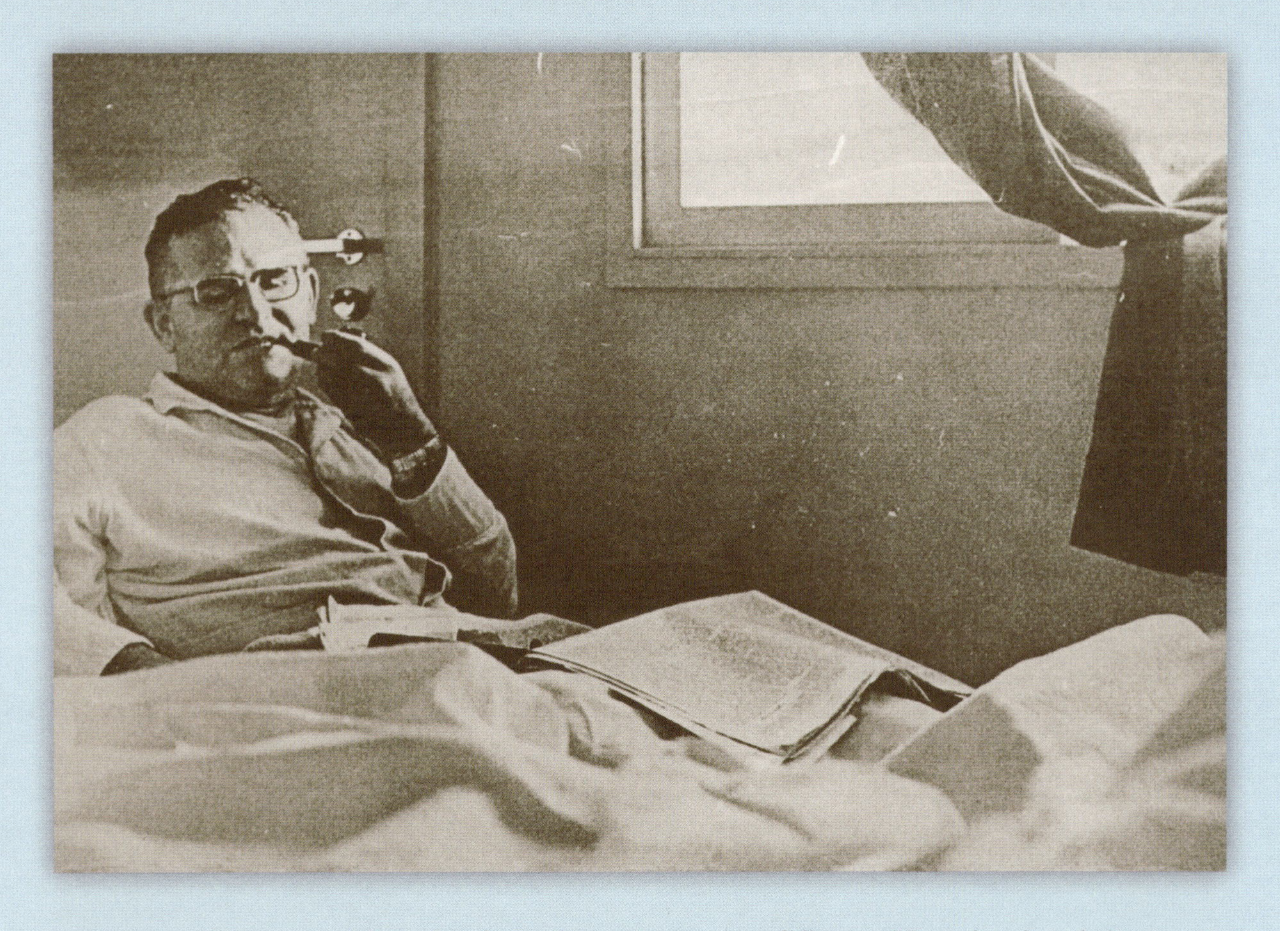

Dos acidentes de carro que dom Paulo sofreu, pelo menos um, na República Dominicana (1992), poderia ser considerado atentado. Na foto, dom Paulo se recupera de um acidente em Florianópolis. Estavam com ele no acidente: a mãe, dona Helena, e as irmãs Ida e Zilda Arns.

32 “O problema, dom Paulo, é que os repórteres gostam do senhor” – afirma Ruy Mesquita, diretor do *Jornal da Tarde*

Gostando ou não (e tudo indica que gostavam, porque dom Paulo sempre foi uma ótima fonte de informações), o fato é que o cardeal era notícia obrigatória e vivia cercado por repórteres.

Três repórteres que faziam a cobertura da Cúria contam como foi trabalhar com dom Paulo.

MARIA INÊS CARAVAGGI ERA REPÓRTER DA SUCURSAL DE SÃO PAULO, DO *JORNAL DO BRASIL*, COM SEDE NO RIO DE JANEIRO.

É difícil ser original quando se fala de dom Paulo, seja lá em que circunstância for. Impossível não repetir palavras muitas vezes usadas ao longo deste livro, ao lembrar dele e da convivência com esse homem de coragem, sensível, extraordinário, uma experiência gratificante, inspiradora, única.

Comecei a acompanhar dom Paulo, como repórter do *Jornal do Brasil*, sucursal de São Paulo, em 1977, depois de um furo que o jornal levou na cobertura da assembleia da CNBB, que aprovou o documento "Exigências cristãs de uma ordem política".

Aos poucos, foi se construindo um relacionamento de confiança e de muito carinho. Não aquela "confiança" que se confunde com defesa de interesses pessoais ou de grupos. Era a certeza de que a verdade seria preservada, de que não haveria deturpação. Talvez nem tudo fosse publicado, por uma decisão que não cabia aos repórteres. Mas o que era escrito, isso sim, refletia os fatos, as conversas.

Por determinação da chefia de reportagem, eu tinha de acompanhar a sua agenda, ir aonde ele fosse. Muitas vezes, ele ficava surpreso ao encontrar jornalistas à sua espera, à porta de reuniões, na entrada ou na saída de uma missa ou de um evento. Tantas vezes isso aconteceu que acabei ganhando dele um apelido: carrapato.

Como jornalista que é, ele sabia e sabe o que é notícia. Nunca voltamos à redação sem nada a acrescentar.

Dom Paulo era a voz da denúncia, da defesa dos Direitos Humanos e da volta da democracia. Estávamos do mesmo lado. Com medo em algumas situações, esperançosos de que tudo um dia mudaria, sempre incentivados por seu abraço, acompanhado da palavra de ordem: "Coragem!".

TÂNIA GONÇALVES ERA REPÓRTER DA SUCURSAL DE SÃO PAULO, DO JORNAL *O GLOBO*, DO RIO

Depois de alguns anos cobrindo o setor de Educação em *O Estado de S. Paulo*, em 1978 comecei a trabalhar em *O Globo*, na sucursal de São Paulo, onde acabei estreando em uma área nova para mim: a de "Igreja e Direitos Humanos". Na prática, ser repórter dessa área significava acompanhar alguns dos principais movimentos da luta contra o regime militar, a tortura, as perseguições políticas. E fazer isso em São Paulo implicava contatos frequentes com dom Paulo Evaristo Arns. Ele não era apenas uma fonte importante como cardeal-arcebispo e corajoso batalhador dos Direitos Humanos e da democracia. Ele tinha também um papel-chave no apoio e na articulação das redes de pessoas e entidades que lutavam pelas mesmas causas.

O casarão que sediava a Cúria Metropolitana era um miniuniverso dessas redes. Abrigava as atividades do Alto Comissariado das Nações Unidas para Refugiados, as Comissões Justiça e Paz e de Direitos Humanos, o jornal *O São Paulo* e um sem-número de pessoas de todos os credos (religiosos e políticos), que, ecumenicamente, agitavam as mesmas bandeiras. Como outros jornalistas, eu batia cartão nesse endereço quase diariamente. De conversa em conversa, construímos uma relação de confiança e respeito. Na agenda atribulada, dom Paulo sempre achava um tempo para nos receber. Com seus "on" e "off", nos abastecia com informações, comentários e reflexões interessantes do ponto de vista jornalístico, relevantes na perspectiva da construção de uma nova história para o Brasil.

Pelos muitos critérios que norteiam cada edição de um jornal, nem todas as matérias que produzi com dom Paulo foram publicadas. Uma delas, na verdade, dependia dos fatos – e não dos editores. Era um texto preparado para ser divulgado caso dom Paulo fosse escolhido papa nos Conclaves de 1978 que elegeram João Paulo I e depois João Paulo II. O que teria sido dom Paulo no trono de Pedro? As respostas a essa pergunta, evidentemente, podem ser apenas imaginadas. Mas quem acompanhou esse franciscano nas militâncias da vida eclesial, da cidadania e da justiça social está convencido: teria sido muito bom para o Vaticano e para a Igreja Católica no mundo todo.

CARLOS NASCIMENTO ERA REPÓRTER DA REDE GLOBO:

O BOM PASTOR

Das lembranças que tenho de dom Paulo Evaristo Arns, a mais tocante é de um domingo que passei ao lado dele nas ruas de São Paulo, em reportagem para o *Fantástico*. Saímos sem rumo para que o pastor encontrasse suas ovelhas. Parque do Ibirapuera, Viaduto do Chá, estádio do Pacaembu e a periferia da Zona Leste. Perguntava do Corinthians, das necessidades de cada um e fazia ver a importância da presença de Deus. De moradores de rua a jovens da classe média, a cidade parava para vê-lo.

Naqueles tempos de ditadura, sabia que despertava amor e ódio. Talvez mais ódio do que amor. Zombavam dele pelo jeito doce e enfático de falar e pela defesa intransigente dos Direitos Humanos. É bom que se diga, esta expressão entrou na mídia e na vida brasileiras pela voz de dom Evaristo.

Em 1977 destacaram-me para cobrir a assembleia da CNBB, em Itaici. Era o ano do famoso documento "Exigências cristãs de uma nova ordem política". O pouco que conseguimos dar no *Jornal Nacional* valeu muito. Dom Paulo ajudou com o tom certo e a mensagem calibrada para uma época de censura.

Em 1982, fazia uma reportagem sobre imigração no Norte da Itália. Para minha surpresa, na porta de uma igrejinha havia um Decreto Episcopal assinado por dom Paulo Evaristo Arns que

Carlos Nascimento, o único de gravata na mesa.

abria o processo de beatificação da primeira santa do Brasil. Furo de reportagem: eu e o país ficamos sabendo da existência de Amabile Visenteiner, nascida naqueles confins do Trentino para se transformar na madre Paulina do Coração Agonizante de Jesus.

A primeira vez que vi dom Evaristo foi em 1976, na Cúria Metropolitana. Levava um pequeno gravador e a timidez de quem acabara de chegar do interior. Acompanhou-me à porta, apertou as minhas duas mãos e disse: "Você é muito jovem na profissão, mas será um bom jornalista, porque é um bom homem".

Não sei se acertou, meu pastor. Mas se há algo que faço na vida é lutar o tempo todo para não decepcioná-lo.

O SÃO PAULO

ANO XXIII | N.º 1.210 | Semana de 18 a 24 de maio de 1979

SEMANÁRIO

Fim de greves em São Paulo. Sindicatos devolvidos. Jornalistas querem parar.

Em 1979, dom Paulo apoiou a greve dos jornalistas, a partir de *O São Paulo*.
Inclusive, uma das assembleias do movimento foi no convento dos dominicanos, no bairro das Perdizes.

Os jornalistas foram às ruas (da esquerda para a direita): Sílvia Poppovic, Ricardo Kotscho, Gabriel Priolli, Lu Fernandes e Ricardo Paoletti.

O jornalista Sérgio Gomes tenta convencer dom Paulo a entrar para o conselho editorial da editora Oboré, que surgia para fazer jornais para sindicatos de trabalhadores. Dom Paulo não entrou no conselho, mas apoiou a ideia.

EM DATAS BEM DIFERENTES, DOIS MOMENTOS DA RELAÇÃO DA REDE GLOBO COM DOM PAULO

Em 1981, chegou à redação a ordem verbal: dom Paulo não pode mais aparecer falando. O então editor-chefe do telejornal *Bom dia, São Paulo*, Ricardo Carvalho, com a mania que tinham os jornalistas na época, quis testar esse limite e colocou no ar a imagem de dom Paulo congelada. Assim, a ordem de dom Paulo não falar estava sendo obedecida. O jornalista foi chamado, no mesmo dia, na sala da chefia, que disse apenas o seguinte: "Ô Ricardão, para de palhaçada!".

Anos depois, em 2007, a jornalista Mariana Kotscho foi pautada pela GloboNews para uma entrevista com dom Paulo para um programa de 25 minutos. Mandou para o Rio de Janeiro a íntegra, com uma hora de duração. A diretora do canal, Alice Maria, assistiu a toda a entrevista e mandou colocar no ar os 60 minutos.

33 Em 1973, mesmo com uma rígida censura, o jornal *Opinião*, com dom Paulo na capa, vende 38 mil exemplares, quando a revista *Veja* vendia, nas bancas, 40 mil

Raimundo Pereira, editor-chefe do *Opinião*, ao lado da capa histórica, conta a história de como os jornalistas conseguiram driblar a censura.

"Pela Igreja de Cristo, para que em todos os tempos e lugares, mais especialmente em momentos difíceis ela pregue sem cessar que todos os homens são irmãos em Cristo Jesus; pelos companheiros da USP e suas famílias, para que voltem para junto de seus colegas e possam construir em paz o dia de amanhã rezamos ao Senhor; *por nosso irmão*, para que sua vida e morte não tenham sido em vão, mas que seu exemplo permaneça sempre entre nós, para que também a nossa vida esteja sempre comprometida com o serviço do Bem e da Verdade."

Essa oração, escreveu o semanário *Opinião* na sua edição que foi para bancas de jornais a 2 de abril de 1973, foi dita pelo bispo de Sorocaba, dom José Melhado Campos, celebrante, na Catedral da Sé, da missa de sétimo dia da morte de Alexandre Vannuchi Leme, estudante do quarto ano de Geologia da Universidade de São Paulo. Era uma sexta-feira chuvosa na capital paulistana, escreveu Dirceu Brisola, o editor de política do semanário. Mesmo assim, a Catedral estava lotada, com mais de três mil pessoas, entre as quais "um número inusitado de estudantes universitários, com expressões sérias no rosto".

Em nenhum momento o texto da nota publicada em *Opinião* sobre a missa citava o nome de Vannuchi, um líder estudantil que a ditadura militar tinha prendido no dia 16 de março, cuja morte ocorrera no dia seguinte, e que uma nota do general Sérvulo Mota Lima, secretário de Segurança de São Paulo, finalmente divulgada duas semanas depois, a 31 de março, atribuía a "lesões traumáticas crânioencefálicas" devidas a um atropelamento por um caminhão no cruzamento das ruas Bresser e Celso Garcia, no bairro do Brás, na Zona Leste da capital paulista. Vannuchi, dizia a nota do general Lima, tinha sido enterrado no dia 18 de março, sem a presença de nenhum parente ou conhecido em decorrência de não ter "sido o corpo reclamado".

Os editores de *Opinião* tiveram a sagacidade de divulgar a nota do general Lima com o nome de Vannuchi na mesma página na qual noticiaram a missa sem poder mencionar o seu nome, devido à censura. Mas não tinham as informações precisas sobre a morte dele, embora tivessem muitas razões para desconfiar que a nota do general Lima era falsa. No texto, Brisola destaca as palavras do cocelebrante da missa, o cardeal-arcebispo de São Paulo, dom Paulo Evaristo Arns, que tratava exatamente de um dos aspectos dessa falsidade, nas primeiras frases de sua oração: "Cristo, mesmo depois de morto, foi devolvido aos familiares e amigos; essa justiça fez o representante do poder romano", disse ele, como que a destacar ter a ditadura escondido a morte de Vannuchi por um bom tempo até acertar a sua versão da história.

A repercussão da missa em São Paulo prosseguiu na capa de *Opinião* da semana seguinte, que foi para as bancas a 9 de abril, com um texto, também de Dirceu Brisola, sobre o importante papel do cardeal, um homem simples, de formação franciscana, naquela conjuntura política. E como para confirmar essa importância, aquela foi a edição mais vendida de *Opinião*, cerca de 38 mil exemplares, quase tanto quanto a venda em bancas da revista *Veja*, na época, de pouco mais de 40 mil exemplares".

O DIRETOR DE ARTE DO JORNAL NA ÉPOCA, ELIFAS ANDREATO, AFIRMA QUE CHEGOU A LEVAR UNS TAPAS DO CENSOR POR CONTA DO MANTO VERMELHO DE DOM PAULO. ELE CONTOU COMO TUDO ACONTECEU NUMA ENTREVISTA PARA O PROJETO "RESISTIR É PRECISO...", DO INSTITUTO VLADIMIR HERZOG (IVH).

Eu apanhei bastante por causa disso. Dom Paulo ia celebrar a missa pro Alexandre Vanucchi, um estudante morto pela polícia, e nós ficamos de fazer a matéria. A matéria foi censurada, claro. Mas eu fiz na redação o desenho a traço do dom Paulo e mostrei pro censor. E eu tinha direito a uma cor na gráfica, que era a gráfica do Brazil Herald, uma grafiqueta na Lapa, e essa cor era feita em papel vegetal, porque não tinha nem fotolito para fazer. Pegava meu desenho, que já fazia no tamanho da capa, porque não tinha outro recurso, e aplicava uma cor no vegetal, já que tinha direito a uma cor. Todas as capas tinham fundo. E o censor ficava na boca da máquina esperando rodar, isso já no sábado à noite, porque na segunda-feira a gente tinha que estar nas bancas. Quando ele viu o cardeal vermelho, ele já saiu me batendo.

IVH: Como batendo?
Batendo, me dando tapa.

IVH: O censor?
É... ele se sentiu traído, porque ele não viu o vermelho. Ele viu só o traço em preto na redação.

IVH: Era uma fobia com o vermelho?

Não, ele achou que a capa ganhou uma importância que ela não tinha em branco e preto e se sentiu traído por ignorância. O que ele fez? Ele achou que eu tinha feito uma sacanagem com ele. Eu mostrei uma coisa para ele, ele aprovou, e na gráfica saiu outra em vermelho, muito mais agressiva e etc., e já saiu me batendo. Eu saí correndo...

IVH: Os cardeais se vestem de vermelho...

Pois é, mas nesse caso eles tinham um problema que era o seguinte, no domingo iria haver a missa, e eles sabiam que isso aqui iria ter um baita peso. E os censores morriam de medo.

O JORNALISTA CARLOS AZEVEDO, QUE TRABALHOU NO JORNAL E ESCREVEU UM LIVRO SOBRE ELE, CONTA COMO FOI O ENVOLVIMENTO DO JORNAL *MOVIMENTO* COM O ARCEBISPO DE SÃO PAULO.

Em outubro de 1975, a morte do jornalista Vladimir Herzog causou grande impacto entre os jornalistas de São Paulo. Começaram a se reunir na sede do seu sindicato e depois de algum tempo estavam lá em grande número, indignados, mas confusos. Ninguém acreditava na tese oficial de que Vlado se suicidara. Mas o que fazer? Havia um clima de intimidação. Os militares ameaçavam represálias a qualquer manifestação. Algumas vozes se levantaram. Era necessário dar uma resposta aos assassinos, diziam alguns, como Hamilton Almeida Filho (HAF) e Raimundo Pereira, este, editor chefe do jornal *Movimento*. Conforme testemunho do jornalista Antonio Carlos (Tonico) Ferreira, Raimundo teria dito: "Não! Tem de reagir! Se não reagir vai ser uma merda!". Tonico lembra que Raimundo propôs irem até dom Paulo Evaristo Arns e discutir com ele a realização de uma missa em homenagem a Vlado. O que foi feito e aceito por dom Paulo, que promoveu aquele ato ecumênico na Catedral da Sé, acontecimento de ampla repercussão. Aparentemente, essa foi a primeira vez que dom Paulo e a equipe de *Movimento* atuaram juntos pela democratização.

Em maio de 1976, *Movimento* teve vetada pela censura a edição 45, especial sobre "O trabalho da mulher no Brasil". Noventa e três por cento dos textos, das fotos e das ilustrações foram censurados, inviabilizando a edição. A redação enviou a diversas personalidades os originais das matérias vetadas e recebeu ampla solidariedade. De dom Paulo os jornalistas receberam o seguinte pronunciamento: "Depois de ler os originais vetados, resolvi levar-lhe minha solidariedade nesta hora de tanta incompreensão. Não é apenas a equipe de *Movimento* que sofre um atentado à liberdade de informar. Também o povo brasileiro está perdendo o direito de ser informado sobre a realidade nacional. Quantas pessoas não poderiam aproveitar aqueles dados, notícias e informações sobre a vida e o trabalho da mulher! É lamentável que a censura continue escondendo ao povo a nossa história presente".

A equipe do semanário estabeleceu relações de cooperação política e de amizade com representantes da oposição sindical metalúrgica da capital paulista, que contava com a participação da Pastoral Operária, de comunidades eclesiais de base organizadas principalmente na Zona Sul de São Paulo, além de militantes do PCdoB e de outros partidos clandestinos. A colaboração chegou ao ponto de a equipe de *Movimento* criar, com a ajuda de jornalistas e ativistas católicos, um outro jornal, mais simples e destinado aos operários, que se chamou *Assuntos* e circulou a partir de fevereiro de 1977. Toda essa mobilização acabou resultando no Movimento do Custo de Vida (MCV), que denunciava a carestia e as más condições de vida e de trabalho dos operários. Em 1978 o MCV promoveu um abaixo-assinado que arrecadou um milhão e duzentas mil assinaturas em favor de aumento de salários e congelamento dos preços dos

MOVIMENTO

Com a edição semanal brasileira do Le Monde

FALA D. PAULO

«Chega uma hora em que os nervos arrebentam;e acho que esse momento está próximo».

D. Paulo Evaristo Arns,
cardeal Arcebispo de São Paulo,
fala com exclusividade
a *Movimento*
sobre a família,
o patriarcado, o celibato,
a sexualidade,
o homossexualismo,
a situação social do povo
e a falta de liberdade

Páginas 12 a 15

GENERAL FIGUEIREDO

O medo de sair na rua

Página 3

MUNDO ISLÂMICO

O contágio revolucionário

Página 17

HISTÓRIA DO BRASIL

A central operária dos anos 50

Páginas 8 e 9

ECONOMIA

O «Pacotão» de Figueiredo

Página 5

Edição Semanal nº 232 10 a 16/12/79 - Cr$35,00 - Manaus, Santarém, Macapá, Porto Velho, Rio Branco (via aérea) Cr$45,00 gêneros de primeira necessidade. O abaixo-assinado foi encerrado com um grande ato na frente da Catedral da Sé, ao qual compareceram vinte mil pessoas. O ato foi duramente reprimido pela polícia, que chegou a invadir a Catedral.

Um dos dirigentes mais dedicados da Pastoral Operária, o metalúrgico Santo Dias tornou-se amigo de Raimundo Pereira, Marcos Gomes, Duarte Pereira e outros integrantes do jornal. Santo Dias ia com frequência à redação de *Movimento*. A sua família e a família de Raimundo se frequentavam. O metalúrgico distribuia *Movimento* nas fábricas e participava da elaboração e da distribuição de *Assuntos*. Na Pastoral Operária, Santo Dias se reunia com Dom Paulo, que apoiava sua atividade.

Em 30 de outubro de 1979, durante uma greve dos metalúrgicos de São Paulo, o líder operário Santo Dias foi assassinado por um PM diante de um piquete. Houve grande comoção na cidade. No dia seguinte ao assassinato, uma multidão indignada tomou conta da avenida da Consolação, numa manifestação que foi até a Praça da Sé. A multidão foi avaliada em mil pessoas e durante o trajeto cantava "Pra não dizer que não falei das flores". Atemorizadas pela revolta , as fábricas haviam liberado os trabalhadores.

Dom Paulo liderou a manifestação caminhando lado a lado com a massa de manifestantes. *Movimento* também se fez present,e com a participação de vários de seus jornalistas. O jornal elaborou rapidamente uma edição especial sobre o operário assassinado, tendo como capa uma grande foto de Santo Dias, que foi amplamente distribuída durante o ato. Um mês e meio depois, a edição 232, de 10 a 16 de dezembro de 1979, de *Movimento*, trouxe dom Paulo como capa. A manchete era "Fala dom Paulo" e havia uma ilustração com seu retrato, desenho de Jayme Leão. A entrevista ocupou quatro páginas do jornal, sob o título "O cardeal dos pobres". Intertítulo: "Nos acusam de comunistas porque optamos pelos pobres, como Cristo". Uma grande foto mostrava o cardeal no meio da multidão na manifestação em homenagem a Santo Dias. O cardeal não fugiu de nenhuma pergunta feita pelos dois repórteres do semanário, Roldão Oliveira e José Carlos Ruy. Falou com a sinceridade tranquila de quem fala com amigos, tratou dos temas mais variados, de papas à renovação da Igreja, de celibato e homessexualidade, de sua infância numa família camponesa de Santa Catarina, de reforma agrária e muito mais. Foi um depoimento límpido, que será sempre atual. E não se esqueceu de Santo Dias, o operário sacrificado na luta: "Eu o conheci muito bem. Ele até foi escolhido para representar a Pastoral Operária, não só na cidade de São Paulo, mas em todo o estado de São Paulo".

Ao longo daqueles anos terríveis, dom Paulo e jornal *Movimento* também estiveram juntos na luta contra a censura. Junto com *Tribuna da Imprensa*, do Rio de Janeiro, *Movimento* e *O São Paulo*, jornal da Cúria Metropolitana de São Paulo, foram os últimos a serem liberados da férrea censura prévia da ditadura, em junho de 1978. *O São Paulo* continua a circular em 2013.

Setembro de 2013

NÚMERO 1
SETEMBRO 75
EX-EDITORA

EXTRA!

ENFIM, COM A PALAVRA
O CARDEAL DE SÃO PAULO.

$3

O jornal *EXTRA!*, que sucedeu o *EX*, vítima de uma censura implacável, conseguiu em setembro de 75, no seu primeiro número, publicar uma entrevista com dom Paulo de 8 páginas, das 16 que foram para a banca: "Enfim, com a palavra o cardeal de São Paulo".

34 Nos livros que escreveu, o cartunista Henfil transbordou a admiração por dom Paulo em dedicatórias deliciosas

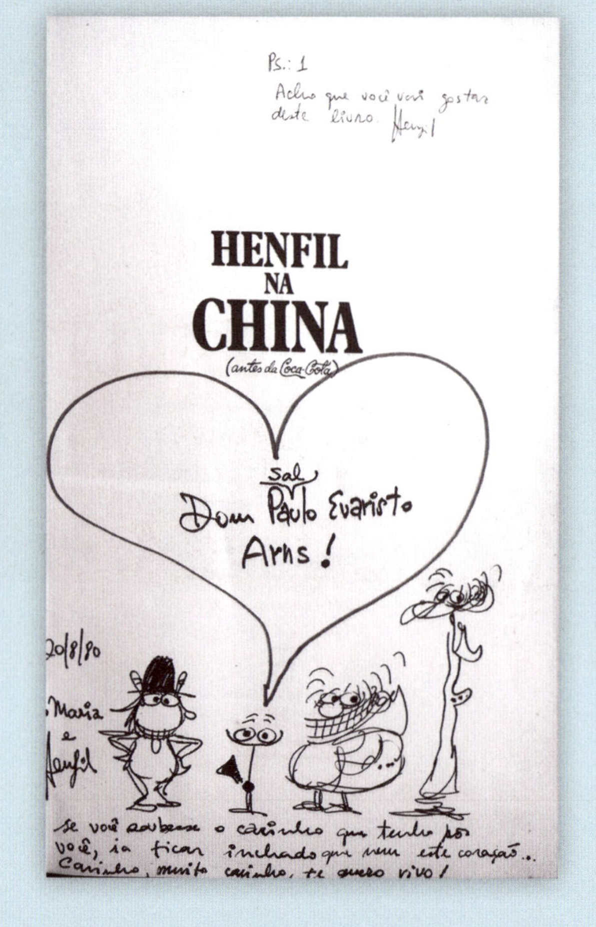

À minha mãe, Maria da Conceição Figueiredo Souza que, por ter gostado muito de mim, me deu confiança pra viver, me deu segurança pra me exibir. Não tive medo de ser ridículo, não tenho medo de morrer. Porque fui amado.

Dom Paulo Evaristo Arns, eu te batizo Dom Paulo de Souza Filho. Meu irmão.

35 Dom Paulo teve até embaixadores!

Eram advogados, jornalistas e amigos que ele enviava em missões especiais. O jornalista Clóvis Rossi, da *Folha de S.Paulo*, e o escritor e jornalista Fernando Morais foram dois deles.

VIAGEM À ARGENTINA
Fernando Morais

Nem a viagem nem a missão eram uma novidade. Eu mesmo já tinha sido enviado por dom Paulo ao Paraguai, em 1979, encarregado de visitar e levar a solidariedade do cardeal ao sindicalista Alcibíades Delvalle e ao ex-deputado Domingos Laíno, ambos presos e incomunicáveis por ordem do ditador Alfredo Stroessner. Passados tantos anos, o relatório que fiz ao cardeal é revelador da brutalidade da repressão no país vizinho. Mas essa é outra história.

Partimos para Buenos Aires em maio de 1982. A ditadura militar argentina já estava nos estertores quando o general-presidente Leopoldo Galtieri aplicou o que imaginava um golpe de mestre: determinou a invasão militar das ilhas Malvinas, território argentino sob ocupação britânica desde o século XIX. Nos sonhos de Galtieri o povo se uniria à ditadura em nome da reconquista do pequenino pedaço de terra onde vivem 2 mil habitantes.

Ao contrário do planejado pelo ditador, porém, a Grã-Bretanha reagiu imediatamente e retomou o território – em uma curta guerra que deixaria um saldo de quase mil mortos: 649 soldados argentinos, 255 britânicos e 3 civis das ilhas. A humilhante derrota imposta pelos britânicos às forças armadas argentinas fragilizou a junta militar que governava o país, abrindo frestas para a volta da democracia.

A Argentina vivia uma situação política esquizofrênica. A ditadura continuava reprimindo com violência, mas o povo parecia ter perdido o medo e aos poucos ganhava as ruas.

Oficialmente nossa missão na Argentina era levar a solidariedade de dom Paulo à luta pela redemocratização do país e ao direito dos argentinos sobre as Malvinas. O grupo era chefiado por Margarida Genevois, presidente da Comissão Justiça e Paz, e composto pela jornalista Marisa Marega, pelo dramaturgo e advogado de presos políticos Idibal Piveta, pelo deputado Sérgio Santos e por mim.

Em Buenos Aires, entre outras atividades, visitamos instituições religiosas e laicas engajadas na luta pelos Direitos Humanos, tivemos audiências com setores da Igreja, participamos da reabertura da sede do Partido Comunista Argentino, ainda clandestino e ilegal, e fomos recebidos pela Associação das Mães da Praça de Maio.

Só na hora de retornar, três dias depois da chegada, é que descobrimos o verdadeiro objetivo da nossa viagem. No mesmo voo Buenos Aires-São Paulo da Cruzeiro do Sul iria embarcar conosco uma jovem instrumentadora cirúrgica de 27 anos chamada Patricia Vaca Navajas, procurada pela polícia por sua militância no grupo guerrilheiro Montoneros. Seu irmão mais velho, Fernando, sobrevivente do massacre de Trelew, ocorrido dez anos antes, era o número 2 dos Montoneros. Nossa missão era servir de testemunhas caso Patricia fosse presa ou sequestrada por uma das duas ditaduras, a argentina ou a brasileira. Ambas estavam agonizantes, mas permaneciam ativas e solidárias entre si.

Tensos, ocupamos lugares separados na fila de embarque do aeroporto de Ezeiza, esperando o momento em que ela seria presa. O medo só passou quando o avião tirou as rodas do chão. Após três horas de voo igualmente nervoso, descemos todos em Congonhas. Patricia na frente e nós mais atrás, dispersos em vários pontos da fila. Passamos pela Polícia Federal e pela alfândega e só voltamos a respirar aliviados quando Patricia foi colocada sã e salva no carro dos membros da Cúria Metropolitana, que a aguardavam na porta do aeroporto.

Nunca mais a vi. Meses atrás, ao tentar reconstituir esse episódio, descobri na internet onde anda a menina cuja pele ajudamos a salvar, sob a proteção de dom Paulo, mais de trinta anos atrás. Aos 58 anos, Patricia Vaca Navajas é a embaixadora da Argentina no México.

MEU TIPO INESQUECÍVEL
Clóvis Rossi

Quando garoto, meu pai comprava regularmente a *Seleções do Reader's Digest*, que tinha uma seção, a minha favorita, chamada "Meu Tipo Inesquecível".

Era um retrato de um personagem, raramente uma celebridade, quase sempre um tipo comum que, no entanto, fazia coisas extraordinárias.

Eu sempre ficava imaginando quem, quando eu crescesse, gostaria de retratar como "meu tipo inesquecível".

Descobri há uns 40 anos. Chama-se Paulo Evaristo, cardeal Arns. Seu trabalho à frente da Arquidiocese de São Paulo só pode ser chamado de extraordinário, especialmente na proteção aos desvalidos, aos perseguidos pelas ditaduras que ensanguentaram boa parte da América Latina dos anos 60 em diante.

Trabalhei na Arquidiocese, como voluntário, no amparo aos refugiados do Cone Sul, que procuravam dom Paulo sabendo que nem ele nem seus auxiliares perguntariam a que partido pertenciam ou de que eram acusados.

Conto apenas um dos muitos episódios dolorosos vividos nessa época. Um casal de crianças uruguaias desapareceu depois que a repressão invadiu a casa da família e matou os pais. A avó queria recuperá-las e, como tantas, recorreu à Arquidiocese.

Fotos das crianças foram espalhadas pela região, até que alguém as reconheceu e avisou dom Paulo e o reverendo Jaime Wright (1927-1999), que com ele trabalhava em perfeita sintonia.

As crianças estavam em Viña del Mar, no Chile. Preparamos, na revista *IstoÉ*, onde então trabalhava, uma reportagem minuciosa a respeito, mas, na última hora, o cardeal de Santiago, Raúl Silva Enríquez, solicitou a suspensão da publicação por motivos que não ficaram claros.

Dom Paulo e Wright sugeriram então que eu fosse ao Chile para saber o que estava acontecendo.

Encontrei as crianças na casa dos pais adotivos, dentistas que nada tinham a ver com a repressão, não sabiam a origem de seu filhos adotivos, que queriam como se fossem próprios. O casalzinho também havia se adaptado perfeitamente aos novos pais e ao novo país.

Devolvê-los à avó, que tinha o legítimo desejo de tê-los com ela, seria provocar uma segunda orfandade.

Sempre com a intermediação da Arquidiocese, a avó e a nova família acabaram se encontrando e fizeram um acordo pelo qual as crianças ficariam com a nova família, que já tinham como própria, mas a avó teria o direito de encontrar-se com os netos sempre que pudesse e de recebê-los nas férias, por exemplo, para passar alguns dias com ela.

Esse tipo de drama humano individualizado fazia parte do acervo de inquietações de dom Paulo. Não era apenas a denúncia da repressão no atacado, necessária e contundente como foi feita. Era também lidar com o varejo da dor que a repressão provocava, separando famílias, deixando crianças ao desarraigo, torturando senhoras que, além de perder o filho/filha, perdiam também os netos.

Dom Paulo nunca fez propaganda desse trabalho que é penoso porque nunca há uma fórmula satisfatória para mitigar esse gênero de dor.

Mas o eterno arcebispo de São Paulo conseguiu funcionar como bálsamo para incontáveis famílias. Foi além de seu dever como pastor de almas. Será sempre meu tipo inesquecível.

NA VERDADE, NEM PRECISAVA SER MUITO AMIGO DE DOM PAULO PARA SER EMBAIXADOR...

O caso narrado acima pelo Rossi movimentou muita gente aqui no Brasil. Inclusive uma cidadã uruguaia, que não conhecia dom Paulo e chegou a receber pessoalmente uma benção do cardeal para protegê-la em sua missão no Chile do general Augusto Pinochet.

A FORÇA DE UMA BENÇÃO

Nome: Mariela Salaberry. Codinome: Maria. Casada na época (1979) com Hugo Cores, secretário-geral do Partido Vitória Del Pueblo (PVP) do Uruguai e que vivia clandestino no Brasil. O casal tinha uma missão: encontrar nove crianças uruguaias que foram levadas pela polícia, depois de seus pais terem sido mortos.

Maria havia se aproximado do *Clamor*, informativo da Cúria para a América Latina, através da Jan Rocha, correspondente da BBC inglesa no Brasil, e ficou sabendo por uma rede informal de informações que duas das crianças haviam sido adotadas em Valparaíso, no Chile. Maria e o marido decidiram que ela iria ao Chile para tentar localizar as crianças.

Tudo isso, em plena ditadura Pinochet, e Maria, obviamente, ficou com muito medo da viagem, mesmo com o seu passaporte francês, por conta da sua dupla nacionalidade. O pastor presbiteriano Jaime Wright, de *O Clamor*, percebeu, nas várias conversas, o medo que ela sentia e teve uma ideia. Chamou Maria para uma reunião na Cúria e a levou diretamente para a sala de dom Paulo, a quem ela não conhecia pessoalmente.

Maria conta o que aconteceu: "entrei na sala, dom Paulo se levantou da mesa de trabalho para me receber e depois de duas ou três palavras, ele passou a me benzer. Como a maioria das famílias de classe média da América Latina, minha ligação com a Igreja Católica vem da minha infância. O que eu sei é que saí da sala dele mais confiante para a empreitada que eu tinha pela frente, no Chile de Pinochet".

A missão de Mariela deu certo, ela conseguiu localizar o casalzinho de irmãos, que se tornaram as primeiras crianças filhas de militantes políticos desaparecidos e serem encontradas.

36 Em 1975, quando quase ninguém falava nisso, dom Paulo já denunciava a questão ambiental em *O São Paulo*

E olha que a ONU começou a falar pra valer do assunto três anos antes, na Conferência de Estocolmo.

UNDAÇÃO METROPOLITANA PAULISTA
Redação e Adm: Av. Higienópolis, 890
Fones: 66.9660 e 826.0133 - CEP 01238
Diretor: Angélico S. Bernardino
Impresso nas oficinas da Empresa
Jornalística Diário Popular S.A.

O SÃO PAULO

SEMANÁRIO
Número Avulso - 8,00
Número Atrasado - 20,00
Assinatura Anual - 500,00
Assinatura Semestral - 300,00

ANO XXIII | N.º 1.229 | Semana de 28 de setembro a 4 de outubro de 1979

POLUIÇÃO REALMENTE MATA

A novela de televisão "Sinal de Alerta" acabou, mas o problema da Ceralit continua, com várias mortes de moradores de Santo Amaro por causa da poluição. Dezenas de atestados de óbito foram juntados no processo da Comissão Especial de Inquérito – CEI, formado agora na Assembléia Legislativa. Enquanto isso, houve um acordo, apenas formal, assinado entre a fábrica e a CETESB, órgão do Governo encarregado, pelo menos teoricamente, no combate às diversas formas de poluição ambiental. Mas, de acordo com um dos assessores parlamentares que atua no caso, nenhum dos itens constantes no papel chegou a ser cumprido.

Publicamos na última página um impressionante depoimento de dona Ana Valtrudes, moradora há 18 anos ao lado da Ceralit, que liderou uma organização dos vizinhos, e que tem pressionado, de todas as formas, todos os líderes de movimentos, para que assumam o problema. Na última terça-feira à noite, ela mesma telefonou para nossa redação avisando que a fábrica estava em chamas mas, como das vezes anteriores em que procurou saber algo, tudo foi silenciado.

A Campanha da Fraternidade da CNBB deste ano foi exatamente sobre este assunto. "A ecologia conclama a todos uma nova mentalidade; trata-se de superar o egoísmo, o consumismo, a ganância de possuir mais a qualquer preço", diz um texto oficial da campanha. De fato, devemos estar escrupulosamente preocupados em preservar a água, o ar, a flora e a fauna, elementos necessários à vida. São Francisco de Assis é considerado o padroeiro da ecologia, e sua festa é comemorada no dia 4.

Incomunicação: arma da covardia

Quando faltam possibilidades de comunicação livre e completa — por falta de bons canais ou liberdade de expressão — "surgem boatos, apócrifos e comunicações anônimas. Estas, por um lado, revelam a covardia que reside na incomunicação. Por outro lado, parecem meio, por vezes até eficiente, de transferir aos outros os defeitos que possuímos e tentamos ocultar".

Este é o tema do "Encontro com o Pastor", na palavra do Cardeal-Arcebispo de São Paulo, Dom Paulo Evaristo Arns.

Página 8

São Paulo, 16 a 22 de agosto de 1975 Ano XIX N.º 1.016
SEMANÁRIO - Assinatura Cr$ 90,00 Número avulso Cr$ 1,50

Os índios brasileiros e o modelo de desenvolvimento

Apesar das dificuldades encontradas pela Pastoral Indigenista, nascidas das contradições entre as exigências da cultura dos grupos tribais e o modelo brasileiro de desenvolvimento, o movimento promovido pelo Conselho Indigenista Missionário — CIMI —, vai levando avante seu trabalho em favor dos índios do Brasil.

Essas dificuldades e as vitórias já obtidas pelo CIMI são objeto da entrevista que D. Tomás Balduino, Presidente do CIMI, concedeu, com exclusividade para O SÃO PAULO.

ÚLTIMA PÁGINA

PEDREIROS APOIAM SERVENTES — Página 6

BRASIL: O FANTASMA DA CÓLERA — Página 3

OS PRESOS NÃO FORAM ESQUECIDOS — Página 4

TEATRO

GUARNIÈRI – EDU LOBO: UM PREITO A VIANNA FILHO

Dentre as estréias já programadas para a presente temporada teatral, destaca-se a peça musicada "Assim como o Pão de Cada Dia" ou "Me Dá o Mote", da dupla Gianfrancesco Guarnieri-Edu Lobo ("Marta Saré"). A ser apresentado no auditório da Fundação Getúlio Vargas, na Capital, o espetáculo é dedicado à memória do controvertido dramaturgo Oduvaldo Vianna Filho, falecido no ano passado, no Rio de Janeiro, sem que pudesse ver encenada sua última peça, escrita quando já no leito de morte, auxiliado por sua mãe, e até hoje retida pela censura.

Com texto de Guarnieri e músicas de Edu Lobo, "Assim como o Pão de Cada Dia" é objeto de comentário na seção "Teatro" da Página de Comunicações desta edição. — PÁGINA 9

EDITORIAL:

DA DEMOCRACIA À PENA DE MORTE — Página 3

De Roma a Helsinque — Página 3

CONTROLE DO MEIO AMBIENTE: É A LUTA CONTRA A POLUIÇÃO

A emancipação feminina perante o cristianismo

Consagrado pela ONU à Mulher o ano de 1975, mais que qualquer outro, vem servindo como pretexto ao acirramento, no mundo todo, dos debates em torno da emancipação feminina. O tema "Libertação da Mulher" passou, maciçamente, a ocupar espaço crescente nos jornais e revistas populares, bem como na TV, impondo-se como assunto inevitável com os amigos, na escola e, principalmente, no seio dae família.

Que atitude deve assumir o cristão perante o fenômeno da emancipação feminina? Como agiria Jesus nessa circunstância? Qual a posição da Igreja de hoje frente ao complexo problemático da libertação da mulher? — essas são algumas das perguntas que o articulista Alberto Antoniazzi procura responder na série de comentários que, desde esta semana, publica em O SÃO PAULO.

A primeira parte da série "O Cristão e a Emancipação Feminina" encontra-se à página 2. O mesmo tema foi abordado no III Encontro sobre o Papel da Mulher na Sociedade e na Igreja, em princípios deste mês. (Notícia na mesma página).

O GOVERNO NO COMBATE À POLUIÇÃO

No dia 4 do mês em curso o governador Paulo Egydio Martins, conforme relataram fartamente os diários, encaminhou à Assembléia Legislativa Projeto de Lei instituindo o sistema de prevenção e controle da poluição do meio-ambiente no Estado de São Paulo. Os jornais alardearam o "início da luta antipoluição" com justo destaque: ela chegava com muitos anos de atraso mas — lembra o jargão popular — antes tarde do que nunca. Foi necessário que os índices de poluição na Capital atingissem os limites de alerta, beirando os 60 pontos, para que o governo, afinal, adotasse medidas na defesa da saúde da população.

Na exposição de motivos que, sobre o Projeto, lhe apresentou o secretário dos Serviços e Obras Públicas, engenheiro Francisco Henrique Fernando de Barros, o chefe do Executivo salienta que considera o setor de saúde e saneamento como área de intervenção absolutamente prioritária, aduzindo que pretende agora criar os instrumentos de prevenção e controle do meio-ambiente, abrangendo as águas, o ar e o solo, bem como rever a legislação esparça por diversas leis e regulamentos. Além do controle e da prevenção, o Projeto fixa medidas preventivas não previstas na legislação vigente. Serão exigidos certificados ou licenças para o desenvolvimento, instalação, construção, ampliação, operação ou funcionamento de qualquer fonte de poluição, cabendo aos órgãos estaduais e municipais reclamar sua apresentação prévia para aprovação de projetos e expedição dos atos de sua competência. Afirmou ainda, o governador, que medidas de emergência poderão ser determinadas para evitar ou impedir episódios críticos de poluição ambiental.

São extensas as medidas anunciadas. Bem mais extenso, contudo, e mais antigo, é o problema da poluição no Estado de São Paulo, concentrado de maneira alarmante na Capital de São Paulo e arredores. Há que levar em conta o fato de que a medição dos índices de poluição, em São Paulo, obedece a critérios restritos. Não é levada em conta a totalidade dos agentes poluidores da atmosfera, deixando-se de lado, por exemplo, o gás carbônico e os cálculos utilizados para o estabelecimento dos índices são, digamos, condescendentes em demasia. Ademais, não é apenas a poluição do ar que preocupa. A do solo e a das águas são, elas também, tão perigosas ou mais que sua irmã mais popular. O fato, para alívio dos paulistas, não deixou de ser levado em consideração por Paulo Egydio em seu Projeto. Ainda há pouco, num claro reconhecimento da inoperância das administrações anteriores no setor, o governador discorreu sobre os perigos da poluição das águas em São Paulo. Haverá agora, tempo de recuperar as nossas águas?

Essa "poluição que vem de baixo" — sua ação e a ameaça que representa — é objeto do artigo que publicamos na última página. O outro artigo — "A Mensagem do Cacique" — é um grande alerta, na longínqua palavra de um homem simples e que sabia usufruir da natureza sem extermíná-la, aos homens de nosso tempo. A atualidade chocante de suas ponderações fala por nós. Texto na página 10.

CRITÉRIOS PARA O DESENVOLVIMENTO NA A.L.

...até 16 de agosto está se ...ndo no Panamá um Encon... ...ino-Americano sobre Crité... ...ra e Desenvolvimento, pro... ...pelo Secretário Geral e De... ...ento de Ação Social do CE... Participaram os Bispos Pre... ...s das Comissões Episcopais ...o Social das Conferências ...pais da América Latina e Secretários, os Membros da ...são Episcopal do Departa... ...de Ação Social e convida... ...peciais, num total de 40 pes... Objetivo: Estudo da Realida... ...s vários Países. Visão da ...ológica do Desenvolvimento Integral, Iluminação Teológica cristã do desenvolvimento. Coordenação da Ação Social da Igreja. Apresentação de alguns modelos de Desenvolvimento. Avaliação de Critérios. Dá-se grande importância a esse Encontro, no sentido de que os Organismos que trabalham em promoção humana intensifiquem a troca de informações e experiências, e dialoguem sobre temas de interesse comum, determinando as bases da coordenação.

O ensinamento de Medellin no documento sobre a Justiça, é muito claro a esse respeito. (Clec-sp.)

Cardeal chileno por uma liberdade completa

O Cardeal-Arcebispo de Santiago e presidente da Conferência Episcopal Chilena, Dom Raúl Silva Henriquez, revelou recentemenente que a Igreja no Chile busca no momento mostrar que a sua liberdade e a sua independência devem ser completas e respeitadas pelo Governo militar do país. "A Igreja não está a serviço do Governo, disse o Cardeal, mas sim do povo".

Direito de educar — Dom Raul mostrou que o ensino é também tarefa da Igreja e reprovou a atitude militar que afastou vários padres e religiosos de alguns colégios do Chile. Condenou ainda o controle exercido pelos militares na educação e no desempenho de cargos diretivos em todas as casas de ensino do País, inclusive na Pontifícia Universidade Católica de Santiago.

Presos políticos — a Igreja no Chile tem prestado grande ajuda à comissão ecumênica de Cooperação para a Paz, cujo fim é amparar aos presos políticos e às suas famílias. Cerca de 35 mil chilenos foram assistidos por este órgão, desde setembro de 1973, quando houve o golpe militar que derrubou Salvador Allende. Porém, este trabalho em defesa dos direitos destes presos políticos não é bem visto pelo Governo daquele país. (Clec-sp.)

37 A voz do cardeal fala mais alto: "Herzog foi assassinado!"

E o impressionante relato de dom Paulo sobre a visita que recebeu na casa dele, pouco antes do culto ecumênico de 31 de outubro de 1975, em memória do jornalista Vladimir Herzog, assassinado no DOI-CODI, uma semana antes (dia 25). Eram emissários do governo com todo tipo de ameaça.

Vlado não foi enterrado junto ao muro do cemitério, como exige o preceito judaico para os suicidas. Ele foi enterrado cercado de amigos, da família e na presença de dom Paulo Evaristo Arns.

Dom Paulo e o rabino Henry Sobel no culto ecumênico na Catedral.

Até desviar o trânsito da cidade a polícia tentou para evitar a presença de pessoas no culto...

Só que de nada adiantou. Pelo menos 8 mil pessoas ocuparam o interior da Catedral e a própria Praça da Sé.

Culto Ecumênico

O DEUS DA ESPERANÇA NOS CONCLAMA PARA A SOLIDARIEDADE

Na Catedral Metropolitana, dia 31 de outubro findo, realizou-se uma cerimônia ecumênica oficiada pelo Cardeal Dom Paulo Evaristo Arns, pelos Rabinos Henry I. Sobel e Marcelo Rittner e pelo Pastor James Wright, em memória do jornalista Wladimir Herzog.

O SÃO PAULO

São Paulo, 8 a 14 de novembro de 1975

Mesmo sob censura, *O São Paulo* conseguiu noticiar a realização do culto ecumênico.

Dom Paulo no velório do Vlado. Um pouco mais à direita dele, o então senador Franco Montoro.

ABRAÇADO COM A MÃE, CLARICE, O CAÇULA ANDRÉ E O FILHO MAIS VELHO, IVO, QUE TINHA 9 ANOS. MAIS À DIREITA, A MÃE DO VLADO, DONA ZORA. IVO RELEMBRA A IMPORTÂNCIA DO CARDEAL NA SUA VIDA:

"A lembrança mais forte que tenho de dom Paulo é do dia 31 de outubro de 1975, no Culto Ecumênico da Sé. As memórias daqueles dias têm um tom cinza escuro. O mundo caía. Eu, então com 9 anos, passei de espectador da TV para personagem. A lembrança forte daquele momento na Catedral da Sé era de muita confusão. Centenas de jornalistas. Aquelas lâmpadas enormes de iluminação das câmeras das TVs não me deixavam ver direito o ato ecumênico que se desenrolava. Em paralelo a essa agressão vinda do caos das milhares de pessoas, havia um sentimento de uma dor que ia além da minha compreensão. Minha vó, Zora. Minha mãe, Clarice. Arrasadas. Eu e meu irmão, atônitos, sem a capacidade de processar tudo o que estava acontecendo em tão pouco tempo.

Até que veio o final do ato ecumênico. E a lembrança que tenho é do "cuidar" que dom Paulo teve com a minha família. Principalmente com minha mãe, que estava desesperada. Dom Paulo foi naquele momento para mim um "porto seguro". Uma pessoa. Uma entidade que entendia nossos sentimentos e os respeitava.Nos tirou daquele "caos" e nos deu aconchego.

Nossa família nunca teve absolutamente nenhuma ligação religiosa com nenhuma igreja. Não era uma posição contra a religião. Mas religião não era um tema/fato do nosso universo. Esse encontro com dom Paulo me marcou por tudo o que eu já disse e me trouxe o interesse em entender o papel da religião na nossa sociedade e na nossa história. Nessa descoberta, claro que aprendi coisas terríveis da história da humanidade em que a religião teve um papel não desejável. Mas também descobri exemplos de pessoas, religiosos, que fizeram um trabalho admirável.

Eu tive a oportunidade de conhecer uma dessas pessoas. Que fazia um trabalho admirável. Com coragem. Interesse genuíno. E que cuidou da gente."

TRECHO DO TEXTO DA CLARICE HERZOG, QUE ABRE ESTE LIVRO:

"(...) Solidariedade e indignação estampadas no semblante daquelas oito mil pessoas que se juntaram na praça e no interior da Catedral para ouvir e reverberar a voz firme e serena de dom Paulo em sua mensagem-síntese: "Basta! Vladimir Herzog foi assassinado", desconstruindo a farsa armada pelo regime.

Obrigada, dom Paulo, por aquele basta, que calou fundo no coração de milhões de brasileiros assustados com a violência de um regime militar que parecia não ter limite."

FERNANDO PACHECO JORDÃO, UM DOS AMIGOS MAIS PRÓXIMOS DO VLADO, ESCREVEU O LIVRO *DOSSIÊ HERZOG – PRISÃO, TORTURA E MORTE NO BRASIL*. É NO PREFÁCIO DO LIVRO QUE DOM PAULO CONTA, EM DETALHES, COMO FOI A VISITA DOS EMISSÁRIOS DO GOVERNO:

"Prezado Fernando Jordão,
Você me pede para recordar um dos momentos mais tensos de nossa vida.

Passamos aquele sábado como se fosse nos corredores de um hospital. Temíamos pela vida de seis companheiros. Não estavam nas mãos de bons médicos, e sim nas terríveis masmorras do DOI-CODI, em São Paulo. Eu os conhecia apenas pelo nome, mas eram meus irmãos, jornalistas. Telefonei ao governador, no momento em Jales, pelos bons serviços de Dona Lila. Prometeu-me ele fazer tudo o que estivesse em suas mãos. Depois, apelo a outras autoridades.

À noitinha, chega a notícia: Vlado Herzog morto, nas mãos dos algozes! Ninguém, absolutamente ninguém, acreditou, nem por um segundo, que pudesse ser suicídio. Nem precisávamos ser jornalistas para interpretarmos tais noticiários. A gente se envergonhava do Brasil, naquela hora. Digo melhor, daqueles que manipulavam o Brasil. Uma semana de sofrimentos indizíveis. Mas, também, uma semana de união entre todos os que acreditavam em morte redentora. E já se havia dito, uma vez, sobre um judeu, Jesus, o filho de Deus: morreu por todos. Agora, morria um outro judeu, e nós pedíamos a Jesus que a morte dele também fosse em favor da liberdade de muitos.

Depois da visita aos despojos, das tramas, do enterro, da interpretação do lugar do enterro, veio a cerimônia pública. Marcada para as 15 horas, na Catedral. Quem tinha sangue nas veias, procurava romper o cerco da polícia.

Às 13 horas, chegam em minha residência dois secretários do Governo. Emissários do Governador. Talvez, do Presidente da República, que se encontrava entre nós:

– O senhor não pode ir. Ele não é católico.

– Ele é meu irmão. E é irmão de todos os católicos. E eles lá estarão.

– Mas pode haver tiroteio, mortes, e o senhor será o responsável.

– Lá estarei, para evitar mortes. O Pastor não abandona as ovelhas, quando ameaçadas.

– Haverá mais de quinhentos policiais, na praça, com ordem de atirar, ao primeiro grito.

– É assim que tratam o povo? Quando grita de dor, vocês atiram?

– É um apelo. O senhor, não vá. Mande outro.

– Digam ao governador que o arcebispo estará com aqueles que Deus lhe confiou. Custe o que custar, ele cumprirá o dever. Agradeço a visita, mas digam ao governador que o povo se manterá calmo. Portanto, todo o mais correrá por conta dele.

Às 15 horas, a Catedral ressoou. Era canto, era choro, era oração. Promessa de que isto não aconteceria mais, entre nós: filhos órfãos, mãe viúva, assassínio por torturas de um funcionário pacífico e cumpridor do dever.

As pessoas se retiraram em grupos de cinco a dez. Três jornalistas ficaram a meu lado, na cal-

çada da Catedral. Alguém nos insultando. Era a provocação que já esperávamos.

À tardinha, tudo estava vazio. Era o momento de a esperança nascer. Ela nasce no vazio, e aos poucos se enche de fé.

Da promessa de Deus a seu povo: Caminhamos para a libertação.

Primeiro, a promessa foi apenas notícia. Uns mil e sessenta jornalistas se comprometeram a divulgá-la.

Aos poucos, talvez, se transforme em realidade.

Que Clarice, a esposa, e os seus filhos se unam a todas as mães e filhos brasileiros, vítimas de igual tragédia, repetindo a promessa da esperança.

Ao Fernando e a todos os meus amigos jornalistas, um abraço do colega e Pastor de São Paulo,"

Paulo Evaristo, CARDEAL ARNS
Arcebispo Metropolitano de São Paulo

S. Paulo, 22/2/1979

O legado de Herzog está, hoje, consubistanciado no Instituto Vladimir Herzog, fundado em 25 de junho de 2009 pelos amigos e companheiros de Herzog. A missão do Instituto é contribuir para a reflexão e produção de informação que garantam o direito à vida e o direito à justiça.

O Instituto busca atingir seus objetivos com base em três pilares:

- Preservação da história do Brasil com foco especial a partir do Golpe de 1964 e tendo como centro de referência a própria história do jornalista Vladimir Herzog.
- Promoção, orientação e premiação de trabalhos de comunicação que abordem temas pertinentes às questões que afetam o direito à vida e o direito à justiça da sociedade.
- Desenvolvimento de palestras, debates, cursos e treinamentos nos assuntos das áreas correlatas à comunicação.

Este quadro foi o primeiro Prêmio Vladimir Herzog de Jornalismo e Direitos Humanos, instituído em 1979. O Prêmio já foi recebido por jornalistas do Brasil inteiro. Recentemente, foi criado o Prêmio Fernando Jordão, para novos jornalistas.

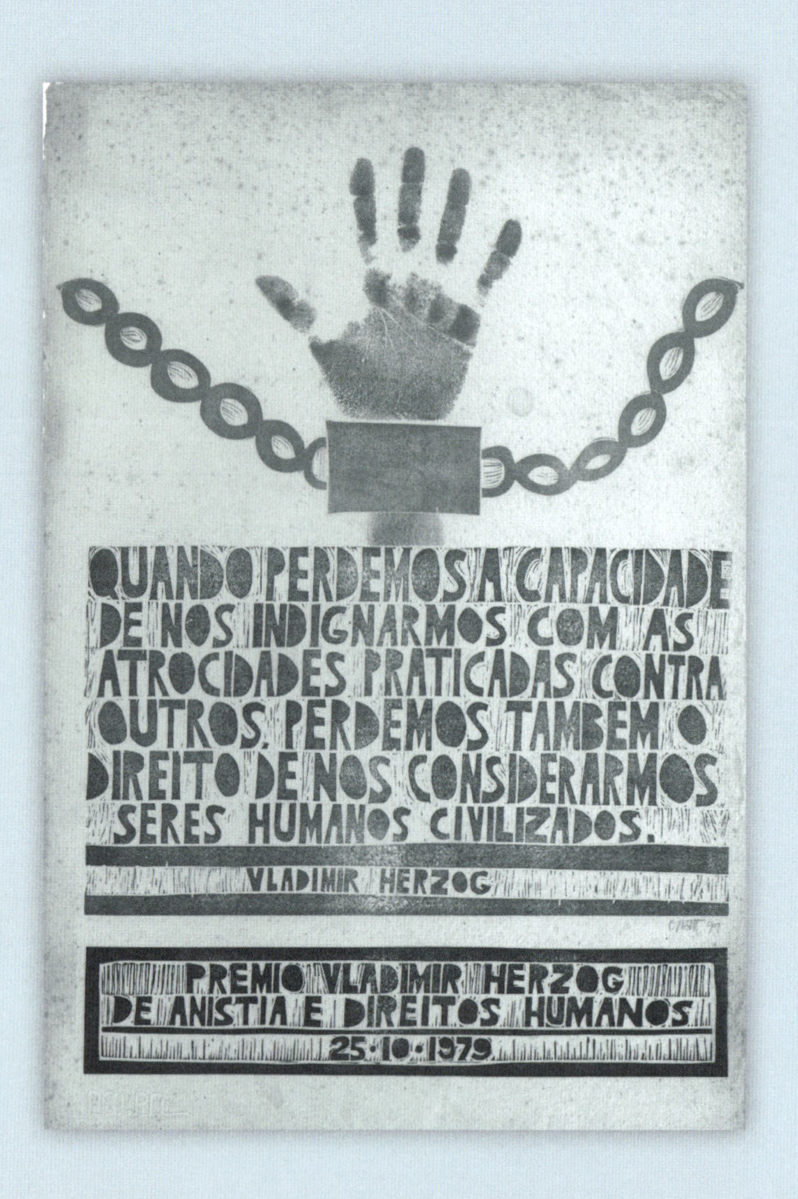

Este grupo de jovens da Universidade Federal de Pernambuco (Camilla Mirela Lira de Figueiredo, Adriana Maria Andrade de Santana – professora responsável – e Débora Souza de Britto) ganhou o Prêmio Fernando Pacheco Jordão – Jovens Jornalistas de 2012 e fez um documentário primoroso sobre o assassinato, em Recife, do assessor de dom Helder Câmara, padre Henrique, em 1969, crime que até hoje não foi solucionado. O documentário pode ser visto em: www.vladimirherzog.org

REPÚBLICA FEDERATIVA DO BRASIL
REGISTRO CIVIL DAS PESSOAS NATURAIS

CERTIDÃO DE ÓBITO

NOME:
** VLADIMIR HERZOG **

MATRÍCULA:
** 119099 01 55 1975 4 00167 271 0088264-86 **

SEXO	COR	ESTADO CIVIL E IDADE
MASCULINO	branca	casado - 38 ANOS DE IDADE

NATURALIDADE	DOCUMENTO DE IDENTIFICAÇÃO	ELEITOR
OSIJAK, IUGOSLÁVIA-	NADA CONSTA	IGNORADO

FILIAÇÃO E RESIDÊNCIA
ZIGMUND HERZOG e ZORA HERZOG ***
RESIDENTE NA RUA OSCAR FREIRE, 2271, SÃO PAULO, SÃO PAULO, SP ***

DATA E HORA DO FALECIMENTO	DIA	MÊS	ANO
VINTE E CINCO DE OUTUBRO DE MIL NOVECENTOS E SETENTA E CINCO - EM HORA IGNORADA H	25	10	1975

LOCAL DE FALECIMENTO
NO II EXÉRCITO-SP (DOI-CODI) NA RUA TOMAZ CARVALHAL, 1030, PARAISO, NESTA CAPITAL ***

CAUSA DA MORTE
LESÕES E MAUS TRATOS ***

SEPULTAMENTO/CREMAÇÃO(MUNICIPIO E CEMITERIO, SE CONHECIDO)	DECLARANTE
SEPULTADO NO CEMITÉRIO ISRAELITA, BUTANTÃ, CAPITAL.	ERICH LESCHZINER **

NOME E NÚMERO DE DOCUMENTO DO MÉDICO QUE ATESTOU O ÓBITO
Dr. ARILDO DE TOLEDO VIANA, LEGISTA

OBSERVAÇÕES / AVERBAÇÕES
Óbito registrado vinte e sete de outubro de mil novecentos e setenta e cinco. Observações: O falecido era casado com CLARICE HERZOG, em São Paulo (cartório e data não declarados), tendo deixado Dois filhos menores de idade: Ivo e André. Sendo ignorado se deixou bens e testamento. Registro lavrado no Livro C-167, Folhas 271v, Termo nº 88264. þ PRESENTE CERTIDÃO ENVOLVE ELEMENTOS DE AVERBAÇÕES À MARGEM DO TERMO. VIDE VERSO.þ**

Oficial de Registro Civil das P. N. do 7ºSubdistrito Consolação
Aldegar Fiori - Oficial
Av. Angelica 2168 - São Paulo - SP CEP: 01228-200
Tel/Fax: 1132565506
E-mail: cartconsolacao@uol.com.br

O conteúdo da certidão é verdadeiro, Dou fé.
São Paulo, 07 de junho de 2013

FABIO GONÇALVES VIEIRA
ESCREVENTE DESIGNADO

EMOLUMENTOS
Ao Oficial: R$ 38,62:Ao IPESP: R$ 7,73:Total: R$ 46,35

Reconheço a firma supra de FABIO GONÇALVES VIEIRA e dou fé.
São Paulo, 07 de junho de 2013
Em testº da verdade.
Escrevente designado
Rec. Firma..................:R$ 8,50
MENTE COM O SELO DE AUTENCIDADE

Ivani Gonçalves de Matos
Substituto do Oficial

FIRMA 2
034AA066904

Em março de 2013, por determinação da Comissão Nacional da Verdade, a recomposição da verdade. É emitido um novo atestado de óbito. Causa da morte: lesões e maus tratos. (mais informações em www.vladimirherzog.org)

38 Tarde modorrenta de domingo, no bairro da Penha. Depois da missa, o DOPS chega e senta a pua!

Em solidariedade aos perseguidos pela ditadura, vinte entidades laicas produziram o documento "Epístola dos Leigos pela Justiça e Libertação" e foram celebrar o ato em 18 de setembro de 1977, no Santuário da Penha, em São Paulo. Dom Paulo estava fora do Brasil.

6.000 pessoas participavam de ato celebrado também em solidariedade aos bispos Pedro Casaldáliga (espanhol), ameaçado de expulsão do país e Adriano Hipólito, sequestrado e torturado.

Na saída do ato, as pessoas começaram a se concentrar na porta do santuário. Algumas faixas começaram também a ser abertas, e a aglomeração virou uma passeata pelas ruas do bairro. O grito não era “abaixo a ditadura”, como costumava ser, e sim: “abaixo a carestia”.

Na primeira fila do Santuário da Penha, em São Paulo, o pastor presbiteriano Jaime Wright (no meio), e à esquerda dele o advogado Hélio Bicudo, que combateu, sem trégua, o Esquadrão da Morte.

Tudo indica que aquela mudança de grito não sensibilizou muito o DOPS, que chegou de surpresa em algumas peruas, as famosas Veraneios. Seus agentes lançaram bombas de gás, distribuíram cacetadas a valer no pessoal que estava na passeata e levou muita gente presa. Jornalistas também entraram na dança do cassetete e todos ainda foram obrigados a escutar o grito de escárnio dos agentes: “O povo unido apanha unido”.

E lá estava, em pessoa, no comando da repressão, o secretário de segurança, coronel Erasmo Dias, famoso pela truculência. Senhoras foram presas no camburão, como Maria Helena Gregori, mulher do presidente da Comissão Justiça e Paz, José Gregori (sequência acima).

Essa manifestação acabou se tornando uma das primeiras passeatas contra o regime militar, depois do AI-5. Só lembrando: estávamos em setembro de 1977, dois anos antes da Anistia...

39 “Entraram na PUC sem vestibular”

Manchete do *O São Paulo* sobre a ocupação do campus da Universidade Católica pela polícia, comandada pessoalmente pelo Cel. Erasmo Dias, secretário da segurança pública.

Número avulso Cr$ 3,00
São Paulo, de 1 a 7 de Outubro de 1977

SEMANARIO — Assinatura Cr$ 200,00
ANO XXI N.o 1.125

Caso de polícia:

ENTRARAM NA PUC SEM VESTIBULAR

Na manhã do dia 23 de setembro, a opinião pública foi surpreendida pelas manchetes de todos os jornais da capital que anunciavam a operação militar da noite anterior: "A PUC foi invadida".

A notícia ressoou no Brasil e no Exterior, informando que em questão de minutos, um contingente policial havia invadido as dependências da Universidade Católica para impedir a realização de um ato público dos estudantes universitários. Professores, alunos, funcionários e manifestantes, de mãos dadas e em fila, num total aproximado de 2.000 pessoas, foram conduzidos a um estacionamento próximo. Alguns, retirados das salas de aula onde estudavam quando houve a invasão. Oitocentas pessoas foram detidas e enca-

dir as dependências da PUC, "pois o Vice-Reitor estava dentro desta Casa, e havia toda possibilidade de diálogo".

"Além disso, só se entra na Universidade por duas portas: a do vestibular, ou através da Reitoria e responsáveis pela Universidade".

À POPULAÇÃO E AO SECRETARIO

À população de São Paulo e aos familiares dos universitários D. Paulo enviou uma mensagem, indicando que os estudantes foram vítimas e não provocadores.

"Esta invasão" — acrescentou — "foi uma afronta à população de São Paulo, que confia seus

Apesar de toda a tensão e violência, a manchete do jornal da Cúria deu uma aula de bom jornalismo.

Já a polícia deu aula de maucaratismo, como o policial de barba e camisa branca aberta no peito, que foi “conversar” dentro da Universidade com o revólver na mão.

No lado de fora, o exibicionismo de sempre, com brucutus, soldados...

O encontro do secretário de segurança, Cel. Erasmo Dias, e a reitora da PUC, Nadir Kfouri, que se negou ostensivamente a cumprimentar o secretário.
Como grão-chanceler da Pontifícia Universidade Católica – que tem ligações diretas com o Vaticano, como indica seu nome –, dom Paulo sugeriu uma ampla discussão sobre o papel do ensino superior, e a PUC se tornou a primeira universidade brasileira a eleger, pelo voto direto, seu reitor. Na verdade, uma reitora: Nadir Kfouri. A PUC foi a primeira universidade católica do mundo a eleger uma mulher.

NÃO ESQUECER É RESISTIR
22 de setembro de 77
4º anivers̀ario de uma covardia

APROPUC

Cartaz com fotos da invasão e depredação marca o quarto aniversário da ocupação.

Um sintético álbum de retratos do TUCA, o teatro da PUC de São Paulo

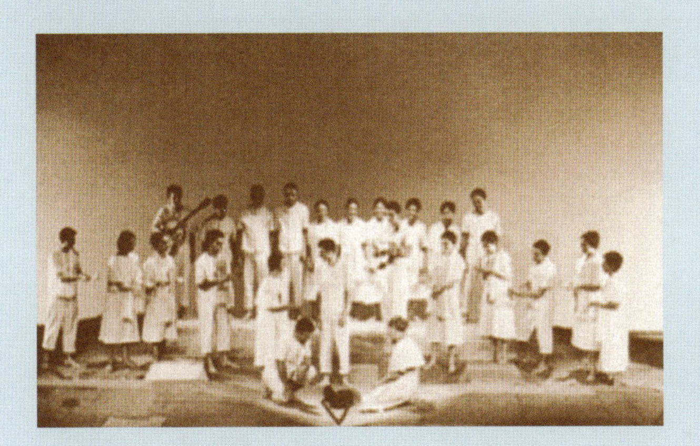

O TUCA foi inaugurado em 1965 com a peça *Morte e Vida Severina*, de João Cabral de Mello Neto, com músicas de Chico Buarque e direção de Silnei Siqueira, que foi premiada no Festival de Teatro de Nancy, França. Tentaram censurar a peça como subversiva, mas o cardeal dom Carlos de Vasconcelos Motta, já transferido de São Paulo para a recém-criada diocese de Aparecida por pressão do governo militar, a defendeu como um auto de Natal que combatia o suicídio e exaltava o valor da vida.

Dom Hélder Câmara, arcebispo do Recife e de Olinda, recebe, no TUCA, o título *honoris causa* da PUC. (mais fotos no capítulo 59)

Seminário de nome muito sugestivo: "O Simbólico e o Diabólico", com a presença de Paulo Freire.
Ele é o segundo da direita para a esquerda.

Dom Paulo vistoria pessoalmente os escombros do incêndio no TUCA. Terá sido um incêndio criminoso? Do lado esquerdo, a repórter Neide Duarte.

40 A polícia expulsa a Carestia da praça. Ela, então, se refugia na Catedral

1978

Um dos bispos-auxiliares da arquidiocese, dom Mauro Morelli, não teve a menor dúvida em abrir as portas da Catedral para proteger o Movimento contra a Carestia, que estava pressionado pela polícia, na própria Praça da Sé. Dom Paulo estava em Roma para o enterro do papa Paulo VI, seu grande amigo.

O movimento contra a carestia nasceu nas comunidades eclesiais de base, se espalhou pela cidade e escolheu a Praça da Sé para se manifestar. Algumas das suas principais reivindicações estão na foto abaixo:

Com a chegada da tropa de choque, os manifestantes se refugiam nos degraus da Catedral. E a polícia ali, de olho...

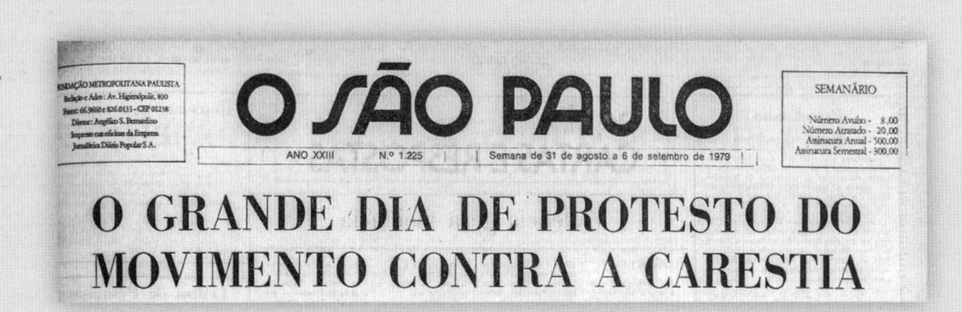

FUNDAÇÃO METROPOLITANA PAULISTA
Redação e Adm.: Av. Higienópolis, 890
Fones: 66.9660 e 826.0135 - CEP 01238
Diretor: Angélico S. Bernardino
Impresso nas oficinas da Empresa Jornalística Diário Popular S.A.

O SÃO PAULO

ANO XXIII | N.º 1.225 | Semana de 31 de agosto a 6 de setembro de 1979

SEMANÁRIO
Número Avulso - 8,00
Número Atrasado - 20,00
Assinatura Anual - 500,00
Assinatura Semestral - 300,00

O GRANDE DIA DE PROTESTO DO MOVIMENTO CONTRA A CARESTIA

Em diversas manchetes, reportagens e charges o *O São Paulo* dá apoio integral ao Movimento contra a carestia.

O SÃO PAULO

Frei Gorgulho, OP, na Região Belém de D. Luciano Mendes

A Igreja numa sociedade de classes

O teólogo Gilberto Gorgulho, Dominicano, foi convidado pelos Coordenadores do Setor da Região Belém, para falar para uma atenta platéia de 60 pessoas, representantes dos seis setores e membros do Conselho Regional. Foi uma noite polêmica, quinta-feira passada, pois Gorgulho citou casos de ação violenta das multinacionais contra os trabalhadores, o que não agradou algumas pessoas, especialmente um religioso alemão. Uma síntese de sua palestra, por Rivaldo Chinem, de ***O SÃO PAULO:***

"Qual é o significado da Igreja numa sociedade de classes, uma sociedade estruturada na sua totalidade onde existe essa divisão, a partir do trabalho, e a partir da participação nos bens produzidos pelo trabalho? Vou tentar colocar alguns pontos indispensáveis para, a partir daí, refletir sobre a ação pastoral.

Primeiro ponto: é preciso saber ver a realidade social. Ver como? Com que olhos? E ver o quê? A primeira coisa em se tratando da Igreja, a maneira de ver a realidade é esta: é preciso ouvir o que o Espírito Santo está dizendo às Igrejas. E o Espírito Santo tira os impecilhos que nós temos nos olhos, e sobretudo os impecilhos da ideologia; a gente passa a ver a realidade da maneira que nos convém. A gente começa a ver a realidade não uma verdade verdadeira, mas uma verdade convencional e conveniente.

Quando a gente começa a ver a verdade de uma maneira enviesada começa a se perguntar: a quem serve essa maneira de ver a realidade? A que grupo? A que classe essa verdade está servindo? O espírito sempre nos faz ver o Cristo. O espírito fala à Igreja para que a Igreja veja a presença de Cristo na história, na sociedade.

O que o Espírito Santo está falando na América Latina, de norte a sul?

O Cristo se manifesta nos pobres.

O Espírito está falando que o caminho para nós descobrirmos a presença e a verdade de Cristo na História são os pobres. Eles são os reveladores de Jesus Cristo hoje. O Documento de Puebla falou que a imagem do Cristo está se manifestando na América Latina através de diversas feições, no rosto dos pobres, oprimidos, marginalizados, favelados.

Quem são os pobres e porque existem os pobres? Certamente há gente pensando, bem existe pobre porque Cristo falou "pobre sempre tereis". Está lá no Evangelho. E daí?

Aqui é que começa o negócio. Os pobres não são fruto de um acidente da História. Quer dizer, acontece por acaso. Os pobres não são resultado da má vontade, da preguiça das pessoas tomadas individualmente. Nada disso.

Os pobres são fabricados, e fabricados em série, numa progressão geométrica. A exitência dos pobres é um dado social. E de onde surge esse dado social? Como é que se fabrica os pobres na sociedade?

O pobre é aquele que é explorado, dominado, através da sua força de trabalho. Todo mundo precisa trabalhar, não é? Precisa ganhar dinheiro para sustentar sua família. Se não trabalhar, morre de fome, e se trabalhar, morre mais depressa ainda (risos).

É através da sua força de trabalho que o pobre é atingido na sua dignidade humana. Os pobres não são uma realidade que tem que ser vista de uma maneira individual, mas como uma classe oprimida.

Nós vivemos numa sociedade em conflito, num conflito estrutural, numa sociedade onde existe uma injustiça institucionalizada. Recentemente D. Aloísio Lorscheiter publicou uma nota dizendo que muita gente pensa que se vai dando um jeitinho e assim se arruma as coisas. Isso não resolve. Não basta a boa vontade porque isso está no esqueleto da sociedade. Nós estamos vivendo uma injustiça institucionalizada.

Na sociedade que vivemos há uma lógica férrea, uma verdadeira fábrica, onde uma classe detém a riqueza, os meios de produção e outra classe só tem a sua força de trabalho. Que é obrigada a vender essa força de trabalho e é ferida em sua dignidade, mostrando que estamos numa classe em conflito.

Devemos ver a realidade a partir de sua totalidade. Isso que é importante: em se tratando da dinâmica social devemos ser realistas.

Goste ou não goste, devemos ver a realidade do modo que ela é. Tudo tem uma lógica férrea, é o que o pessoal chama de "Sistema", "situação social", etc.

Como se consrtói essa engrenagem, essa grande máquina? A sociedade é feita a partir da produção, do trabalho. A vida das pessoas se explica através do trabalho. A cidade de São Paulo se constrói atravér de que? Do trabalho. A base da sociedade é a produção e é o dinheiro. A sociedade está organizada através da divisão do trabalho. Há os que trabalham de metalúrgicos, de professores, de padres, de advogados, etc. Essa divisão do trabalho se organiza no nosso sistema capitalista.

Qual é a raiz do sistema capitalista? Um grupo detém o dinheiro, o capital, e quem detém o capital é o dono dos instrumentos do trabalho, da produção, das ferramentas. E tem outro grupo que tem unicamente que oferecer o seu trabalho. E nesse sistema o pessoal que trabalha é explorado na sua força do trabalho. O interessante é que a gente encontra pessoas até consagradas para dizer que não é bem assim, quando tem gente morrendo à míngua.

Trata-se de uma situação de injustiça, de uma injustiça institucionalizada, estrutural. Na raiz da sociedade o drama é esse: são massas humanas que são atingidas na sua força de trabalho, na sua dignidade humana. E quem é que sustenta essa organização? A polícia, o Estado, a legislação. Na prática o Estado está a serviço de quem? Da classe que detém o capital.

O que é ideologia? É a idéia de um grupo, e de um grupo que tem o poder. Quem tem poder? O pessoal que está mandando, o que tem o capital. Se as indústrias não produzem o carro, o que é que acontece? Porque ela dispensa os empregados? Ela tem interesses, tem que manter a produção para dar lucro.

A ideologia procura justificar uma situação. Justificar e legitimar. E justificam através de princípios morais: "Nós, a civilização..."; princípios religiosos: "Cristo já falou, pobres sempre tereis...". E a Igreja tem que alimentar as virtudes. Porque, dizem eles, a missão da Igreja é a espiritual, ela está aí para manter a vida do Espírito, não tem nada a ver com a realidade da nossa sociedade. É isso?

Você tem quase 80% da população da América Latina numa situação de pobreza, de extrema pobreza. A ideologia procura justificar essa situação. Isso só para dizer duas coisas: é preciso ver e ouvir o que o Espírito está dizendo às Igrejas. Porque se a gente começa a ver as sociedade através dos pobres, o negócio é sério.

Se a Igreja não abrir os olhos, nós vamos até ajudar a cimentar essa situação. Se quisermos ver a sociedade e ver o sentido da Igreja na sociedade temos que ver com uma visão realista.

Qual é o lugar da Igreja diante dessa sociedade? O povo de Deus dentro dessa sociedade?

Acho que há três tipos de gente na Igreja.

I — O tipo conservador. O que caracteriza esse tipo? Ele está ligado à classe dominante. É um tipo de Igreja que está ligado ao pessoal que está por cima e mandando. É o que é mais dramático: não está só ligado não; defende os interesses. Então, legitima o poder. Prega o Evangelho que serve aos interesses de uma classe dominante. O tipo de pregação evangélica de tipo tradição, família e propriedade, salvar as suas almas, a mando da Igreja e espiritual, etc etc.

A Igreja aliada ao Poder, que coloca o Evangelho em cima desse poder. Quem ela deixa de fora? Vamos supor que a classe dominante tem 15%. E os 85% restantes é fruto do que? A maioria da população quem é?

II — A Igreja Democrata Social. Uma Igreja que começa a se preocupar com os pobres. Começa. Mas agora o que é que acontece? Começa com um ponto de interrogação. Ela continua aliada à classe dominante. Ela não tem coragem de ir até o fim. Diz que "é a opção pelos pobres, mas... sabe? os ricos também são filhos de Deus".

Há uma certa ambiguidade na ação e na atuação desses cristãos no mundo. Ela faz ações de melhoria, de assistência, de promoção humana. Ela passa a ser uma espécie de opção moderadora da sociedade, e prega uma reforma. Diz, vamos melhorar hospitais, INPS, favelas. Ela tem uma opção funcionalista. Acha que se o pobre, o advogado, o operário, o patrão forem bons, a sociedade vai bem.

Essa Igreja vive uma espiritualidade moralista. Quer dizer, uma espiritualidade que no fundo alimenta a ideologia burguesa. Porque anos atrás os cursilhos da cristandade floresceram tanto? Porque fazia um tipo de pregação que alimentava esse tipo de atividade moralista, individualista, intimista. Pela conversão do coração não mudou nada.

III — A Igreja que começa a se organizar, uma igreja do Povo que quer participar, que quer ver a comunhão e quer mudar estruturalmente a sociedade. Esse tipo de Igreja começa a se reunir e a defender os interesses da classe dominada. Há uma passagem. É a classe marginalizada que vai mudar a sociedade. É preciso assumir os interesses dessa classe.

É preciso ler o Evangelho, e não só ler; viver o Evangelho em aliança e comunhão com essa classe, para que o Evangelho passe a ser fermento da comunhão, da participação dessa sociedade.

Conhecemos o Cristo do Evangelho, através do que Ele fez, da sua prática. A opção é jogar tudo por aquilo em que você acredita. É um engajamento na sua vida. A segunda opção é contra o poder. Vocês vão derrubar esse templo de Jerusalém e vou fazer outro em três dias. Eu não quero sacrifício, mas quero a misericórdia. Você tem a Igreja em Jerusalém. Era a maior da Palestina, todo mundo ia lá sacrificavam bois, bodes, pombos, faziam farinha.

Agora, era preciso criar boi, galinha, o que significa que era preciso movimentar dinheiro. O tempo de Jerusalém passou a ser o centro do sistema econômico. E quem o fazia funcionar? Os padres. Tinha uma turminha que dizia que "essa situação não tá boa, vamos fazer a revolução e tomar o poder". Mas chega um homem e diz: esse templo vai acabar. Acabando o templo o que acontece? Não há mais boi, bode, farinha e esse pessoal fica desempregado, não é? Então, o que é que fizeram com esse sujeito chamado Jesus de Nazaré? Só tinha que matar, ué.

A opção de Cristo contra o poder fez com que ele entrasse em conflito com o pessoal que detinha esse poder na época. Isso está no Evangelho. Porque Cristo morreu? Porque optou contra o Poder. Até contra os revolucionários. Ele não tomou o caminho dos revolucionários (São Marcos, cap. 2 ao 3; S. Mateus, cap. 12).

A primeira opção de Cristo, uma opção contra o poder injusto e explorado. A segunda opção, a opção em favor dos pobres, dos oprimidos dos marginalizados.

Qual o significado dessa opção de Cristo pelos pobres?

Os pobres são felizes porque Deus vai assumir a sua causa. Isto é, vai haver outro tipo de sociedade onde não haja injustiça, exploração. A ação pelos pobres mostra um mundo novo, que Deus realmente quer. Não quero sacrifício, quero misericórdia. A grande opção de Cristo foi a opção pelo reino de Deus.

Outra grande opção de Cristo foi a opção pelo Pai, por Deus, o Deus Pai. Qual Deus? Sem o Deus dos saduceus? Até a imagem de Deus você pode amoldar aos seus interesses.

Lembram-se daquela história do Evangelho do homem que casou a primeira, a segunda, a terceira vez e a mulher sempre morria? Super bobo né? Podia desconfiar ... Na ressurreição aquele marido será marido de quem, se casou várias vezes? Então não existe ressurreição aí? Cristo dá uma resposta: Deus é o Deus dos vivos, e não dos mortos. Porque os saduceus não acreditavam na ressurreição? Porque eles preferiam ter um Deus dos mortos. Porque o Deus dos vivos é aquele que vai manifestar todas as injustiças que se tem na terra.

A ressurreição é a manifestação da vida justa que a gente teve aqui na terra. O Deus dos vivos é o que julga a justiça e a injustiça.

Se você tem o poder na sociedade, se você domina na sociedade, certamente não quer que nenhuma transcendência venha a julgar seus atos, já que você seria radicalmente pressionado por essa sociedade.

A partir da vida do filho de Deus é que você vai construir uma vida nova. O primeiro critério é o Cristo. A Igreja que optou pelo que Cristo optou é a Igreja que está no caminho certo: contra o poder, em favor dos pobres e com o Cristo que optou pelo Pai.

O segundo critério são os pobres, visto na totalidade da sociedade, como uma realidade de classe. Uma classe oprimida e que revela a injustiça da sociedade.

Puebla diz o seguinte: a Igreja na América Latina tem que fazer uma opção preferencial pelos pobres. Preferencial no sentido de que o Evangelho é universal, ela abriga uma mensagem para todos. A verdade do Evangelho passa pela opção pelos pobres. Você tem que ver a verdade da sociedade, a sua injustiça, a sua exploração, através da situação dos pobres.

Os pobres são os depositários da sabedoria de Jesus. São a manifestação do rosto de Cristo na sociedade. É através da realidade dos pobres que a verdade evangélica deverá ser enunciada para todos. Essa opção tem que ser clara. Não pode haver ambiguidade.

Puebla pede que a gente tenha coragem. Você tem uma opção profética, quer dizer, o profeta é aquele que anuncia um mundo novo, novidades. E o mundo novo só pode ser engendrado, gerado, a partir da Justiça, do Direito, da Solidariedade e da Aliança.

A opção que a Igreja fez é uma opção que questiona, que derruba, um mundo velho, de injustiça, de desigualdade e faz todos os esforços para conseguir esse mundo novo.

Puebla pede que se faça uma opção solidária. Não se trata simplesmente da Igreja vir e trazer benefícios para a classe dominada, mas ela tem que se inserir, se irmanar dentro dessa classe dominada, porque é daqui que vai sair o novo. Vai sair uma passagem, uma mudança para um mundo novo.

Qual é o tipo de ação que a Igreja tem que fazer para que haja a supressão, da dominação e da injustiça?

A primeira coisa é não esquecer nunca da totalidade social, aquela engrenagem que não depende tanto desse nem daquele. A totalidade social é complexa. Paulo VI diz que "os ricos estão cada vez mais ricos", ao que João Paulo II completa: "... às custas dos pobres".

Sem uma visão realista ninguém produz o mundo novo. Pode sim, reformular algumas coisinhas.

A presença da Igreja numa sociedade de classes é a presença do Povo de Deus chamado a ser profeta. Quer dizer, ele que critica, que anuncia o Evangelho. Essa presença quer dizer Vida, que optou contra a morte mas pela Vida. É um povo de rei, quer dizer, um povo que se reúne, que transforma a comunhão segundo a vontade de Deus".

O teólogo frei Gilberto Gorgulho, dominicano, e grande amigo de dom Paulo, publica, em página inteira, uma culta reflexão sobre o posicionamento da Igreja numa sociedade de classes. *Coisa de profissional,* como se diz das pessoas que sabem o que estão fazendo e escrevendo...

FREI GORGULHO E DOM PAULO

Fala mansa, mineiro no jeito de ser, de andar, de chegar, frei Gilberto Gorgulho foi um fiel assessor de dom Paulo Evaristo Arns – chamado por alguns de o "alter ego" do cardeal.

Eles se conheceram nos anos de chumbo da ditadura militar, quando dom Paulo, ainda bispo-auxiliar, foi visitar os dominicanos presos. "Parti para o Presídio Tiradentes acompanhado de frei Gilberto Gorgulho, pedindo que ele se valesse de sua fabulosa memória para registrar cada palavra ou gesto dos dominicanos", relata dom Paulo, em seu livro "Da Esperança à Utopia".

Essa fabulosa memória, aliada a uma extraordinária inteligência e a muitos anos de dedicado estudo, fizeram de frei Gorgulho um dos mais respeitados exegetas, um profundo conhecedor da Bíblia.

Nascido em Cristina (MG), em 1933, cursou Teologia com os dominicanos na França, defendeu tese na Pontifícia Comissão Bíblica e se especializou na Escola Bíblica e Arqueológica Francesa, em Jerusalém.

De volta ao Brasil, no início dos anos 60, foi professor de Sagrada Escritura em vários institutos de formação de padres, religiosos e leigos no Seminário Central do Estado de São Paulo, que se transformou depois na Faculdade de Teologia Nossa Senhora do Assunção, ligada à arquidiocese de São Paulo.

Ao se aproximar de dom Paulo, passou a dividir suas atividades no magistério com a assessoria ao bispo e, depois, arcebispo da então maior arquidiocese do país.

Frei Gorgulho participou de todas as grandes transformações da arquidiocese de São Paulo e da Igreja, no Brasil, na América Latina, no mundo – desde a Operação Periferia até a discussão de documentos importantes, como o da Conferência Latino-Americana de Puebla.

Foi assessor da Conferência Nacional dos Bispos do Brasil (CNBB) no Sínodo de 1974, sobre "Evangelização no mundo contemporâneo". Entre várias outras atividades, deu assessoria pessoal a dom Paulo no Sínodo de 1983, sobre "Reconciliação e Penitência".

Autor de diversos livros, orientou, durante dez anos, a equipe de tradução da Bíblia de Jerusalém para o português, editada pela Paulus.

Frei Gorgulho morreu aos 79 anos, em dezembro de 2012.

41 Morre, nas ruas, um operário na greve dos metalúrgicos de São Paulo. Dom Paulo encontra o corpo no Instituto Médico Legal

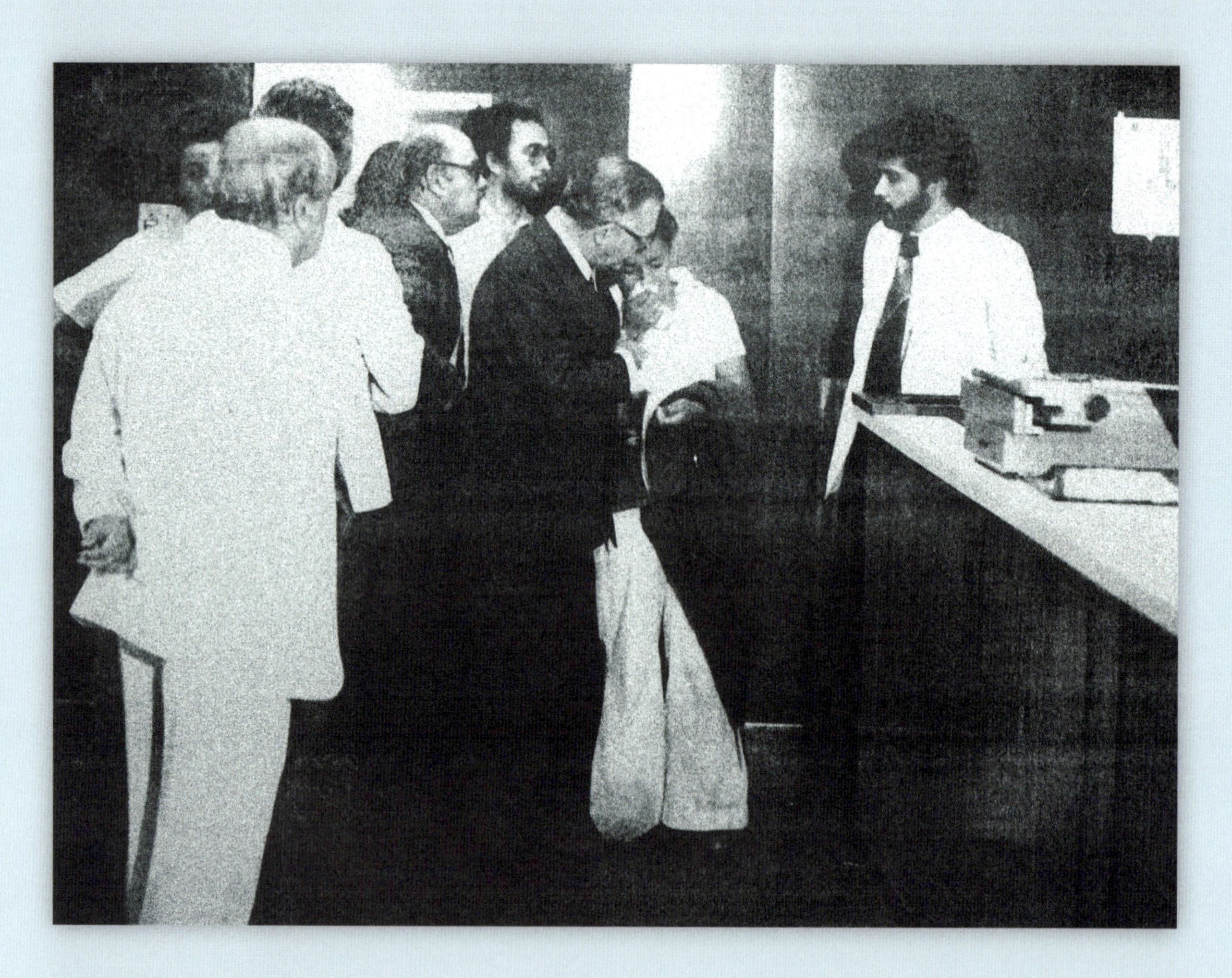

Dom Paulo abraça a viúva, Ana. Em suas memórias, ele conta como encontrou o corpo do Santo no Instituto Médico Legal:

"Santo Dias foi assassinado na Capela do Socorro, quando a greve já estava adiantada (...) Acabei encontrando-o entre os cadáveres dissecados no Instituto Médico Legal. Eu já o conhecia... E fui dizendo, vocês são uns covardes, vocês atiraram pelas costas. Coloquei o dedo no buraco da bala, no corpo dele, e rezei o Pai-Nosso. Todos se encostaram nas paredes, todos os policiais, todas as autoridades".

FUNDAÇÃO METROPOLITANA PAULISTA
Redação e Adm: Av. Higienópolis, 890
Fones: 66.9660 e 826.0133 - CEP 01238
Diretor: Angélico S. Bernardino
Impresso nas oficinas da Empresa
Jornalística Diário Popular S.A.

O SÃO PAULO

ANO XXIII | N.º 1.234 | Semana de 2 a 8 de novembro de 1979

SEMANÁRIO

Número Avulso - 8,00
Número Atrasado - 20,00
Assinatura Anual - 500,00
Assinatura Semestral - 300,00

DITADURA MATA OPERÁRIO CRISTÃO

*O corpo do operário Santo Dias da Silva está chegando na Catedral.
São 11:58, quarta-feira, 31 de outubro. Rumores de palmas e aclamações.
Tocam os sinos anunciando a chegada do corpo do combativo líder operário
A bandeira do Sindicato dos Metalúrgicos envolve o esquife.
Todos aplaudem em sinal de saudade. Homenagem e compromisso de luta.
Cantam trechos da música de Geraldo Vandré "Pra não dizer
que não falei das flores": "Quem sabe faz a hora/Não espera
acontecer". O povo vai cantando. Triste e consciente.
D. Paulo Evaristo Arns, Cardeal-Arcebispo de São Paulo
inicia a primeira parte da Celebração Eucarística. Com
ele, bispos-auxiliares, padres e diáconos. Catedral
lotada, o povo silencioso e tranquilo. Calcula-se em
mais de 100 mil pessoas, a praça ainda cheia.
Ana Maria e Silva, viúva de Santo, está com os dois
filhos, Luciene de 12 e Santo de 10. A garota chora ao
passar o Caixão: "Meu pai! Meu pai!".
Na homilia D. Paulo disse: "Que Deus nos conserve a fé
no sentido da vida e na continuidade dela em favor de todos".
O corpo de Santo desce devagarinho as escadarias. Todo o*

O metalúrgico Santo Dias participava da greve apoiada pela Pastoral de Direitos Humanos e Marginalizados. Ele era agente da Pastoral.

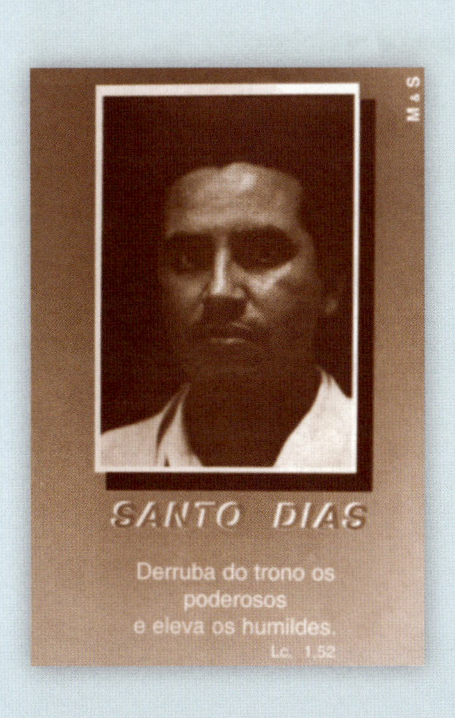

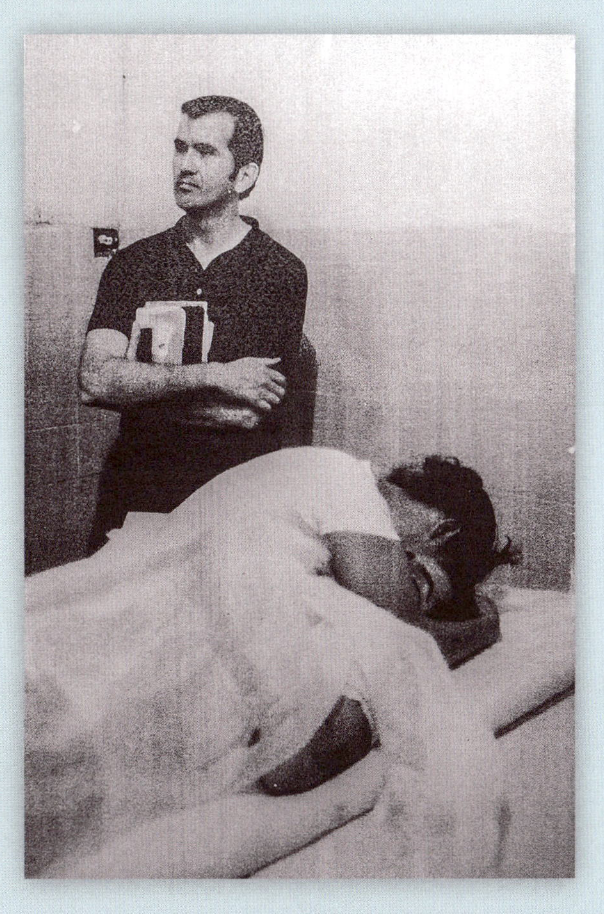

Ainda no Instituto Médico Legal, Ana Dias se abraça com o marido morto. Ao lado, o padre Pedro Curran.

No interior da Catedral da Sé, dom Paulo e seus bispos-auxiliares rezam missa de corpo presente.

No lado de fora, dom Paulo orienta a retirada do caixão, carregado por operários.

UM PERFIL DO SANTO DIAS ESCRITO POR ROGÉRIO CHAVES, QUE, AINDA NA INFÂNCIA, VIVEU A DOR DA MORTE DO SANTO.

DOM PAULO E O SANTO HOMEM

"Esse Santo nasceu entre os homens em 1942. Seu sobrenome, Dias, trazia uma sina de tempo, um fragmento, uma fagulha na história do trabalho que mobilizou centenas e milhares país afora.

Família da roça, irmão mais velho entre oito, amava a mãe dona Ninha e o pai Roger - que era Jesus na certidão de nascimento -, não tinha mesmo como ficar longe de Deus. Todos trabalhavam duro contra a opressão rural no interior de São Paulo, Terra Roxa, Viradouro.

De boia-fria tornou-se operário, veio para a capital e morou em Santo Amaro, lugar de indústrias gigantes, margeadas pelo fétido Rio Pinheiros e pela pobreza dos bairros em construção. Faltava quase tudo, só não a esperança.

Santo foi militante da Pastoral Operária, organização política que dom Paulo valorizou como poucos. "Igreja é povo que se organiza", cantavam homens e mulheres nas missas de domingo, onde falávamos em libertação.

Casou com Ana, teve filhos, compartilhou luta e combateu a ditadura. Foi morto pela polícia em 1980, durante um piquete de trabalhadores diante da fábrica Sylvânia. O tiro que o abateu gerou revolta, e logo um mar de gente tomou conta da Sé, da igreja e das ruas.

Se premeditado ou não, seu assassinato foi o tiro que também saiu pela culatra, porque Santo virou sinônimo de Direitos Humanos. Nomeou ruas, praças e motivou música que a plenos pulmões cantávamos nas celebrações: "Operário e sonho-criança / operário da terra e oficina / operário que um dia se cansa / de esperar as mudanças de cima". No refrão, emocionados, chorávamos ao lado da viúva Ana, dos filhos, Santinho e Luciana: "Santo, a luta vai continuar / os teus sonhos vão ressuscitar / operários se unem pra lutar. Por teus filhos, vai continuar".

Ele, como os outros que fizeram história, foi santo homem que a morte não matou. Junto com o povo brasileiro, Santo proletário libertou a gente.

Rogério Chaves é da Fundação Perseu Abramo, nasceu em 1971 e passou a infância na Paróquia da Vila Remo, local de militância do Santo Dias na Pastoral Operária: "Minha mãe, dona Maria das Graças, fazia parte da associação de mães organizada na comunidade Santo Dias, espécie de subsede da Paróquia de Vila Remo. Dona Maria era amiga de Ana Dias, viveu sua dor, e eu senti junto. Defronte àquela igreja (onde me casei muito mais tarde, em 1993), inauguramos a primeira Praça Santo Dias. Integrei-me à militância nas CEBs aos 12 anos, fui catequista e liderança da Pastoral da Juventude (PJ) e, em seguida, da Pastoral da Juventude do Meio Popular (PLMP), logo que surgiu na região do Campo Limpo. Fiquei lá até a divisão da Arquidiocese de São Paulo em quatro dioceses menores, na nova política de combate à Teologia da Libertação. Depois, em 1986, fui construir o PT.

42 A CNBB aprova o explosivo "Exigências Cristãs de uma Ordem Política"

1977

Um documento que foi exaustivamente discutido entre as alas progressista e conservadora da Igreja e votado durante a XV Assembleia dos Bispos, realizada em Itaici, pertinho de Campinas, que agudizou um pouco mais a já delicada relação da Igreja com os militares.

O SÃO PAULO

Número avulso Cr$ 3,00
São Paulo, de 22 a 28 de Outubro de 1977

SEMANARIO — Assinatura Cr$ 200,00
ANO XXI N.o 1.128

O documento "Exigências" é exemplo da ação da Igreja na América Latina

Para O *São Paulo*, destacado em manchete de primeira página, o "Exigências Cristãs" foi inspirado na Teologia da Libertação, condensada em 1968, na cidade de Medellín, na Colômbia.

ABAIXO, OS ITENS 12, 27, 30, 40, 41 E 47 DO "EXIGÊNCIAS CRISTÃS...", QUE DEVEM TER IRRITADO MUITO OS MILITARES:

12. Nenhum modelo é perfeito ou definitivo; por isso, todos são questionáveis e precisam ser continuamente aperfeiçoados. Impede-se o diálogo autêntico quando os regimes se pretendem inquestionáveis e repelem quaisquer reformas além daquelas por eles mesmos outorgadas. A Igreja não pode, assim, aceitar a acusação de intromissão indébita ou de subversão, quando, no exercício da missão evangelizadora, denuncia o pecado, questiona aspectos éticos de um sistema ou modelo e alerta contra o perigo de um sistema vir a se constituir a própria razão de ser do Estado.

27. A participação política é uma das formas mais nobres do compromisso a serviço dos outros e do bem comum. Ao contrário, a falta de educação política e a despolitização de um povo, e especialmente dos jovens, pela qual fossem reduzidos à condição de simples espectadores ou de atores de uma participação meramente simbólica, prepararíam e consolidariam a alienação da liberdade do povo nas mãos da tecnocracia de um sistema.

30. A liberdade de discussão dos grandes problemas nacionais, dentro do ideal democrático, é uma forma fundamental de participação nas sociedades políticas bem ordenadas. Só essa liberdade garante o direito à oposição, a possibilidade do debate sobre as alternativas do destino de uma Nação. Sem essa liberdade, o próprio direito de pensar gera suspeitas de ameaça à ordem pública, tornando-se objeto de ação repressiva. Uma censura arbitrária nesse campo não teria justificativas nas exigências do bem comum e levaria, rapidamente, à perda de credibilidade da parte do Estado como poder legal.

40. Toda sociedade política atravessa momentos de crise, que podem ameaçá-la de desintegração. A superação de tais momentos exige, por vezes, regimes de exceção, que reconstituam as condições normais de funcionamento de toda a sociedade. A lógica mesma dessas condições exige que a exceção não se torne regra permanente e ilimitada.

41. Quando se inspiram numa visão da ordem social concebida como vitória constante sobre a subversão ou uma incessante revolução interna, tais regimes de exceção tendem a prolongar-se indefinidamente. Perde-se assim de vista que o desenvolvimento integral é que fornece os meios de proteção indispensáveis contra os riscos que ameaçam a ordem pública.

8 — NACIONAL FOLHA DE S. PAULO Terça-feira, 15 de fevereiro de 1977

A política cristã segundo os bispos

Integra da segunda versão do documento final da Assembléia de Itaici, sobre o qual os bispos ainda não chegaram a um acordo

Este é o trecho final do documento "Exigências Cristãs de uma ordem política", que ainda deverá ser aprovado pela assembléia geral da CNBB, reunida em Itaici. O documento, que já provocou a paralisação das discussões em torno do tema, até que especialistas da Igreja dessem explicações aos 232 bispos sobre a doutrina de segurança nacional, trata ainda da posição da CNBB em torno de 46 subtemas, como participação política do povo, deveres do Estado, o papel da segurança nacional, a liberdade de organização, os regimes de exceção, entre outros.

O documento em discussão pelos bispos está em sua segunda redação, embora, como foi informado nas várias entrevistas coletivas, as mudanças ocorreram apenas na forma e o conteúdo não foi atingido substancialmente em relação ao documento-base aprovado pela Comissão Representativa (Mini-Assembléia-Geral) em novembro.

Além da "redação mais accessível ao povo de Deus", como ontem afirmou dom Arnaldo Ribeiro, bispo auxiliar de Belo Horizonte, o documento reescrito usa frases mais amenas e também mais claras, além de acrescentar quatro subtemas de reflexão aos quarenta e dois originais.

Frases como "só os regimes autoritários se pretendem inquestionáveis..." foram substituídas por "regimes que se pretendem inquestionáveis..." Ainda no sétimo subtema, enquanto no documento original está a frase "a Igreja se recusa assim a aceitar a denúncia de subversão..." o documento revisado afirma "a Igreja

tificado com um sistema e a Nação não participante, ou cuja participação é tolerada na medida em que sirva para fortalecer o sistema. Esse distanciamento está na origem de todos os regimes totalitários de direita ou de esquerda, que são a própria negação do bem comum.

Os Regimes de Exceção — "DA ordem jurídica desejada por Deus deriva o direito inalienável do homem a uma segurança jurídica protegida contra toda intrusão arbitrária" (Pio XII, Natal, 1.942)

38 — Toda sociedade política atravessa momentos de crise, que podem ameaçá-la gravemente de desintegração. A superação de tais movimentos exige, por vezes, regimes de exceção, destinados a reconstituir as condições normais de funcionamento de toda a sociedade. Na lógica mesma destas condições está escrita a necessidade de que a exceção não se torne permanente e ilimitada.

39 — Tais regimes de exceção tendem entretanto a prolongar-se indefinidamente quando se inspiram numa visão da ordem social concebida como a vitória constante sobre uma guerra subversiva ou uma incessante revolução interna. Perde-se assim de vista, o objetivo de buscar no sucesso do desenvolvimento integral, os direitos os meios desde proteção indispensáveis contra os riscos que ameaçam a ordem pública.

O Desafio ao Desenvolvimento — "O desenvolvimento não se reduz a um simples crescimento econômico. Para ser autêntico, deve ser integral. (Pop. Pror. n.º 14)

Dos jornais de circulação nacional, a *Folha de S.Paulo* foi o único a publicar a íntegra do documento.

47. O desenvolvimento integral, que responde às exigências do bem comum, não se mede apenas pelo crescimento quantitativo de valores mensuráveis; ele se mede também e principalmente por valores qualitativos não contábeis. Um povo se desenvolve quando cresce em liberdade e em participação, quando tem seus direitos respeitados ou ao menos dispõe de recursos primários de defesa, como os expressos no "habeas corpus", quando dispõe de sistemas que disciplinam e asseguram mecanismos de controle à ascendência do Executivo, quando pode contar com o respeito à representação das comunidades intermédias e ao direito de auto-organização das instituições sociais, como os partidos, os sindicatos e as universidades; quando seu direito à informação e à circulação das ideias não é limitado por formas arbitrárias de censura; quando pode escolher com liberdade aqueles aos quais delegue o exercício da autoridade.

BASTIDORES

O PAPEL DOS REPÓRTERES NESSA HISTÓRIA TODA...

Como era uma cobertura longa – 9 dias – os repórteres dos grandes jornais brasileiros – alguns já se conheciam – decidiram por fazer uma cobertura em "pool", ou seja, estariam trabalhando em conjunto para conseguir "tirar" da Assembleia Geral certo documento muito importante e que seria uma espécie de divisor de águas na relação Igreja/regime militar. Mal sabiam os repórteres o quanto... Conversa daqui, conversa dali, e, no terceiro dia da cobertura, a repórter da sucursal em Campinas do *Estado de S. Paulo* chegou no cafofo dos jornalistas, onde ficavam reunidos, com o documento na mão e um sorriso do tamanho do mundo.

Nome da repórter: Ruth Bolognese, a Rutinha. Foi um alvoroço total. Dois repórteres da *Folha*

Só que nem todos os bispos progressistas concordaram com a publicação antecipada do documento. Dom Pedro Casaldáliga, por exemplo (na foto, à esquerda), alegou ao repórter Ricardo Carvalho, da *Folha* (na foto, no meio, e ao lado, dom Ivo Lorscheiter), que, se o documento não tivesse sido divulgado, os progressistas poderiam conquistar posições mais avançadas.
Resposta do repórter: "Jornalismo é assim mesmo... cai na mão do repórter, ele põe para publicar!"

de S. Paulo – Fernando Foch, baseado no Rio de Janeiro e grande conhecedor do mundo eclesial, e Ricardo Carvalho, que fazia sua estreia na cobertura do assunto Igreja, correram para a sucursal para negociar com a redação a publicação do documento. A *Folha* e o *Jornal da Tarde* publicaram o documento na íntegra, o *Estadão* e *O Globo* deram um registro, e o *Jornal do Brasil*, do Rio de Janeiro, foi furado, porque o repórter voltou antes para a sucursal, em São Paulo.

A NOSSO PEDIDO, A RUTINHA CONTA, PELA PRIMEIRA VEZ, COMO CONSEGUIU TIRAR O DOCUMENTO DA ASSEMBLEIA GERAL DOS BISPOS E COMO ISSO ACABOU "AJUDANDO" A VIABILIZAR O DOCUMENTO COM SUA FACE MAIS PROGRESSISTA:

A divulgação antecipada do documento "Exigências Cristãs de uma Ordem Política", que a Conferência Nacional dos Bispos do Brasil (CNBB) se preparava para debater, em 1977, veio a público por causa de uma amizade e de uma mentira. Eu fazia parte do grupo de jornalistas que se revezavam nos arredores do seminário da pequena Itaici (SP), às vezes escutando atrás das portas, onde os bispos de todo o País estavam reunidos. A hora do cafezinho fornecia a única oportunidade para falarmos com os participantes e, principalmente, com as "estrelas" do encontro, nomes como dom Paulo Evaristo Arns, dom Pedro Casaldáliga ou dom Eugênio Salles. Jovem e inexperiente repórter da sucursal de Campinas de *O Estado de S. Paulo*, eu aproveitei um desses intervalos para procurar o bispo de Palmas (PR), meu conterrâneo, dom Agostinho Sartori. Ele havia me batizado, numa das passagens pelo interior do Estado, ainda como padre, e isso motivou a amizade, muitos anos depois, eu como jornalista, e ele já como bispo. Dom Agostinho, frade franciscano, tinha posições progressistas à época, em defesa dos movimentos de trabalhadores sem-terra que começavam a despontar numa vasta região do Paraná, abrangendo a diocese dele, Francisco Beltrão-Palmas. Em função disso, trocava informações frequentes com a imprensa paranaense.

Talvez por causa da recíproca confiança que tínhamos, talvez porque quisesse uma análise de alguém de fora da Conferência, ele me entregou o documento completo, mas que ainda estava em fase de discussão em Itaici. Era o terceiro ou quarto dia do encontro da CNBB. Com o documento em mãos, fui me encontrar com os colegas. E senti o alvoroço. Não me passou pela cabeça, em nenhum momento, impedir a publicação, mesmo sabendo que dom Agostinho havia confiado em minha discrição e em nossa amizade. No outro dia, os jornais nacionais estamparam os principais pontos das "Exigências Cristãs de uma Ordem Política" com estardalhaço, e eu me preparei para reencontrar dom Agostinho no intervalo do cafezinho.

Ele veio falar comigo de coração aberto, contou que os bispos haviam feito um chamado público para que o responsável pelo "vazamento" do documento se apresentasse. E me disse, com candura, que não se apresentou porque sabia que eu havia mantido sigilo e que outras versões apontavam mais dois ou três suspeitos. Devo ter corado até a raiz dos cabelos, mas não confessei a verdade. Dom Agostinho voltou para Palmas, eu, para Curitiba, e a vida se encarregou de afastar nossos caminhos. Ele morreu no dia 6 de junho de 2012, com 83 anos.

Divulgar aquele documento na íntegra, com antecedência, ajudou a parte mais progressista do clero a firmar posições necessárias naquele momento político. Para os colegas jornalistas, foi um furo com gosto de cidadania. Da minha parte, arquei com o pecado de mentir para um bispo, que mais tarde se tornou arcebispo, e atropelar uma amizade em nome da notícia. Mesmo assim, acho que dom Agostinho me perdoou, e, esteja onde estiver, deve até me abençoar.

(Ruth Bolognese é jornalista em Curitiba)

Os quadros são de um curso de Política criado pelo Frei Betto. O "Exigências Cristãs..." acabou virando uma espécie de salvo-conduto para a Igreja fazer política. Ou, como dom Paulo sempre gostou de dizer:
"Não fazer política é a pior forma de fazer política".

43 A batalha de Puebla: o confronto direto entre bispos conservadores e bispos progressistas

1979

Nas páginas da *Folha de S. Paulo*, que fez cobertura diferenciada, está espelhado o duro embate.

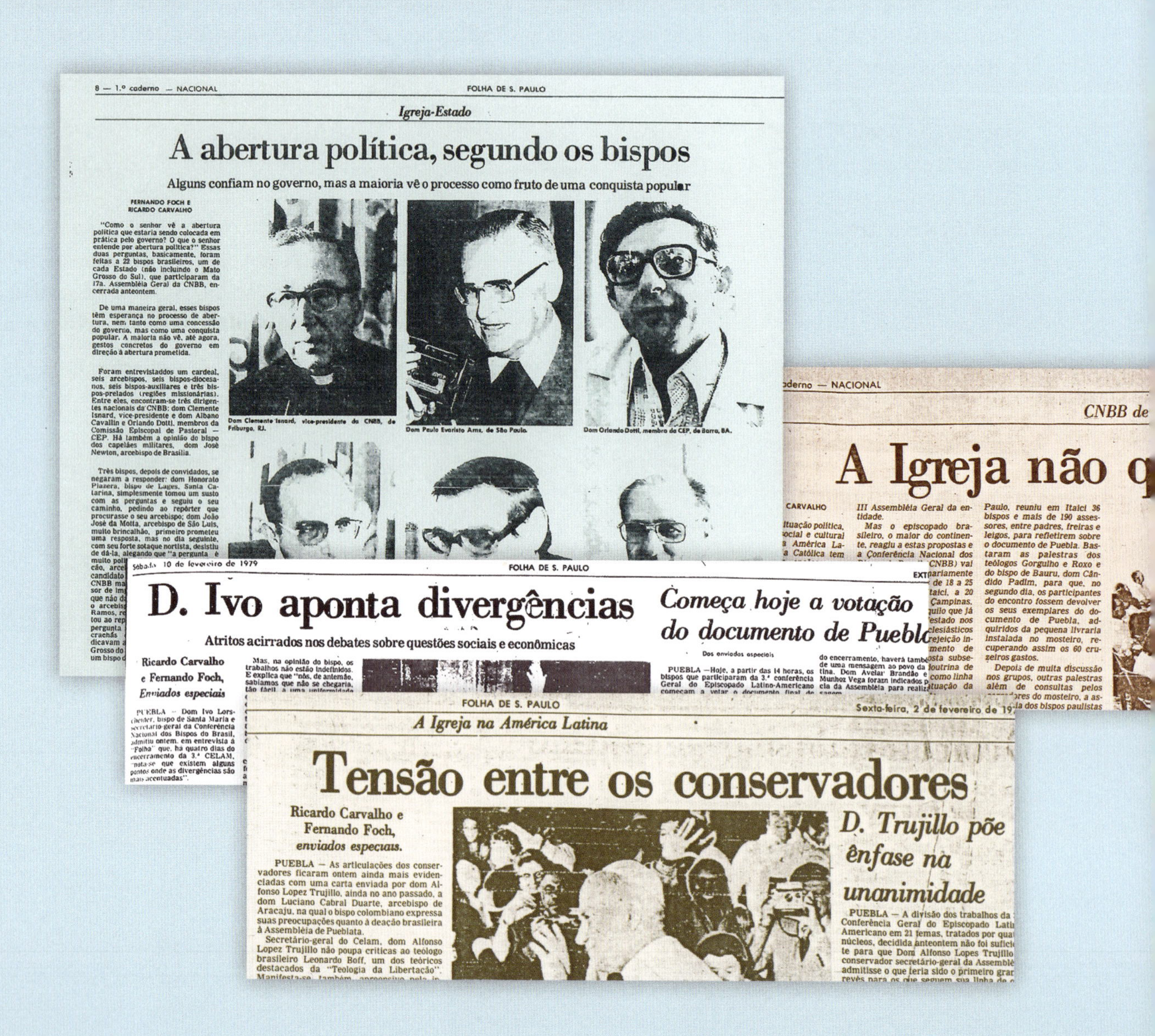

8 — 1.º caderno — NACIONAL FOLHA DE S. PAULO

Igreja-Estado

A abertura política, segundo os bispos

Alguns confiam no governo, mas a maioria vê o processo como fruto de uma conquista popular

FERNANDO FOCH E RICARDO CARVALHO

"Como o senhor vê a abertura política que estaria sendo colocada em prática pelo governo? O que o senhor entende por abertura política?" Essas duas perguntas, basicamente, foram feitas a 22 bispos brasileiros, um de cada Estado (não incluindo o Mato Grosso do Sul), que participaram da 17a. Assembléia Geral da CNBB, encerrada anteontem.

De uma maneira geral, esses bispos têm esperança no processo de abertura, nem tanto como uma concessão do governo, mas como uma conquista popular. A maioria não vê, até agora, gestos concretos do governo em direção à abertura prometida.

Foram entrevistaddos um cardeal, seis arcebispos, seis bispos-diocesanos, seis bispos-auxiliares e três bispos-prelados (regiões missionárias). Entre eles, encontram-se três dirigentes nacionais da CNBB: dom Clemente Isnard, vice-presidente e dom Albano Cavallin e Orlando Dotti, membros da Comissão Episcopal de Pastoral — CEP. Há também a opinião do bispo dos capelães militares, dom José Newton, arcebispo de Brasília.

Três bispos, depois de convidados, se negaram a responder: dom Honorato Piazera, bispo de Lages, Santa Catarina, simplesmente tomou um susto com as perguntas e seguiu o seu caminho, pedindo ao repórter que procurasse o seu arcebispo; dom João José da Motta, arcebispo de São Luís, muito brincalhão, primeiro prometeu uma resposta, mas no dia seguinte, com seu forte sotaque nortista, desistiu de dá-la, alegando que "a pergunta é muito...

Dom Clemente Isnard, vice-presidente da CNBB, de Friburgo, RJ.

Dom Paulo Evaristo Arns, de São Paulo.

Dom Orlando Dotti, membro da CEP, de Barra, BA.

Sábado 10 de fevereiro de 1979 FOLHA DE S. PAULO

D. Ivo aponta divergências

Atritos acirrados nos debates sobre questões sociais e econômicas

Ricardo Carvalho e Fernando Foch, *Enviados especiais*

PUEBLA — Dom Ivo Lorscheider, bispo de Santa Maria e secretário-geral da Conferência Nacional dos Bispos do Brasil, admitiu ontem, em entrevista à "Folha" que, há quatro dias do encerramento da 3.ª CELAM, "nota-se que existem alguns pontos onde as divergências são mais acentuadas".

Mas, na opinião do bispo, os trabalhos não estão indefinidos. E explica que "nós, de antemão, sabíamos que não se chegaria, tão fácil, a uma uniformidade...

Começa hoje a votação do documento de Puebla

Dos enviados especiais

PUEBLA — Hoje, a partir das 14 horas, os bispos que participaram da 3.ª conferência Geral do Episcopado Latino-Americano começam a votar o documento final de...

...do encerramento, haverá também de uma mensagem ao povo da ...tina. Dom Avelar Brandão e Munhoz Vega foram indicados p... cia da Assembléia para realiza...

...caderno — NACIONAL

CNBB de...

A Igreja não q...

...CARVALHO

III Assembléia Geral da entidade.

Mas o episcopado brasileiro, o maior do continente, reagiu a estas propostas e a Conferência Nacional dos ... (CNBB) vai ...

Paulo, reuniu em Itaici 36 bispos e mais de 190 assessores, entre padres, freiras e leigos, para refletirem sobre o documento de Puebla. Bastaram as palestras dos teólogos Gorgulho e Roxo e do bispo de Bauru, dom Cândido Padim, para que, no segundo dia, os participantes do encontro fossem devolver os seus exemplares do documento de Puebla, adquiridos da pequena livraria instalada no mosteiro, recuperando assim os 60 cruzeiros gastos.

Depois de muita discussão nos grupos, outras palestras além de consultas pelos ...ores do mosteiro, a as... dos bispos paulistas

FOLHA DE S. PAULO Sexta-feira, 2 de fevereiro de 19...

A Igreja na América Latina

Tensão entre os conservadores

Ricardo Carvalho e Fernando Foch, *enviados especiais.*

PUEBLA — As articulações dos conservadores ficaram ontem ainda mais evidenciadas com uma carta enviada por dom Alfonso Lopez Trujillo, ainda no ano passado, a dom Luciano Cabral Duarte, arcebispo de Aracaju, na qual o bispo colombiano expressa suas preocupações quanto à deação brasileira à Assembléia de Pueblata.

Secretário-geral do Celam, dom Alfonso Lopez Trujillo não poupa críticas ao teólogo brasileiro Leonardo Boff, um dos teóricos destacados da "Teologia da Libertação". Manifesta-se, também, apreensivo pela in...

D. Trujillo põe ênfase na unanimidade

PUEBLA — A divisão dos trabalhos da ... Conferência Geral do Episcopado Lati... Americano em 21 temas, tratados por qua... núcleos, decidida anteontem não foi sufici... te para que Dom Alfonso Lopes Trujillo, conservador secretário-geral da Assemblé... admitisse o que teria sido o primeiro gra... revés para os que seguem sua linha de...

DUAS HISTORINHAS DE BASTIDORES

1ª

Dom Paulo se instalou na Comissão das Comunidades Eclesiais de Base e foi marcado homem a homem pelos cardeais da Cúria Romana que não aceitavam, em hipótese nenhuma, o avanço das CEBs. Foi quando dom Paulo apresentou, na comissão, um documento escrito pelo respeitado teólogo padre Comblin. Os cardeais romanos detonaram a aprovação, e o documento ficou no limbo. Até que... Até que o bispo brasileiro e progressista dom Candido Padim, ao saber do impasse, pediu a dom Paulo para levar o documento para a Comissão que estava preparando a introdução da declaração final de Puebla, onde, aliás, não tinha nenhum cardeal da Cúria. Resultado: a reflexão do padre Comblin passou a fazer parte do documento final do encontro.

2ª

Quase todo dia das quase duas semanas da conferência, o teólogo frei Gorgulho, alter ego de dom Paulo, conseguia de alguma maneira entrar no Seminário Palafoxiano, onde se realizava o encontro. Para os jornalistas da *Folha de S. Paulo*, mais importante do que ele entrar, era ele sair, porque levava, escondido debaixo da camisa, documentos que haviam sido discutidos durante o dia. No mesmo momento, um dos dois repórteres da *Folha* saía da área reservada aos jornalistas e ia se encontrar com frei Gorgulho a umas três quadras adiante e ditava para um gravador tudo de importante que tinha acontecido. No dia seguinte, a *Folha* abria manchetes únicas e exclusivas sobre Puebla. Vale lembrar que, ainda em São Paulo, o repórter foi conversar com dom Paulo para saber como fazer para ter algum material que fosse além da entrevista coletiva diária comandada pelo ala conservadora do CELAM. Dom Paulo pensou um pouco e sugeriu que o repórter procurasse, dois dias depois, o frei Gorgulho para ver o que era possível fazer.

Domingo, 9 de abril de 1978

...mento de Puebla

...e afastar do povo

Sábado, 27 de janeiro de 1979 — FOLHA DE S. PAULO — EXTERIOR

O papa na América Latina

No México, a condenação aos extremismos

Discurso vai definir as metas para Igreja da AL

14 — 2.o caderno — EXTERIOR — FOLHA DE S. PAULO — Domingo, 28 de janeiro de 1979

A Igreja na América Latina

João Paulo 2º surpreende conservadores

Teólogo mostra que papa apóia avanços

A homilia da abertura da 3.ª CELAM

44 Um advogado brasileiro, um pastor presbiteriano de dupla nacionalidade e uma jornalista inglesa, correspondente da BBC de Londres, fundam o *Clamor*

O boletim funcionava nos porões da Cúria e espelhava as preocupações, as denúncias e as arbitrariedades no continente ocupado pela truculência.

NA FOTO, O *CLAMOR* JÁ TINHA ARREGIMENTADO MAIS GENTE. O GRUPO FUNDADOR: O ADVOGADO LUIS EDUARDO GREENHALGH, O PASTOR JAIME WRIGHT E A JORNALISTA JAN ROCHA, QUE ESCREVEU O TEXTO ABAIXO ESPECIALMENTE PARA ESTE LIVRO:

O *Clamor* começou em 1978 ,com três pessoas, mas logo incorporou o padre Roberto Grandmaison e a religiosa Michael Mary Nolan, e depois Fermino Fechio, Tereza Brandão, Maria Auxiliadora de Arantes e Cida Horta. Mais tarde, vieram Inge Schilling, frei João Xerri e Lilia Azevedo.

Todos trabalhavam como voluntários, fazendo malabarismos com os seus deveres profissionais para encontrar o tempo de participar dos encontros e as tarefas cada vez mais numerosas, na medida em que o *Clamor* ficou cada vez mais conhecido e procurado. O grupo contava com um grande número de colaboradores entre os refugiados, trazendo informações, traduzindo matérias...

Logo estabeleceu conexões com entidades de direitos humanos de todos os países do Cone Sul e com os familiares de presos, desaparecidos e assassinados no Uruguai, no Paraguai, no Chile e na Bolivia, especialmente com as Abuelas de Plaza de Mayo, da Argentina, que buscavam seus netos sequestrados.

A imensa dor e o sofrimento provocado pela repressão cruel e impiedosa das ditaduras militares chegaram à Curia na cara triste e nas palavras angustiadas dos familiares. Encontraram em dom Paulo a solidariedade, a palavra carinhosa e fraterna, o apoio espiritual, que muitas vezes lhes faltavam nas igrejas dos seus paises. Mas o cardeal, depois de ouvir, não ofereceu só palavras, sempre perguntava para nós do *Clamor*: “O que vamos fazer?” E junto planejávamos uma ação, uma denúncia, uma missão, um telegrama.

Sem dom Paulo, o *Clamor* teria sido simplesmente mais uma entidade de Direitos Humanos. Com ele, pôde ser muito mais, um farol de esperança iluminando os lugares mais escuros do continente, num tempo de trevas e escuridão.

UM JORNALISTA PERNAMBUCANO, SAMARONE LIMA, OUVIU FALAR DO *CLAMOR*, FOI ATRÁS, PESQUISOU E ESCREVEU O LIVRO:
Clamor – Solidariedade sem fronteiras
ESCREVEU TAMBÉM O SEGUINTE TEXTO PARA ESTE LIVRO:

No final de 1976, a Cúria Metropolitana de São Paulo começou a receber crescente número de pessoas que falavam castelhano. Muitos chegavam somente com a roupa do corpo e uma cara de espanto, para não dizer de terror. Os relatos eram sobre torturas, prisioneiras grávidas que tinham seus bebês levados pelos militares, desaparecidos. Muitos vinham da Argentina, mas também do Chile e do Uruguai. Cartas chegavam diariamente, com fotos de casais e filhos, todos desaparecidos.

Num encontro pouco provável em outros tempos, o reverendo (Jaime nasceu no Brasil, tinha dupla nacionalidade) Jaime Wright, secretário-geral da Igreja Presbiteriana no Brasil, a jornalista inglesa Jan Rocha e o advogado Luis Eduardo Greenhalgh decidiram criar um grupo de Direitos Humanos para atender às vítimas de violência política no Cone Sul da América Latina. Pediram a ajuda de dom Paulo Evaristo Arns, que imediatamente aceitou ceder espaço na Cúria.

Todo o nosso financiamento vinha do exterior, não da Cúria e seu prestígio internacional na defesa dos Direitos Huamnos, mas com uma condição: “Vamos fazer este trabalho até eles conseguirem retornar à democracia”.

O *Clamor* passou a distribuir a toda a América Latina e Europa boletins com relatos de violações e fotografias de bebês levados pelos militares. O primeiro, produzido em português, inglês e espanhol, chegou à Argentina, anfitriã da Copa do Mundo de 1978, na semana do primeiro jogo.

CLAMOR

COMITÊ DE DEFESA DOS DIREITOS HUMANOS PARA OS PAISES DO CONE SUL
ORGÃO VINCULADO À COMISSÃO ARQUIDIOCESANA DE PASTORAL
DOS DIREITOS HUMANOS E MARGINALIZADOS

Ano I — dezembro — Nº 4

Inclina o teu ouvido ao meu clamor (Salmos 88,2)

A SOLIDARIEDADE NÃO TEM FRONTEIRAS

Em novembro, quatro uruguaios foram sequestrados em Porto Alegre, Brasil. Após alguns dias reapareceram detidos em poder das autoridades uruguaias, em Montividéu.

Esta é uma prova clara que as organizações repressivas do Cone Sul, não respeitam fronteiras. Por que então a solidariedade deveria respeitá-las?

O clamor das famílias da Argentina e do Uruguai está se fazendo ouvir cada vez mais no Brasil. Estão chegando centenas de cartas para o Cardeal de São Paulo, Dom Paulo Evaristo Arns, solicitando à Igreja brasileira ajuda para buscar os filhos, maridos e esposas desaparecidos.

Querem que o Cardeal Dom Paulo, conhecido como valente defensor dos Direitos Humanos, seja seu porta-voz em Puebla. Querem que revele a descarada realidade existente atrás da frequente frase "violações dos Direitos Humanos". Que ele conte ao mundo que as cifras de 600, 3.000 ou 10.000 desaparecidos significa em termos pessoais, o seguinte:

"Um grupo de 7 ou 8 homens, fortemente armados, irromperam violentamente no apartamento perguntando por minha filha...Com sua roupa de dormir rasgada e depois de haver sido brutalmente golpeada em nossa presença, levaram-na amordaçada e manietada e desde esse dia não soubemos mais nada sobre ela.

Estas famílias exigem, ao menos, o direito de saber se seus queridos estão vivou ou não. Recorreram à Igreja no Brasil, com sua última esperança.

"Andamos de um lado para outro, batendo nas portas, escrevendo e ninguém nos responde, ninguém escuta nosso clamor". Os bispos reunidos em Puebla as ouvirão?

A Igreja da América Latina se converterá na voz de todas estas famílias gritando seu desespero ante os governos, ante o mundo?

"Não quero morrer antes de abraçar meu neto querido e saber que ele está bem" -nos escreveu uma avó anciã.

A angustia de milhares como ela, estará presente em Puebla exigindo uma resposta.

Índice

No dia 1º de junho de 1979, após meses de trabalho sigiloso e arriscado, com viagens semiclandestinas ao Chile e ao Uruguai, o grupo conseguiu localizar duas crianças, filhas de uruguaios assassinados em Buenos Aires, que tinham sido levadas pelos militares argentinos – Anatole e Eva Lucia Victoria Grisonas. Estavam vivas, adotados por um casal, em Valparaíso, no Chile.

Pela primeira vez, mais de 50 jornalistas de vários países tinham em mãos um caso concreto de algo assombroso: o sequestro de bebês de guerrilheiros pelos militares argentinos.

O *Clamor* atuou com diversas organizações de Direitos Humanos da América Latina para denunciar violações e sequestros de mais de 500 bebês. Em sigilo, fez um meticuloso levantamento sobre os desaparecidos na Argentina, com a ajuda de dois voluntários argentinos, Gustavo e Marisa. Em janeiro de 1983, o papa João Paulo II foi pego de surpreso, em uma audiência com dom Paulo na biblioteca da Santa Sé. Recebeu dois volumes encadernados, com o nome de 7.291 pessoas desaparecidas na Argentina.

No texto de apresentação, escrito em 28 de novembro de 1982, dom Paulo afirmou que "a solidariedade e a defesa dos Direitos Humanos eliminam todos os tipos de fronteiras – geográficas, políticas, ideológicas, religiosas, sociais e econômicas".

O comentário de dom Paulo sobre o *Clamor*:

"Foi nesse tempo também, mais precisamente no dia 30 de maio de 1978, que surgiu o pequeno mas importante boletim intitulado Clamor. Nas três línguas em que era editado – português, espanhol e inglês –, o título já exprimia o conteúdo urgente que levava aos leitores".

45 Cardeal desmoraliza a Operação Condor

Uruguaios e brasileiros, a pedido de dom Paulo, localizam, no Chile, filhos de desaparecidos uruguaios que foram sequestrados na Argentina.

Sobre esse assunto, falam aqui no livro: os jornalistas Clóvis Rossi, Samarone Lima, Jan Rocha, Ricardo Carvalho, a uruguaia Mariela Salaberry e o próprio dom Paulo. Nesta página, a história segundo Ricardo Carvalho.

EM SEU LIVRO *O CARDEAL E O REPÓRTER*, O JORNALISTA RICARDO CARVALHO NARRA, EM DETALHES, A HISTÓRIA DAS DUAS CRIANÇAS QUE PASSARAM PARA A HISTÓRIA.

Durante 3 anos – de 1976 a 1979 – fui o repórter de Direitos Humanos da *Folha de S. Paulo*, e a Cúria Metropolitana de São Paulo, com dom Paulo à frente, era minha principal fonte de informações, o que me fez ficar bastante próximo do cardeal.

Tanto que, em 1979, quando eu não estava mais na *Folha*, dom Paulo me chamou para uma conversa e sua primeira frase foi a seguinte: "Tenho informações seguras de que estão localizadas, no Chile, as primeiras crianças filhas de militantes políticos e que foram sequestradas pelos militares dos países do Cone Sul (Brasil, Uruguai, Argentina e Chile). Você gostaria de ir atrás desta história?"

É lógico que aceitei na hora o convite e comecei, então, a entrar na história. Conversei longamente com a Jan Rocha, jornalista da BBC de Londres e uma das coordenadoras do boletim *Clamor*, o rosto da Cúria voltado para a América Latina, e que estava cuidando do caso das crianças citado por dom Paulo. Conheci também o casal Maria Salaberry e Hugo Cores, uruguaios, ele vivendo clandestinamente no Brasil e dirigente do Partido Vitoria Del Pueblo (PVP), que foi dizimado pela ditadura uruguaia. Era ao PVP que estavam filiados os pais das duas crianças, e Maria e Hugo estavam no Brasil para exatamente encontrar algum apoio na tentativa de encontrar o casalzinho de irmãos. Para sorte deles, conseguiram chegar ao *Clamor*, que deu apoio moral, psicológico e material na busca.

O grupo já sabia que os pais de Anatole e Vic haviam sido assassinados em Buenos Aires, para onde haviam fugido e que os dois irmãozinhos estavam vivendo em Valparaíso, no Chile, adotados pela família Larrabeiti, de classe média, ele dentista, ela dona de casa. Essas descobertas já haviam sido feitas pela própria Maria, que, com seu passaporte francês, foi ao Chile do ditador Pinochet e conseguiu, inclusive, o nome da escola e o

Em 1979, a avó paterna, Angélica, em São Paulo, buscando apoio para encontrar as crianças.

endereço da família Larrabeiti. O jornalista Clovis Rossi também foi a Valparaíso, a pedido de dom Paulo, para conseguir mais informações.

Com as informações da Maria, cabia a mim buscar em Montevidéu as fotos das crianças e alguns documentos que tornassem a busca mais oficial possível. Os meus quatro dias de Uruguai foram uma aventura, uma mistura de medo e algumas ousadias.

Com a documentação e as fotos debaixo do braço, embarcamos para o Chile o advogado Luis Eduardo Greenhalgh, a avó paterna das crianças, dona Angélica e eu. Fomos recebidos em Santiago pela representante da ACNUR – agência da ONU para refugiados – a também uruguaia Belela Herrera, que conosco esteve em todos os momentos, inclusive na ida a Valparaíso, na escola das duas crianças e na visita ao casal Larrabeiti, tudo realizado sob enorme pressão.

Algumas cenas de toda esta história são inesquecíveis, como o fato de o arcebispo de Montevidéu, dom Partelli, ultraconservador, ter se recusado a me receber, quando soube, pelo secretário dele, qual era a minha missão no Uruguai. Disse a eles, então, que não sairia da catedral, porque estava com muito medo e achando que a polícia uruguaia já tinha me localizado. Tudo ficou resolvido quando o arcebispo tomou a decisão de mandar o seu motorista me levar, no dia seguinte, no aeroporto.

Sem contar o meu encontro com a mãe adotiva dos meninos que estava desesperada com a visita daqueles intrusos (nós) na casa dela. Não sei por que cargas d'água que o marido dela me chamou no quarto para conversar com a esposa. Ela estava deitada de bruços, num choro convulsivo, e a primeira coisa que disse a ela foi uma total irresponsabilidade: "Não se preocupe, senhora, que ninguém vai tirar os seus filhos daqui". Ela imediatamente parou de chorar, sentou-se à cama e balbuciou se era verdade o que eu estava dizendo. Na verdade, foi a única coisa que me ocorreu para consolar a jovem mãe, ela também uma vítima das circunstâncias. E aquela irresponsabilidade acabou virando a realidade possível. Os irmãos continuaram adotados pela família chilena e visitavam a avó, em Montevidéu, nas férias escolares.

46 A saída para Fidel Castro foi ler a carta de dom Paulo. E deu certo

Estava sendo realizado, em Havana, um encontro mundial para debater a dívida externa da América Latina e do Caribe; quem levou a carta do cardeal para o encontro foi o Frei Betto, grande amigo de Fidel...

Fidel Castro e Frei Betto

ALIÁS, A NOSSO PEDIDO, É O PRÓPRIO FREI BETTO QUE CONTA COMO FOI A RELAÇÃO DOM PAULO/FIDEL CASTRO:

Dom Paulo Evaristo Arns e Fidel nunca se encontraram, embora tenham cultivado uma amizade epistolar sem esconder a admiração de um pelo outro.

A melhor oportunidade de contato pessoal entre eles foi em julho de 1980, por ocasião do primeiro aniversário da revolução sandinista, ao qual Fidel compareceu. O governo da Nicarágua convidou oficialmente três brasileiros: dom Paulo, Lula e eu. O arcebispo, entretanto, não se sentiu em condições de viajar, ao contrário de Lula e eu, pois seu homólogo na Nicarágua encabeçava, naquele momento, a oposição ao regime sandinista. Na noite de 19 de julho, Lula e eu tivemos o primeiro contato com Fidel, em uma conversa ao longo de quatro horas.

Fidel Castro reúne, em Cuba, lideranças mundiais para discutir a dívida externa.

FREI BETTO CONTINUA A NARRATIVA:

Em julho de 1985, o governo de Cuba promoveu, em Havana, um encontro sobre a dívida externa na América Latina e no Caribe, para o qual convidou lideranças de todas as tendências políticas do continente. Dom Paulo declinou do convite, mas me pediu para levar a Fidel esta carta:

São Paulo, 26 de julho de 1985

Excelentíssimo Senhor Fidel Castro, digníssimo presidente do Conselho de Estado e do Governo cubano;

Prezados senhores:
Sensibilizado com o convite recebido para participar desta análise conjunta sobre a dívida externa da América Latina e do Caribe no contexto da crise econômica internacional, e impossibilitado de comparecer, devido a inúmeras tarefas, venho manifestar meus votos de que a reunião seja especialmente proveitosa para a grande maioria dos pobres que habitam os nossos países.

À luz do Evangelho de Cristo, da doutrina social da Igreja e das palavras do papa João Paulo II, quero especificar alguns pontos básicos que me parecem fundamentais no que concerne ao tema em debate:

Primeiro, não há possibilidade real de o povo latino-americano e caribenho arcar com o peso do pagamento das dívidas colossais contraídas por nossos governos. Nem mesmo é viável continuar pagando os altos juros à custa do sacrifício de nosso desenvolvimento e bem-estar.

Segundo, a questão da dívida, antes de ser financeira, é fundamentalmente política e, como tal, deve ser encarada. O que está em jogo não são as contas dos credores internacionais, mas a vida de milhões de pessoas que não podem sofrer a permanente ameaça de medidas recessivas e do desemprego que trazem a miséria e a morte.

Terceiro, os Direitos Humanos exigem que todos os homens de boa vontade do continente e do Caribe, todos os setores responsáveis, se unam na busca urgente de uma solução realista para a questão da dívida externa, de modo a preservar a soberania de nossas nações e resguardar o princípio de que o compromisso principal de nossos governos não é com os credores, mas sim com os povos que representam.

Quarto, a defesa intransigente do princípio de autodeterminação de nossos povos requer o fim da interferência de organismos internacionais na administração financeira de nossas nações. E, sendo o governo coisa pública, todos os documentos firmados com tais organismos devem ser de imediato conhecimento da opinião pública.

Quinto, é urgente o restabelecimento de bases concretas de uma Nova Ordem Econômica Internacional, na qual sejam suprimidas as relações desiguais entre países ricos e pobres, e assegurado ao Terceiro Mundo o direito inalienável de reger seu próprio destino, livre da ingerência imperialista e de medidas espoliativas nas relações de comércio internacional.

Confiante no êxito deste importante evento, rogo a Deus que infunda em nossos corações a bem-aventurança da fome e da sede de justiça, a fim de sermos sempre fiéis às aspirações libertadoras de nossos povos.

Acolham minha saudação fraterna.
+ Paulo Evaristo, cardeal Arns
Arcebispo Metropolitano de São Paulo, Brasil.

Teria sido uma entre tantas outras mensagens remetidas ao anfitrião se não houvesse ocorrido um fato inusitado: ao final do evento, após três dias de oradores defendendo diferentes posições em relação ao pagamento da dívida externa, cabia a Fidel, que até então havia se mantido calado, fazer o discurso de encerramento. O líder revolucionário confidenciou a um pequeno grupo de amigos, nos bastidores do Palácio das Convenções, encontrar-se em um impasse, pois participavam do evento muitos que discordavam de sua posição sobre o tema e não queria contrariá-los. Foi, então, que sugeri que se restringisse a ler a carta do cardeal Arns, o que Fidel imediatamente acatou.

Dois dias depois, encontrei em Havana um dirigente comunista que, na véspera, retornara de Santiago de Cuba. Contou-me que fora a um curso de marxismo e na manhã do encerramento do evento, em Havana, o professor discorrera sobre a cumplicidade da Igreja Católica com o imperialismo e dissera que todos os bispos são reacionários e partidários da direita. À tarde, as aulas foram suspensas para que alunos e professores pudessem acompanhar, pela TV, Fidel encerrar o encontro sobre a dívida externa. Ficaram perplexos, e o professor constrangido, quando viram o comandante fazer suas as palavras de um arcebispo da Igreja Católica.

Retornei a Havana em janeiro de 1989, quando a Revolução completava 30 anos. Na bagagem, uma carta de dom Paulo Evaristo Arns a Fidel Castro, saudando a efeméride:

São Paulo, Natal de 1988

Querido Fidel,

Paz e Bem!

Aproveito a viagem de Frei Betto para enviar-lhe um abraço e saudar o povo cubano por ocasião deste 30º aniversário da Revolução. Todos nós sabemos com quanto heroísmo e sacrifício o povo de seu país resistiu às agressões externas e enfrentou o imenso desafio de erradicar a miséria, o analfabetismo e os problemas sociais crônicos. Hoje em dia Cuba pode sentir-se orgulhosa de ser, em nosso continente tão empobrecido pela dívida externa, um exemplo de justiça social.

A fé cristã descobre nas conquistas da Revolução os sinais do Reino de Deus que se manifesta em nossos corações e nas estruturas que permitem fazer da convivência política uma obra de amor.

Aqui no Brasil vivemos momentos importantes de luzes e sombras. De um lado, a vitória popular alcançada nas últimas eleições renova o marco político do país e abre esperanças de que o indescritível sofrimento de nosso povo possa ser minorado no futuro. Convivemos com uma inflação de 30% ao mês e uma sangria de recursos absorvidos pelo injustificável pagamento dos juros da dívida externa. De outro lado, sabemos que essa vitória ainda não significa a nossa liberdade e estamos obrigados a enfrentar em nosso próprio país todo tipo de pressões e dificuldades criadas pelos donos do grande capital.

Este é um momento de dor para quem faz de seu serviço episcopal um ato de efetivo amor para com os pobres. Contudo, confio em que nossas Comunidades Eclesiais de Base saberão preservar as sementes de vida nova que têm sido semeadas.

Infelizmente, ainda não se deram as condições favoráveis para que se efetue o nosso encontro. Tenho a certeza de que o Senhor Jesus nos indicará o momento oportuno.

Tenho-o presente diariamente em minhas orações, e peço ao Pai que lhe conceda sempre a graça de conduzir o destino de sua pátria.

Receba meu fraternal abraço nos festejos pelo 30º aniversário da Revolução cubana e os votos de um Ano-Novo promissor para o seu país.

Fraternalmente,

+ Paulo Evaristo, cardeal Arns.

Em recepção no Palácio da Revolução, entreguei a Fidel a carta do cardeal de São Paulo. Ali mesmo, de pé, ele pediu que eu a traduzisse. Entusiasmado com o que ouvira, perguntou-me se poderia divulgá-la. Respondi que, primeiro, eu precisaria obter a anuência de dom Paulo. Na manhã seguinte, liguei para o cardeal. Localizei-o em Goiânia, onde pregava um retiro. Transmiti-lhe o pedido de Fidel. Dom Paulo não se opôs, apenas ponderou que não gostaria de causar constrangimento aos bispos de Cuba.

Irmã Carmen Comelio, do Sagrado Coração de Jesus, sugeriu-me fazer chegar uma cópia da carta às mãos dos bispos cubanos antes de sair na imprensa. Concordei e rezei a meus santos protetores que dessem um jeito de eu ter acesso a Fidel, para propor essa medida, antes que a carta aparecesse no *Granma*, o órgão oficial do Partido Comunista de Cuba, e principal jornal do país.

À tarde do mesmo dia, participei do ato público de inauguração da Expocuba. Milhares de pessoas acorreram ao local. Fidel fez um de seus longos discursos; falou das 6h da tarde às 8h45 da noite.

Ao final do ato, comuniquei a ele que o cardeal Arns autorizara a divulgação da carta. Disse ainda necessitar de uma cópia do texto para passar aos bispos cubanos, com o que ele concordou.

No dia seguinte, enquanto almoçava no Hotel Habana Libre, o motorista do Partido interrompeu a refeição para entregar-me um envelope com timbre do Conselho de Estado e o carimbo MUITO URGENTE. Era a cópia da carta do cardeal Arns a Fidel, acompanhada por um bilhete de Sonia Torres, secretária do Conselho de Estado, no qual comunicava que a carta seria divulgada na imprensa no dia seguinte, e pedia que eu fizesse chegar a cópia às mãos de monsenhor Jaime Ortega.

Larguei a comida e parti imediatamente para a residência episcopal, onde tive a sorte de encontrar o arcebispo. Mostrei a cópia da carta do cardeal Arns. O arcebispo de Havana comentou que gostara do texto e me revelou que também enviara carta semelhante ao presidente cubano. A notícia me surpreendeu. Uma carta do cardeal de Havana em apoio à Revolução teria muito mais importância na mídia que a do cardeal Arns, até porque a contrarrevolução, sediada em Miami, considerava o arcebispo de São Paulo "comunista", e o da capital de Cuba, "confiável" (opinião que se modificou desde que Raúl Castro assumiu o poder e decidiu manter maior proximidade com o episcopado cubano).

Ao sair da audiência com monsenhor Ortega, corri para o Palácio da Revolução, empenhado em evitar que, no dia seguinte, a carta de dom Paulo fosse publicada antes da que enviara o arcebispo de Havana. Em vão. Não consegui convencer a assessoria de Fidel a reverter o processo. No dia seguinte, o *Granma* estampou, na primeira página, a carta do cardeal Arns.

A imprensa internacional deu grande repercussão à carta. Especialmente no Brasil. Acusou o cardeal de São Paulo de conivência com a "ditadura cubana". Contudo, não houve constrangimento no Vaticano pela coincidência de a carta ser publicada logo após o longo colóquio de Fidel com o cardeal francês Roger Etchegaray, presidente da Pontifícia Comissão Justiça e Paz, que passara dez dias em Cuba. Houve até quem julgasse que a missão de Etchegaray havia sido preparada por dom Paulo. E o colóquio abrira a possibilidade de o papa João Paulo II visitar Cuba.

Antes de eu retornar ao Brasil, Fidel me entregou um envelope que continha a resposta à carta do arcebispo de São Paulo, cujo conteúdo jamais conheci.

Em julho de 1989, quatro militares cubanos – general Arnaldo Ochoa Sanchez, coronel Antonio la Guardia, major Armando Padrón e capitão Jorge Martinez – acusados de tráfico de drogas e traição à pátria, foram condenados à morte.

Naquele mês, ao encontrar dom Paulo em Duque de Caxias (RJ), no Encontro Intereclesial das Comunidades Eclesiais de Base, sugeri a ele enviar a Fidel um apelo para que as sentenças fossem canceladas. O cardeal pediu-me que eu remetesse um telegrama ao líder cubano, solicitando a comutação das penas capitais, e incluir a assinatura dele:

Ao Comandante Fidel Castro Ruz
Palácio de la Revolución
Plaza de la Revolución
La Habana – Cuba
Comandante,

Em meu nome e em nome do cardeal Paulo Evaristo Arns, rogamos a suspensão das sentenças de morte dos ex-militares cubanos recentemente condenados pelo hediondo crime de narcotráfico. Estamos seguros de que a Revolução, realizada para defender a vida, respeitará o dom maior de Deus.

Fraternalmente,
Frei Betto

Os quatro militares foram fuzilados.

A amizade epistolar entre dom Paulo e Fidel se manteve, embora eu jamais tenha tido conhecimento das missivas. Certa ocasião, o dirigente cubano me pediu que trouxesse um presente ao cardeal: uma enorme caixa – artesanato de alto valor artístico – que continha 500 charutos cubanos. Ao desembarcar no Aeroporto de Guarulhos, fui barrado pela Polícia Federal. Vários agentes se aproximaram para observar "a maravilha", como disse um deles. Expliquei tratar-se de presente de um chefe de Estado ao cardeal de São Paulo, evitando, porém, aludir à carta que trazia na bagagem, com receio de que quisessem abri-la.

Desencadeou-se um forte debate entre os agentes aduaneiros: uns, alegando que aquilo poderia ser um contrabando; outros, dizendo que era óbvio tratar-se de um presente, pois não fazia sentido trazer tanto tabaco em um recipiente tão sofisticado. Por fim, liberaram a caixa.

Dom Paulo, que sempre preferiu cachimbos, distribuiu os charutos em reunião do clero da arquidiocese na casa de encontro Paulo VI, em Taboão da Serra (SP).

Frei Betto é escritor, autor de *Calendário do Poder* (Rocco), entre outros livros.

Frei Betto e dom Paulo

EM SUAS MEMÓRIAS, DOM PAULO FALA SOBRE SUA RELAÇÃO COM O COMANDANTE CUBANO:

Escrevi diversas cartas a Fidel Castro sem propostas definidas, mas sempre desejando uma aproximação dele com a Igreja Católica. Frei Betto, nosso grande amigo, com a aprovação dos seus superiores religiosos e o apoio dos bispos locais, encarregou-se não só de apresentar essas cartas, mas também de informar o líder cubano a respeito das semelhanças e diferenças entre as situações do Brasil e de Cuba (...). Se cultivei o diálogo com os generais do Brasil que torturavam e ainda ensinavam as técnicas de tortura a outros países, certamente tinha o direito de tratar de questões importantíssimas com o líder cubano.

47 "Cardeal, o senhor vem comigo aqui no carro", convidou o presidente dos Estados Unidos

1978

Uma surpresa no fim da visita de Carter

A Praça da Sé ocupada por um povo que quer caminhar junto

A verdadeira inauguração da Praça da Sé aconteceu nesta Sexta-Feira Santa. É o que afirma o editorial "Vamos Caminhar Juntos", sobre o grande ato religioso feito por um povo que vive um plano de vida e que por isso mesmo não precisa de grandes apelos para atender a um chamado de fé e de compromisso. A Praça da Sé mudou fisicamente, conta o editorial, quando "fé e vida, unidas, vindas de uma tradição através da História invadiram o tempo". E para quem pergunta como isto foi possível, ou para quem quer saber para onde vai o povo ou o que ele deseja, é recomendado que se preste atenção ao compromisso de milhares de pessoas que das cinco horas da tarde até as 10 ou 11 horas da noite estiveram reunidas na Sé respondendo ao cardeal e ao seu convite: "vamos caminhar juntos". Página 3.

O presidente norte-americano, Jimmy Carter, após um encontro mantido com seis personalidades brasileiras — José Mindlin, Raimundo Faoro, Dom Paulo Evaristo Arns, Dom Eugênio Sales, Marcos Viana e Julio de Mesquita Neto — na Gávea Pequena, Rio de Janeiro, despediu-se ontem do País com uma surpresa: terminado o encontro, convidou o Cardeal-Arcebispo de São Paulo a acompanhá-lo, em seu carro, até o aeroporto do Galeão, onde embarcaria para a Nigéria.

Em entrevista concedida à imprensa na parte da tarde, já em São Paulo, dom Paulo revelou os temas abordados durante o encontro e também durante o percurso entre a Gávea Pequena e o Galeão: Carter mostrou-se otimista com os encontros mantidos com o presidente brasileiro, Ernesto Geisel, considerando sua visita ao Brasil como positiva. E na conversa mantida entre os seis convidados falou-se sobre a distensão e a redemocratização do País, procurando-se descobrir sinais positivos; da responsabilidade da imprensa quanto a esse ponto, e também lembrando que nada mudou até agora na legislação.

Dom Paulo entregou a Carter seu novo livro e dois documentos: uma declaração assinada por ele e pelos outros dois bispos laureados pela Universidade de Notre Dame, no ano passado, pleiteando o apoio constante e ativo "em nossa luta por uma humanidade mais humana".

No segundo documento, um memorando, dom Paulo aborda o conceito de segurança nacional, "Um suplício em muitos países do mundo"; o problema das multinacionais, responsáveis por injustiças monstruosas e sobre a participação das maiorias. Leia na página 10.

Os dois e a primeira dama, Rosalyn, foram conversando até a Base Aérea do Galeão, onde Carter embarcou de volta aos Estados Unidos. O que eles conversaram? O próprio dom Paulo conta, em suas memórias:

"Convidado a acompanhá-lo no carro que o levaria ao aeroporto, coloquei-me ao lado do próprio presidente norte-americano e fiz-lhe com toda a clareza a pergunta quase audaciosa: 'É verdade o que aqui se conta, que os Estados Unidos, ou melhor, a CIA, ensinou os nossos militares a torturarem os presos sem neles deixarem marca?' Como de costume, Carter se voltou para a esposa Rosalyn e lhe perguntou, numa altura que me permitisse ouvir: 'O que posso responder a uma pergunta tão justa quanto incômoda?' Ela afirmou, num tom muito tranquilo: 'Diga ao senhor cardeal de São Paulo que isso pode ter acontecido.' Para outros, a resposta poderia parecer evasiva. Para mim era a certeza do sim."

O gesto do presidente dos Estados Unidos irritou muito as autoridades militares.

"Desculpe, cardeal, mas o senhor terá que descer aqui", deve ter dito o presidente americano, ao sair do carro, e dom Paulo logo atrás... Ele deve ter imaginado que seria meio desagradável o presidente dos Estados Unidos chegar na base da escada do avião dele, com um dos principais opositores do regime ao seu lado e, ainda por cima, um cardeal!
Dom Paulo ficou por ali, e quem o recolheu foi um repórter, Marcelo Auler, que havia seguido a comitiva em seu fusquinha. Pela primeira vez, Marcelo conta como foi a experiência inédita de resgatar um cardeal na Base Aérea do Galeão!

Cercado por diversos jornalistas no final da manhã daquela sexta-feira, 31 de março de 1978, o cardeal de São Paulo, dom Paulo Evaristo Arns, confessava estar literalmente perdido: "Esperem, não sei onde estou. Preciso chegar ao aeroporto para pegar um voo de volta a São Paulo!".

Embora desorientado, perdido ele não estava. Nem longe do seu destino. Andava pela antiga ala de acesso à Base Aérea do Galeão, não tão distante do Aeroporto Internacional, que ainda não tinha sido batizado com o nome do compositor Tom Jobim, onde depois embarcaria.

Eu era apenas mais um dos repórteres que acompanharam a comitiva do presidente dos Estados Unidos, Jimmy Carter, naquele trajeto que surpreendeu a todos. Ele, depois de dispensar mais de meia hora de conversa a seis personalidades civis brasileiras[1], alguns deles que se destacavam na oposição ao governo militar, em um gesto que irritou ainda mais o presidente Ernesto Geisel, segurou pelo braço o cardeal Arns e o convidou a lhe acompanhar na limusine que transportaria a sua família à Base Aérea.

A maioria dos jornalistas estava curiosa para saber da conversa ocorrida no potente carro americano, entre a Casa da Gávea Pequena, no conhecido bairro do Alto da Boa Vista, e a Base Aérea, do outro lado da cidade. Uma "viagem" feita por um percurso mais longo, como se houvesse a preocupação de aumentar o tempo da conversa entre os dois.

Mas, ao descer da limusine presidencial, a preocupação de dom Paulo era apenas saber como chegaria ao aeroporto. Eu, então com meus 22 anos, repórter iniciante na revista *Manchete*, já tinha estado com dom Paulo meses antes, na sede da Cúria Metropolitana de São Paulo, quando, ao lado de Ziraldo, Jaguar, e de outros craques de *O Pasquim*, o entrevistamos por se destacar na luta contra a ditadura militar.

Foi respaldado nesse "conhecimento" e muito na minha ousadia pessoal que, de pronto, ofereci a dom Paulo a carona que ele precisava:

"O senhor querendo, o levo até o aeroporto".

Para isso, contava com o meu velho fusca, vermelho, ano 1976, cujas prestações ainda pagava mensalmente, com o qual eu acompanhei a comitiva do presidente dos Estados Unidos pelas ruas da cidade. Na pressa de encontrar o bispo, o carro foi deixado de qualquer jeito sobre a calçada que separava as pistas da estrada do Galeão, defronte da entrada da Base Aérea.

Por um instante vi a possibilidade de transportar o ilustre passageiro esvair-se. Foi quando uma colega jornalista da sucursal de *O Estado de S. Paulo* interpôs uma oferta aparentemente mais atraente. Para melhor acompanhar a comitiva, o jornal alugara um Ford Galaxie preto, com motorista, que facilmente era confundido como carro oficial.

Na véspera, inclusive, ao seguir a comitiva de Carter, após seu passeio de barco pela Baía de Guanabara, fui obrigado, pelos batedores, a dar passagem ao Galaxie preto com a risonha colega no banco de trás, como se fosse mais uma autoridade da comitiva.

"Dom Paulo, eu levo o senhor. Estou em um Galaxie, o carro dele é um fusca!", ouvi a oferta da "concorrente" que se tornou muito minha amiga ao longo do tempo. Ela, porém, dificilmente esperava ouvir a resposta do cardeal. Parecia que ele, como um dos líderes da Teologia da Libertação, estava ali renovando sua opção pelos pobres:

"Obrigado, mas eu prefiro o fusca!"

O mais curioso é que, no percurso entre a Base Aérea e o aeroporto, no qual não gastamos mais do que 15 minutos, nada se falou sobre o encontro com o presidente americano, cujo avião acaba-

1 Além do cardeal Arns, foram recebidos pelo presidente Carter, o cardeal Eugênio Salles, do Rio de Janeiro, o presidente da OAB, Raymundo Faoro, o presidente do BNDES, Marcos Viana, o empresário José Mindlin e o jornalista Júlio de Mesquita Neto, diretor do jornal *O Estado de S. Paulo*.

ra de decolar. O assunto predominante foram as novas ameaças que dom Adriano Hipólito, bispo do município de Nova Iguaçu, na Baixada Fluminense, vinha sofrendo. Ele, em setembro de 1976, foi vítima de um sequestro no qual o espancaram e depois o abandonaram despido e com o corpo pintado de vermelho em um matagal em Jacarepaguá, zona Oeste do Rio.

Dom Paulo me incentivou a entrevistar, para *O Pasquim*, seu colega, o que, por motivos diversos, acabei não fazendo e nem sei se chegou a acontecer.

Ficou na minha memória e na de pouquíssimos colegas a história do cardeal que desceu de uma limusine presidencial norte-americana para um Fusca 76, desprezando um Ford Galaxie. Um fato que cairia no total esquecimento, não fosse o Ricardo Carvalho tê-lo resgatado em seu recente livro *O Cardeal e o Repórter. Histórias que fazem História*, principal motivo de agora eu estar escrevendo pela primeira vez sobre o assunto.

Quinta-feira, 30 de março de 1978

"Não peço sua interferência, mas acredito que o

Os 23 desaparecidos que constam da lista enviada pelo cardeal

Esta é a lista de 23 desaparecidos que d. Paulo Evaristo Arns enviou à Jimmy Carter em 29 de outubro de 1977:

1 — RUBENS BEYRODT PAIVA, nascido em 26 de dezembro de 1929, filho de Jayme Almeida Paiva e de Aracy Beirodt Paiva. Engenheiro civil e deputado federal por São Paulo, eleito em 1962 e cassado em 1964. Preso em sua residência no Rio de Janeiro, em 20 de janeiro de 1971. Foi visto por testemunha nos dias 22 e 23 de janeiro de 1971 no DOI-CODI do I Exército.

2 — PAULO DE TARSO CELESTINO DA SILVA, nascido em 26 de maio de 1944 em

Maciel. Metalúrgico e ex-deputado estadual pela Guanabara. Preso no dia 03 de abril de 1974 em São Paulo e desde então desaparecido. Anteriormente fora preso por motivos políticos no período de 1970 até 1973, quando foi solto por falta de provas.

13 — LUIZ IGNÁCIO MARANHÃO FILHO, nascido em 25 de janeiro de 1921 em Natal — — Rio Grande do Norte, filho de Luiz Ignácio Maranhão e Maria Salomé de Carvalho Maranhão. Casado com Odete Rosseli Garcia Maranhão. Jornalista e advogado, professor da Universidade do Rio Grande do Norte. Preso no dia 03 de abril de, 1974 em São Paulo e desde en-

Há mais casos

Advogados ligados à Arquidiocese paulista continuaram suas pesquisas a respeito de pessoas desaparecidas devido ao seu suposto envolvimento político.

Estes são os 15 casos:

1 — VIRGILIO GOMES DA SILVA, operário. Desaparecido desde o dia 29 de setembro de 1969, em São Paulo.

2 — MARIO ALVES VIEIRA DE SOUZA, ex-deputado. Desaparecido entre os dias 14 e 16 de janeiro de 1970.

3 — JORGE LEAL GONÇALVES PEREIRA, nascido em Salvador, em 1938. Casado. Pai de quatro filhos. Engenheiro eletricista. Desaparecido desde outubro de 1970. Consta que foi visto por testemunhas no DOI-CODI do I Exército, no Rio de Janeiro.

4 — STUART EDGARD ANGEL JONES, estudante, desaparecido desde 14 de maio de 1971, no Rio de Janeiro.

5 — ALOISIO PALHANO, desaparecido desde maio de 1971, em São Paulo.

6 — LUIS DE ALMEIDA ARAUJO, desaparecido desde junho de 1971, em São Paulo.

7 — HELENI TELES GUARIBA, estudante, filha de Pascoina Alves Ferreira, desaparecida desde 13 de julho de 1971, no Rio de Janeiro.

8 — AYLTON ADALBERTO MORTATI, estudante de Direito do Mackenzie, Oficial do Exército. Desaparecido desde 4 de novembro

Por conta da visita de Carter, a *Folha de S.Paulo* acabou publicando, pela primeira vez na grande imprensa, uma lista checada de desaparecidos. Uma lista que foi montada nome a nome...

A história da lista. Tudo começou quando o pastor presbiteriano Jaime Wright (na foto com dom Paulo), grande amigo de dom Paulo que o chamava de “bispo-auxiliar”, tal a proximidade e o trabalho de Jaime em defesa dos Direitos Humanos, confidenciou ao jornalista Ricardo Carvalho, da *Folha de S.Paulo*, que o cardeal tinha enviado, em outubro, uma carta muito importante ao presidente dos Estados Unidos, Jimmy Carter. A conversa com Jaime foi em fevereiro de 1978, e, até a chegada de Carter ao Brasil, em 31 de março, o repórter não largou do pé do pastor, querendo saber o que tinha a carta. Quando descobriu que havia uma lista de desaparecidos políticos e nela dois norte-americanos, aí que Jaime Wright sentiu o que era ter um repórter na sua cola!

Para contar da missa apenas um terço, ou seja, para fazer a história curta, Jaime foi dando os nomes em conta-gotas, porque tinha certo receio de que dom Paulo pudesse não gostar de ver a lista nos jornais e, ao mesmo tempo, sabia que era importantíssima a sua publicação. O irmão dele, Paulo Wright, era um dos dois americanos citados. O outro era o Stuart Angel, filho da modista carioca Zuzu Angel, que morreu em um suspeito desastre de carro. O último nome da lista foi entregue um dia antes do prazo fatal para a publicação: 30 de março, véspera da chegada de Carter.

10 — NACIONAL | FOLHA DE S. PAULO | Quinta-feira, 30 de março de 1978

Para empresários, o caráter da visita é somente político

O presidente do Sindicato Nacional da Indústria de Componentes para Veículos Automotores (Sindipeças), Luís Eulálio Bueno Vidigal Filho, disse ontem que a vinda do presidente Jimmy Carter tem caráter bastante diferente das recentes viagens do presidente Geisel, cujos objetivos eram políticos e econômicos, inclusive com a participação de empresários. "Essa é uma viagem eminentemente política, sem implicações na área econômica", afirmou.

O caráter marcadamente político foi o motivo alegado por outros empresários que procuraram evitar comentários sobre as implicações da visita do presidente norte-americano. Mesmo a inclusão de um empresário paulista — José Mindlin, que ontem não se encontrava em São Paulo — entre as personalidades que serão recebidas amanhã por Carter, não era encarada como vinculação econômica da visita. "Ele vai receber um empresário junto com um cardeal; é uma reunião muito eclética", comentava um industrial, salientando ainda que todas as entrevistas de Carter, mesmo com o presidente do BNDE, Marcos Vianna, não têm caráter oficial.

GOVERNADOR ALEMÃO

O empresário Cláudio Bardella, também convidado para encontrar-se com Jimmy Carter, não pôde aceitar o convite, pois estará recebendo amanhã o governador do departamento alemão de Baden-Wurttenberg, Hans Filbinger. A visita do político alemão estava acertada há mais de um mês, e Bardella e Filbinger visitarão amanhã a Prensas Schuller, resultado de uma "joint-venture" entre a Bardella e o grupo alemão Schuller.

Sem Deixar Vestígios

Os encontros de Carter, amanhã, com setores da Oposição, no Rio

Um relatório privado de d. Paulo

Ricardo Carvalho

Ao se encontrar amanhã pela manhã no Rio com o presidente Jimmy Carter, o cardeal arcebispo de São Paulo, dom Paulo Evaristo Arns, fará entrega ao presidente de dois documentos, ambos relacionados com a questão dos Direitos Humanos. Isto, se o encontro dos dois não for privativo.

Caso dom Paulo tenha a chance de se encontrar a sós com Carter, como é o seu desejo, ele entregará apenas o documento já subscrito pelo cardeal Stephen Hwan Kim, da Coréia e pelo bispo Donal Lamont, que, ao lado de Carter e dom Paulo foram agraciados com o título de doutor "honoris causa" em Direitos Humanos pela Universidade norte-americana de Notre Dame. Neste documento, dom Paulo, dom Kim e dom Lamont se comprometem a continuar lutando pelos Direitos Humanos até que sejam vencidas as barreiras existentes em todo o mundo para a promoção destes direitos. Dom Paulo estaria pretendendo talvez, a adesão de Carter ao documento.

Ainda na hipótese de o encontro ser privativo (somente na hora é que se vai saber), dom Paulo deverá apenas fazer um relato verbal de suas preocupações com a Igreja que se identifica com os problemas do Terceiro Mundo. Levará consigo, entretanto, uma síntese por escrito, sobre o tema, caso não possa conversar a sós com Carter, pois, certamente se sentiria constrangido em tratar do assunto na presença dos outros convidados.

Estarão com Carter: dom Eugênio Salles, cardeal arcebispo do Rio de Janeiro, Raimundo Faoro, presidente da OAB, Marcos Viana, presidente do Banco Nacional do Desenvolvimento Econômico (BNDE), José Mindlin, diretor presidente da Indústria Metal Leve e Julio de Mesquita Neto, proprietário do jornal "O Estado de São Paulo".

ESVAZIAMENTO

Este encontro, reunindo todos os convidados ao mesmo tempo, chegou a desagradar os círculos eclesiásticos

O cardeal arcebispo dom Paulo Evaristo Arns reencontra o presidente Jimmy Carter.

Stuart Edgard Angel Jones

Paulo Stuart Wright

Até Kennedy interferiu por Paulo Wright

Em 21 de janeiro de 1974 o senador Edward Kennedy escreveu uma carta ao então secretário de Estado norte-americano, Henri Kissinger, afirmando que considerava Paulo Stuart Wright também com cidadania norte-americana, além de brasileira, esperando, por isso, "que a Embaixada (dos EUA no Brasil) possa interceder em seu favor junto ao governo brasileiro. A última informação — prossegue — é que ele foi preso em setembro (de 73) e visto por último na prisão da Operação Bandeirantes, em São Paulo. Eu apreciaria qualquer providência que fosse tomada".

Esta é apenas uma das cartas que senadores norte-americanos enviaram ao Departamento de Estado, pressionados por seus eleitores, solicitando informações a respeito de Wright.

O Departamento de Estado, a princípio, não admitia a cidadania norte-americana de Wright. Seu irmão, James Wright, pastor presbiteriano no Brasil, acabou viajando aos EUA e depois de conversar com juristas e consultar senadores, encontrou um caso semelhante votado pela Suprema Corte dos Estados Unidos. Paulo Wright teve, assim, a sua cidadania reconhecida até pelo Departamento de Estado, que chegou a pressionar o Itamarati para obter informações sobre Paulo.

James Wright conseguiu também no mesmo sentido, um parecer do professor Goffredo da Silva Telles.

EX-DEPUTADO

"Meu irmão sempre esteve, desde menino, preocupado

A *Folha* publicou, no dia 30 de março, uma página lindíssima com a foto de dom Paulo como que protegendo os dois norte-americanos desaparecidos e um texto cheio de detalhes. Na mesma noite, o repórter embarcou para o Rio – vôo das 20 horas – no Electra da Varig – quadrimotor com hélice – para a cobertura do dia seguinte. Se tudo tivesse sido combinado antes, não teria dado tão certo. Dom Paulo estava no mesmo voo, acompanhado do cônego Gandolfo. E qual não foi a surpresa do jornalista ao chegar perto do cardeal, e ele, sorrindo, perguntar: “Ricardo, como você conseguiu a lista de desaparecidos que a *Folha* publicou hoje?”.
Num primeiro momento, o repórter pensou que ele estivesse brincando e respondeu no mesmo tom: “Dom Paulo, só duas pessoas tinham conhecimento da existência da lista. Uma delas era o senhor...”. Foi a vez de ele ficar espantado e logo se recuperar, para uma risada franca e a certeza do repórter de que o pastor Jaime Wright não tinha consultado o cardeal sobre a divulgação da lista. Vai que o cardeal dissesse não. Aí ele não poderia desobedecer ao “chefe”. Sorte do repórter, da imprensa, do leitor e da democracia!

MUITOS ANOS DEPOIS...
Em 1996, Carter e Rosalyn fizeram uma visita de cortesia ao velho amigo cardeal, na própria Cúria Metropolitana.

48 De repente, a denúncia: tem preso político no manicômio!

A denúncia foi feita em 1978, durante a Semana de Direitos Humanos promovida pela Arquidiocese.

E quem abre o capítulo é quem fez a denúncia: o professor José de Souza Martins, da USP. O lavrador Aparecido Galdino, como preso político, ficou 8 anos no manicômio e conseguiu a proeza de não enlouquecer!

CONTA O PROFESSOR MARTINS:

Numa notícia de meia dúzia de linhas, num jornal de São Paulo, nos anos 1970, li que um trabalhador rural da região de Rubineia (SP) havia sido preso e processado por curandeirismo e acabara mandado para o Manicômio Judiciário pela Justiça Militar. Fora acusado de subversão política e terminara considerado louco pelo Tribunal de Exceção. Galdino era um preso político da ditadura, embora não pertencesse a partido e não tivesse ousado mais do que organizar um grupo religioso de roça. Pregava contra as barragens do Rio Grande, que impediam a piracema e a reprodução dos peixes e privavam de alimento os pobres da beira rio. Foi um precursor popular do ativismo ambientalista. Sem vínculos partidários, estava completamente desamparado. Ninguém se lembraria dele. Não entraria nas listas de presos políticos a serem defendidos pelos grupos que com eles se preocupavam. Mais tarde se saberia que fora o torturador oficial da polícia política, o delegado Fleury, quem tramara levá-lo à Justiça Militar e lá à condenação ao Manicômio, onde seria esquecido e passaria o resto da vida.

A oportunidade excepcional de expor seu caso publicamente surgiu quando dom Paulo me convidou para ser um dos expositores na Semana de Direitos Humanos da Arquidiocese, em dezembro de 1978. Naquela tarde, ele presidia a mesa, no Instituto Sedes Sapientiae, quando expus o caso de Galdino e disse que o hospício estava sendo usado como prisão política. Minha esperança era a de que a consciência coletiva incluísse o despolitizado e místico Galdino no rol dos presos políticos e na pauta dos movimentos que lutavam pelos direitos dos que o regime privara de liberdade. dom Paulo fez muito mais do que eu podia esperar. Pediu ao Dr. Mário Simas, da Comissão de Justiça e Paz, que assumisse o caso e tentasse a libertação de Galdino. O carisma de Dom Paulo foi a chave que abriu a cela do seu confinamento e o restituiu à vida depois de 9 anos e meio de prisão.

10 — 1.o caderno — NACIONAL FOLHA DE S. PAULO Domingo, 17 de dezembro de 19

Incurso na Lei de Segurança, o ex-líder messiânico Aparecido Galdino está há sete anos no Manicômio Judiciário

É a questão social caso de hospício?

RICARDO CARVALHO

A Comissão de Justiça e Paz de São Paulo entrega, esta semana, na Auditoria Militar, pedido de revisão do caso Aparecido Galdino Jacinto, ex-boiadeiro e ex-líder de uma comunidade religiosa, incurso em 1971 na Lei de Segurança Nacional e que se encontra, há sete anos, no Manicômio Judiciário de Franco da Rocha, cumprindo o que na linguagem jurídica se chama "medida de segurança". Ele foi considerado inimputável pelos psiquiatras que o examinaram na época e que o taxaram de "esquizofrênico paranóide". Será pedido também que Galdino seja reexaminado por uma junta de psiquiatras, a ser nomeada pela própria Comissão.

Essa possibilidade foi inclusive admitida pelo juiz da 1.ª Auditoria, José Paulo Paiva que, procurado pela imprensa, afirmou que "se alguma entidade, como a Anistia Internacional, solicitar o exame de Aparecido por médicos particulares, eu defiro imediatamente".

poderia deixar de ser, já que apenas o parecer do psiquiatra é que poderá tirá-lo de lá.

Ao saber que o cardeal de São Paulo havia se interessado por seu caso, Galdino, com sua voz carregada de homem do interior e um pouco emocionado, frisou que gostaria que dom Paulo fizesse alguma coisa por ele, "porque ele conhece a religião e eu sempre fui católico". Ao se despedir, como um avô, estendeu a mão e disse um terno "Deus te Abençoe". Pouco depois, sem que ele percebesse, os jornalistas puderam observar por alguns instantes o seu trabalho no refeitório: o almoço havia terminado e ele lavava e enxugava calmamente os talheres usados pelos funcionários. Mas a presença dos jornalistas logo chamou a atenção dos internos, que se excitaram imediatamente. Ao escutar a algazarra armada, Galdino virou-se para a porta e ao ver os jornalistas acenou um rápido cumprimento e abriu um discreto sorriso.

LIDER MESSIANICO

Os filhos Josenil e Jonil, a nora Maria Adinei e os netos Josenilda, Jercilene e Jonil (no colo) que não cônhecem o avô Galdino.

Os pareceres dos psiquiatras têm contradições grosseiras

A simples passagem de olhos sobre os pareceres psiquiátricos realizados no correr destes anos em Aparecido Galdino levam mesmo o leigo a perceber algumas contradições grosseiras. A primeira delas é que em todos os pareceres, Galdino tem bom comportamento, é tido como lúcido e ao final, afirmam os médicos que ele continua perigoso.

Os médicos falam muito em "vivência delirante", mas não explicam o que querem dizer com isso, que pode ter inúmeras interpretações. Um desses médicos chega a afirmar que o conteúdo do curso de pensamento de Galdino é "coerente e ilógico" e novamente não explica o que quer dizer.

Em nenhum momento é levado em consideração pelos psiquiatras e contexto social do qual Galdino foi

um produto. No parecer de 197 por exemplo, o médico diz que " internado teve críticas com cert lógica, embora sua conclusão sej falha". Na verdade, a conclus aludida não é falha. Galdino (e nã se pode perder isto de vista) te (ou tinha) seus próprios valores.

Um outro médico afirma que "h déficit do senso de crítica, be como de afetividade". Logo a s guir diz que Galdino "vem send submetido a tratamento por me de neurolépticos". Ocorre que esse neurolépticos são tranquilizante fortíssimos, que deixam as pessoa dopadas e sem muito interess pelas coisas. E isto não é explicad no parecer.

Transcrevemos a seguir pareceres realizados de 73 para c cujas cópias foram fornecidas pel Auditoria Militar de São Paulo.

1973

Parecer psiquiátrico de 28 de setembro de 1973 e assinado pelos médicos Clodoveu de Oliveira Dias

um exército de salvação para salvar o povo". Nega e não constatamos alterações sensoperceptivas

Com a publicação da primeira matéria em 17 de dezembro de 1978, a *Folha de S.Paulo* assumiu o caso e foi atrás da notícia até a libertação do Galdino.

Domingo, 31 de dezembro de 1978 FOLHA DE S. PAULO

Galdino pode ser libertado

Psiquiatras acreditam que não é o caso de manter o ex-líder messiânico internado

RICARDO CARVALHO

O lugar do ex-líder messiânico Aparecido Galdino Jacinto, incurso na Lei de Segurança Nacional, não é no Manicômio Judiciário, onde se encontra desde 1972, cumprindo medida de segurança por ter sido considerado "esquizofrênico-paranóide", e portanto inimputável, pelos psiquiatras que o examinaram na época. Mesmo que Galdino seja "esquizofrênico", o que é discutível, ele deveria estar ao lado da família, em tratamento ambulatorial, como é orientação da Organização Mundial de Saúde.

Esta é a opinião dos peritos oficiais da Coordenadoria de Saúde Mental da Secretaria da Saúde, psiquiatras José Roberto Paiva e Richard van Curtis que, em entrevista exclusiva à "Folha", discutem

tiga lei de Segurança, no qual Galdino foi incurso, prevê pena de reclusão de 3 a 8 anos para quem "constituir filiar-se ou manter organização de tipo militar, de qualquer forma ou natureza, armada ou não, com ou sem fardamento, com finalidade combativa").

Reforçando a tese de que o contexto social tem sempre de ser levado em conta, o outro perito, José Roberto Paiva, afirma que "para nós, que vivemos em mundo diferente do de Galdino, pode realmente parecer uma loucura montar um "Exército Divino", mas na realidade, esta atitude é coerente com o contexto daquela comunidade, porque a formação deste "Exército" poderia ser a única forma, diante dos valores daquela gente, de convencê-los a defender as terras amea-

Os psiquiatras José Roberto Paiva e Richard van Curtis são peritos oficiais da Coordenadoria de Saúde Mental do Estado.

suposto de que quem já teve

realmente examinado, mas

sua "periculosidade" é so-

O caso chega a dom Paulo que, através da Comissão Justiça e Paz, convoca os dois médicos psiquiatras peritos do Estado para examinar Galdino. Os peritos José Roberto Paiva e Richard van Curtis emitem laudo que começa a tirar o lavrador do manicômio...

Quatro meses depois da primeira matéria sobre o drama que estava vivendo, Galdino deixa o portão de ferro do Juqueri e dá o primeiro passo em direção à sua liberdade.

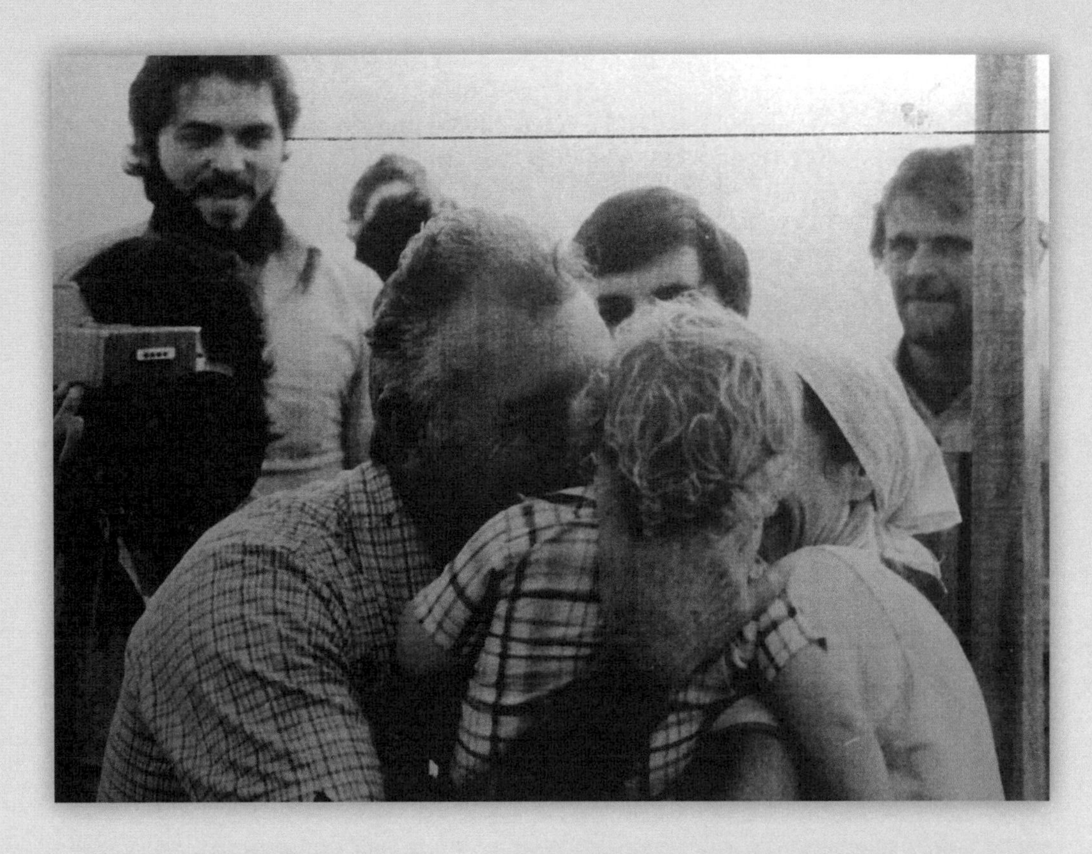

A primeira coisa que ele fez foi conhecer o netinho, filho do Jonil, que havia se mudado para Franco da Rocha para ficar mais perto do pai.

Os jornalistas foram junto e viram o filho do Galdino trazer na gaiola um passarinho que ele prometeu libertar quando o pai saísse do manicômio. Galdino segura o bichinho com as duas mãos e dá um leve impulso para ele começar a voar. Preso há muitos anos, o passarinho acaba indo direto ao chão, como um avião caindo em parafuso. Calmamente, Galdino o devolveu à gaiola e profetizou: "Como eu, ele vai ter que reaprender a voar...".

49 “Os torturadores devem responder pelos crimes que cometeram”, afirma dom Paulo

Sabe quando ele disse isso? Em julho de 1979, um mês antes da Anistia do governo militar...

A Praça da Sé foi um dos principais palcos do movimento pela Anistia, com a pombinha apoiada na faixa do movimento, que virou manchete no Brasil inteiro.

Álbum de retratos da luta pela Anistia

O SÃO PAULO

Bispos se manifestam sobre a anistia do governo

“Precisamos anistiar o medo do povo”

Capa de *O São Paulo* com a frase de dom Paulo que atravessou o túnel do tempo e se encaixaria perfeitamente nas discussões sobre a Comissão da Verdade, em 2013...
Através das páginas de *O São Paulo*, a arquidiocese foi fundo no debate sobre a Anistia e, com certeza, gostaria que ela tivesse sido mais ampla e mais irrestrita.

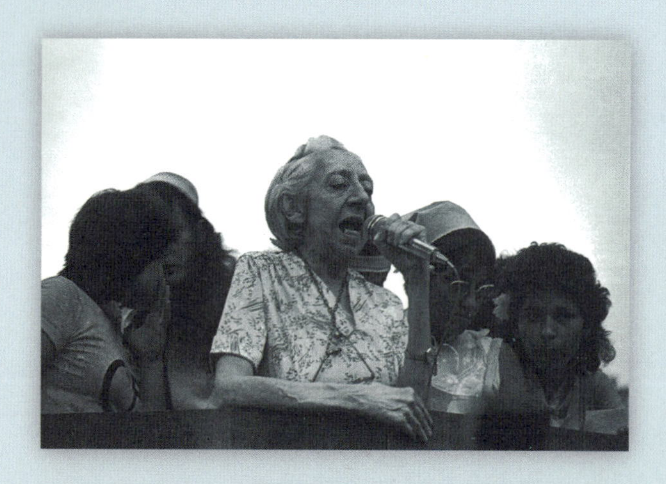

Em 1978 e sob enorme pressão da polícia, madre Cristina (foto) realiza, no Sedes Sapientiae, o primeiro Congresso Brasileiro de Anistia, reunindo familiares de presos e desaparecidos do país inteiro.

Decretada a Anistia, o país viveu a festa dos retornados, como o educador Paulo Freire.

Como era de se esperar, a campanha pela Anistia mobilizou as ruas, as mulheres, os artistas e invadiu também as cadeias de presos políticos, que não deixaram de se manifestar... pela janela da cela, com faixa e tudo.

50 Para os exilados brasileiros no exterior, a entrada em cena de dom Paulo virou um ponto de referência

QUEM CONTA COMO ISSO ACONTECEU É O PESQUISADOR JOSÉ LUIZ DEL ROIO, QUE VIVEU 15 ANOS NO EXÍLIO.

OS TRÊS DIAS QUE ABALARAM A CÚRIA DE SÃO PAULO

Fazia poucas semanas que eu estava na Europa. As notícias do Brasil eram escassas, e as preocupações, muito grandes. As prisões continuavam a ser abarrotadas, a tortura como método de governo chegava a níveis horripilantes, os assassinados políticos se sucediam, a censura à imprensa era total.

Procurava-se ler tudo que era publicado sobre o assunto, o que não era muito. Buscando jornais escritos em idiomas que pouco se dominava, indo nas bibliotecas, já que o dinheiro para comprá-los não existia.

No dia 21 de outubro de 1970, o papa Paulo VI, durante uma audiência pública, havia condenado duramente o uso pelo Estado brasileiro do instrumento da tortura. O grupo de exiliados com o qual eu tinha contato ficou feliz. Quem sabe isso ajudaria a diminuir os tormentos de tantos patriotas nas masmorras e evitar algumas mortes.

Porém, no dia 22 de outubro, o então prestigioso jornal francês "*Le Monde*" publicava uma notícia estarrecedora. O cardeal-arcebispo de São Paulo, dom Agnelo Rossi, voltava de Roma, onde havia discutido com o papa a situação brasileira e realizou uma roda de imprensa com várias declarações. Entre elas dizia que o papa "*(...) apreciava os esforços realizados pelo Presidente da República e os outros membros do governo para conduzir o Brasil no caminho do desenvolvimento, lutando contra a subversão e tentando rebater a intensa campanha de difamação que é conduzida injustamente contra o Brasil no exterior*".

Ducha de água fria, depois das esperanças do dia anterior. O comando da Igreja Católica Romana na minha cidade de São Paulo continuava a se alinhar com os desmandos da ditadura.

Passou-se mais um dia, apenas um dia. Eis que o quotidiano italiano de área católica, "*Il Giorno*", mostra o artigo de um vaticanista famoso Giancarlo Zizola, com o título: '*Fulminante decisão de Paulo VI – Substituído o Cardeal brasileiro pro-generais*.

O texto explicava que o próprio Paulo VI e o

cardeal Villot haviam dialogado com dom Agnelo Rossi censurando sua posição de apoio à ditadura e exigindo mudança de conduta. Como se viu, ele persistiu no erro. Assim sendo, poucas horas depois de suas declarações em São Paulo, dom Agnelo foi "promovido" a outro cargo, fora do Brasil.

Mas o interessante é o que o jornalista Zizola escreveu sobre o seu substituto. "O jovem clero obviamente ficou alegre com a notícia: e ainda mais ao saber que, para suceder dom Rossi, o papa chamou um franciscano de 48 anos dom Paulo Evaristo Arns, bispo auxiliar de São Paulo. Entre os bispos brasileiros é aquele que mais segue o espírito de dom Helder Câmara, na pobreza, no contato com os operários, em um dos bairros mais populares da cidade. É um daqueles homens que ajudaram a vencer na Conferência Nacional dos Bispos do Brasil aquela linha crítica e empenhada, que antes parecia pertencer apenas a uma minoria marginalizada (...)".

Novas alegrias entre os exilados, com qualquer perplexidade. Quem é exatamente este "alemão" chamado Arns?

Mas ele, o "alemão", seria conhecido cada dia mais, até que sua Cúria se transformaria para os núcleos de brasileiros espalhados por muitos países num ponto de referência importante. De lá chegavam informações para alimentar as campanhas de denúncias das inúmeras violações dos Direitos Humanos. Serviu de apoio às famílias que se preocupavam com os seus perseguidos ou encarcerados. Ou mesmo de consolo para aqueles que tinham seus entes queridos assassinados ou "desaparecidos". Intensos foram os contatos realizados por sacerdotes, freiras e leigos com os então "desterrados". Ajudaram, como um moderno Cirineu, a carregar o fardo pesado.

Dom Paulo Evaristo Arns foi um iluminado pelo Espírito, digno filho do grande e ao mesmo tempo frágil Francisco de Assis e enobreceu a sua Igreja.

Agosto de 2013

CHICO WITHAKER, OUTRO EXILADO, FALA SOBRE O APOIO DE DOM PAULO, NO EXTERIOR, À FORMAÇÃO DO TRIBUNAL INTERNACIONAL DE DIREITOS HUMANOS

O telefone tocou na casa em que moravam minhas filhas, num subúrbio de Paris:

– Bom dia, é a filha do Chico?

– Sim, é a Clara, filha dele. Quem é?

– Um amigo do seu pai, do Brasil. E como está sua irmã Celina?

– Está bem... Mas quem é que está falando?

– Um amigo do seu pai.

– Mas qual é o seu nome?

– Dom Paulo. O bispo de São Paulo.

– Nossa! É verdade? Mas por que não disse antes? Que honra!

Era bem o estilo de dom Paulo. Simplicidade e carinho com as pessoas. Stella e eu trabalhávamos havia alguns meses no Secretariado de Pastoral da Arquidiocese, onde ele nos acolhera à nossa volta do exílio. Ele gostava de nós e de cada um que protegera da repressão, dentro e fora do Brasil, como quando se levantou contra a tortura dos presos políticos no Brasil, ou quando abrigou na Cúria Arquidiocesana o Alto Comissariado das Nações Unidas para os Refugiados (ACNUR) e o Comitê de Defesa dos Direitos Humanos no Cone Sul (CLAMOR), que davam assistência aos perseguidos pelos regimes militares da Argentina, do Uruguai e do Chile.

Nada mais natural, portanto, que, numa viagem que fez a Paris, quisesse dar um apoio às nossas filhas que tinham ficado por lá, estudando na universidade. Tinham voltado conosco, alguns meses antes, Silvia e João, nossos dois filhos menores, que ainda cursavam o colegial.

Eu não tinha conhecido dom Paulo enquanto estava no Brasil, antes de "ter que sair" para o exterior, em fins de 1966. Mas quem estava fora – no nosso caso, na França, no Chile e depois na França de novo – recebia sempre notícias do que ele fazia por aqui. Ele era daquela Igreja que enfrentava os militares, apesar de eles procurarem intimidá-la, humilhando bispos mais críticos, como quando, por exemplo, detiveram e pintaram de vermelho dom Adriano, de Nova Iguaçu, ou quando prendiam e torturavam militantes de movimentos e agentes de pastoral, e até os matavam, como fizeram em Recife com um dos padres que auxiliavam dom Helder. Por isso mesmo a coragem e a firmeza de dom Paulo perante a ditadura era para nós um exemplo e um estímulo.

Os exilados que tinham a possibilidade de vê-lo quando viajava para o exterior tratavam de não perder as oportunidades que se ofereciam para se alimentar com a esperança e a confiança que ele trazia, contando como as coisas se passavam e que perspectivas se abriam. Eram muito ouvidos, lá fora, os testemunhos de bispos como dom Paulo e dom Helder – que se chamavam entre eles de "tio" e "sobrinho", companheiros da mesma resistência.

Nesse aspecto, Stella e eu fomos particularmente privilegiados, pelas nossas circunstâncias de vida na última fase de nosso exílio. Ao voltar do Chile para a França, depois do golpe de Pinochet, trabalhamos num projeto internacional que a Conferência Nacional dos Bispos do Brasil lançara, visando levar para o exterior as denúncias da Igreja, não somente quanto à repressão política, mas também quanto às condições de vida do povo. Éramos encarregados do escritório desse projeto na França, como contraparte no exterior do escritório de que era encarregado no Brasil o padre Virgílio Leite Uchoa, subsecretário-geral da CNBB.

Esse projeto tinha sido aprovado pela Assembleia Geral da CNBB de 1974, por proposta de outro bispo corajoso, dom Cândido Padim – que em 1973 publicara um texto condenando a Doutrina da Segurança Nacional. A proposta, que contara com o evidente apoio de bispos como dom Paulo, consistia em organizar um Tribunal Internacional de Direitos Humanos – nos moldes do Tribunal Russel. Embora ela devesse, obviamente, tratar também do que se passava por aqui, suas sessões realizar-se-iam no exterior, já que não se podia nem de longe cogitar disso no Brasil.

Depois de consultas feitas por dom Cândido na Europa, o projeto de Tribunal transformou-se em um processo de intercomunicação de experiências de luta contra os diferentes tipos de dominação, em todo o mundo. Solicitava-se àqueles que participavam dessas experiências que as relatassem em pequenos textos. Traduzidos em quatro línguas (português, espanhol, francês e inglês), eles eram enviados como "impressos" (ainda não se contava com a Internet...) a grupos e a comunidades que resistiam a algum tipo de opressão, nos diferentes países – inclusive, evidentemente, o Brasil. Ao final do processo – previsto para durar dois anos –, seria realizado um grande encontro internacional. O longo nome do projeto nunca foi reduzido a uma sigla – para que não se perdessem os recados que continha: Jornadas Internacionais por uma Sociedade Superando as Dominações.

Obviamente, menos de um ano depois, Roma reagiu a essa iniciativa "indevidamente" autônoma de uma Conferência Episcopal nacional – embora cinco outras Conferências episcopais a apoiassem, assim como a Comissão Internacional de Juristas, entidade voltada para a defesa dos Direitos Humanos, sediada na Suíça. Uma "comitiva" do Vaticano, chefiada pelo presidente da Comissão Pontifícia Justiça e Paz, desembarcou no Brasil, para discutir com a direção da CNBB como "parar" esse projeto – especialmente depois que surgiu um texto cutado em Puebla".

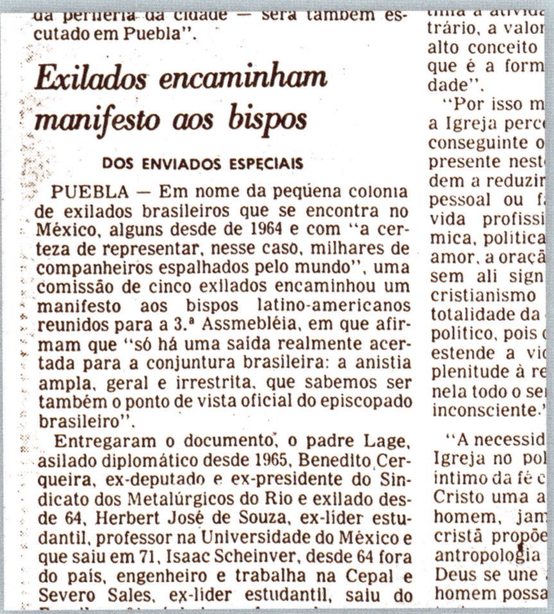

Exilados encaminham manifesto aos bispos

DOS ENVIADOS ESPECIAIS

PUEBLA — Em nome da pequena colonia de exilados brasileiros que se encontra no México, alguns desde de 1964 e com "a certeza de representar, nesse caso, milhares de companheiros espalhados pelo mundo", uma comissão de cinco exilados encaminhou um manifesto aos bispos latino-americanos reunidos para a 3.ª Assmebléia, em que afirmam que "só há uma saida realmente acertada para a conjuntura brasileira: a anistia ampla, geral e irrestrita, que sabemos ser também o ponto de vista oficial do episcopado brasileiro".

Entregaram o documento, o padre Lage, asilado diplomático desde 1965, Benedito Cerqueira, ex-deputado e ex-presidente do Sindicato dos Metalúrgicos do Rio e exilado desde 64, Herbert José de Souza, ex-lider estudantil, professor na Universidade do México e que saiu em 71, Isaac Scheinver, desde 64 fora do pais, engenheiro e trabalha na Cepal e Severo Sales, ex-lider estudantil, saiu do

Durante o encontro de Puebla, no México, em 1979, exilados brasileiros entregaram documento aos bispos latino-americanos defendendo a Anistia ampla, geral e irrestrita no Brasil.

que contava como as mulheres eram "dominadas" na Igreja...

Mas aqui a comitiva encontrou também os presidentes de três das Conferências Episcopais que patrocinavam o projeto com a CNBB e que vieram apoiar seus colegas brasileiros. A solução conciliatória foi desistir da realização do encontro internacional, mas continuar o processo de publicação e envio de textos durante o tempo restante previsto e apresentá-los ao final sob forma de livro, nas quatro línguas com que se trabalhava.

Mas, depois de feita a publicação prevista, um grupo de 25 bispos brasileiros – entre os quais, evidentemente, dom Paulo – decidiu que o projeto devia continuar, estimulando sempre mais a "intercomunicação" de experiências. Essa se revelara extremamente útil para alimentar a esperança dos que lutavam pela justiça – no Brasil como pelo mundo afora – assim como para expandir uma visão de Igreja mais coerente com os resultados do Concilio do Vaticano II.

Ora, todo esse processo acabou por transformar nosso escritório na França em um "consulado" à disposição dos dispos que não eram bem vistos no Consulado oficial... Éramos continuamente visitados, como, por exemplo, por dom Cláudio Hummes, que nos relatou sua emocionante presença no 1º de Maio de 1980 do Estádio da Vila Euclides...

No meu caso e no de Stella, nós tivemos também a sorte de morar em Orsay, nos arredores de Paris, onde existe um convento franciscano, cujo prior fora colega de dom Paulo e o acompanhara quando ele se doutorou na Sorbonne, em 1952, com uma tese sobre *La Technique du livre d'après Saint Jerome*.

Assim, essa relação facilitou sua ida à minha casa, onde também encontrou outros exilados brasileiros ligados à Igreja. E de onde uma vez cometemos a imprudência de levá-lo ao aeroporto, a caminho de Roma, com um tempo suficiente nos hábitos brasileiros mas curto demais para os hábitos alemães com que dom Paulo foi formado. E quase o fizemos perder seu voo... Mas foi numa dessas visitas que, discutindo conosco nossas perspectivas de volta ao Brasil, ele nos abriu a possibilidade de trabalharmos na Arquidiocese.

Já aqui, participando, como membros do Secretariado de Pastoral, das reuniões mensais de dom Paulo com seus bispos-auxiliares, numa prática concreta de colegialidade no governo da Arquidiocese, aprendemos muito com suas atitudes sempre questionadoras; como quando nos aconselhou, ao nos encarregar de acompanhar a visita à nossa cidade do Cardeal Lustiger, então arcebispo de Paris, que o ajudássemos a "pisar no barro". A realidade da pobreza e da desigualdade social no Brasil e a necessidade de das pessoas tomarem consciência disso e se tornarem agentes da mudança, são de fato suas maiores preocupações.

Setembro de 2013

51 Vergonha! O Prêmio Nobel da Paz é preso, em São Paulo, pelo DOPS

O argentino Perez Esquivel, Prêmio Nobel da Paz, é preso pelo DOPS pouco antes de fazer uma palestra a convite da Pastoral dos Direitos Humanos.

E foi nesta "viatura" – um Fiat 147 – que levaram Esquivel para a sede da PF, no centro da cidade, pertinho do Largo do Paissandu. No banco de trás, Esquivel espremido na janela. Ao lado, o grandalhão José Gregori tentava se ajeitar, enquanto, na frente, os dois agentes disputavam o único banco disponível...

Quando o Prêmio Nobel da Paz de 1980, o argentino Perez Esquivel, estava chegando ao Colégio Sion, no bairro de Higienópolis, em São Paulo, para uma palestra, ele foi abordado por dois homens fortes e com cara de polícia. E eram mesmo da polícia, a Dederal.

Só que a policia não deu, vamos dizer, muita sorte, porque, naquele exato momento, estavam chegando também dois outros grandalhões, o presidente da Comissão Justiça e Paz, advogado José Gregori, e o presidente da ABI/SP, o jornalista Ricardo Carvalho.

A policia não deu muita sorte, porque o que seria uma prisão relativamente tranquila, tornou-se um fuzuê dos diabos, com licença da palavra. É que Gregori e Ricardo seguraram o Prêmio Nobel por um braço, e os dois policiais ficaram puxando Esquivel pelo outro braço. Gritando, Ricardo tentava convencer os policiais que prender um Prêmio Nobel da Paz era uma vergonha internacional. Mas de nada adiantou.

As coisas ficaram combinadas assim: Gregori acompanhava Esquivel à Polícia Federal e Ricardo correria para colocar a boca no trombone na sede da *Folha de S.Paulo*, onde estava sendo realizado um culto ecumênico pelos 60 anos do jornal e com a presença de A a Z da sociedade civil brasileira, como mostra a foto acima. Na primeira fila, à direita, enquanto dom Paulo usava a palavra, escutavam o deputado federal Nelson Marchesan, o senador Jarbas Passarinho e, ao lado dele, de braços cruzados, Barbosa Lima Sobrinho, presidente nacional da ABI.

Ricardo chegou pé-ante-pé e cochichou a prisão de Esquivel no ouvido de Barbosa Lima e, logo em seguida, no de dom Paulo, que tinha acabado de falar. Dom Paulo se virou e com os olhos meio arregalados gritou, baixinho: "Mas não é possível!"

O buchicho já tinha se alastrado entre os convidados, e todos aguardaram apenas o final da solenidade. E todos foram para a porta da Polícia Federal, que já estava coalhada de jornalistas.

Imagine agora o susto do porteiro da Polícia Federal ao se deparar com aquela pequena multidão na porta de vidro. Fazendo gestos que queria entrar, o senador Passarinho, tendo ao lado o sociólogo Fernando Henrique, que se elegeria presidente do Brasil 14 anos depois... Apenas Jarbas Passarinho entrou.

Livre, Esquivel pôde, enfim, cumprir a sua agenda de visitas ao interior do Estado, conhecendo comunidades eclesiais de base: ele aproveitou para dar um pulinho na Assembleia Geral da CNBB para encontrar amigos de mesma linha política, como dom Helder Câmara, dom Pedro Casaldáliga e o próprio dom Paulo.

Uma hora e meia depois da confusão armada, Esquivel deixou o prédio da PF ao lado de José Gregori e foi recepcionado pessoalmente pelo cardeal arcebispo de São Paulo, observado pelo deputado Fernando Morais e pelo jornalista Carlos Monforte, da Rede Globo.

Ele teve tempo também de almoçar com Lula, na casa do presidente da ABI.

52 “O senhor veio nos soltar?”, pergunta o líder sindical, preso no DOPS. “Não... eu também estou preso”, responde o advogado Dalmo Dallari, ex-presidente da Comissão Justiça e Paz

O sindicalista tinha certeza de que dom Paulo havia mandado o advogado para soltar os presos.

QUEM CONTA A HISTÓRIA É A REPÓRTER MÔNICA DALLARI, FILHA DO ADVOGADO.

Meu pai, Dalmo Dallari, foi preso no dia 19 de abril de 1980, um sábado em meio ao feriado prolongado de Tiradentes. A campainha tocou às 6h30 da manhã. Quatro policiais armados, vestidos à paisana, mandaram que minha irmã Martha o acordasse imediatamente. Nesse meio tempo, invadiram a nossa casa. ‘Nós somos da Polícia e viemos convidá-lo a nos acompanhar’. Não havia mandado de prisão. Detido, pediu a Martha que avisasse alguns amigos e mantivesse a calma. O país vivia um clima de grande apreensão política. A rápida divulgação da prisão do ex-presidente da Comissão Justiça e Paz era fundamental.

A greve dos metalúrgicos no ABC entrava no 19° dia com a adesão de 90% dos 142 mil metalúrgicos da região. A paralisação da área mais industrializada do país adquirira caráter político sem precedentes e tornara-se símbolo do desafio à ditadura militar. Os empresários não cediam. Dois dias antes, o governo decretara intervenção nos sindicatos de São Bernardo e de Santo André. O apoio decidido de dom Paulo Evaristo Arns ao movimento e a atuação do bispo-auxiliar de Santo André, dom Cláudio Hummes, foram imprescindíveis na proteção aos metalúrgicos.

Surpreendentemente, enquanto meu pai era conduzido ao DEOPS, outras 14 prisões ocorriam, a maioria de sindicalistas. Em São Bernardo, oito homens armados chegaram à casa do presidente afastado do Sindicato dos Metalúrgicos de São Bernardo do Campo e Diadema após a intervenção do governo, Luiz Inácio Lula da Silva, às 6h30. Ao ser acordado por frei Betto com a notícia de que seria preso, reagiu tranquilo. Já esperava pelo desfecho. O pânico veio depois, no caminho para São Paulo pela via Anchieta. De dentro da veraneio, a forte cerração dificultava a visão. ‘Se esses caras cismarem de fazer alguma coisa comigo, ninguém tá vendo’. O medo durou dez minutos. Passou apenas quando Lula ouviu no noticiário do carro dom Paulo denunciando a prisão. Ele respirou aliviado.

Dom Paulo estava em Piracicaba. Assim que Lula foi preso, frei Betto o avisou. Em seguida, o cardeal recebeu a notícia da prisão de meu pai pelo presidente da Comissão Justiça e Paz, José Carlos Dias, que se dirigia ao escritório para preparar um *habeas corpus*. Mas não houve tempo. Ao sair de casa, José Carlos também acabou detido. A Justiça e Paz, a pedido de dom Paulo, atuava na busca de diálogo entre empresários, governo e trabalhadores. Antes de retornar a São Paulo, o cardeal recomendou a José Gregori, vice-presidente da comissão, que acompanhasse tudo de perto. Considerava importante denunciar as prisões para constranger o regime. A repercussão surpreendeu o governo.

No DEOPS, meu pai foi levado para uma sala onde os outros presos se encontravam. Ao vê-lo, o tesoureiro do sindicato de São Bernardo, Djalma de Souza Bom, comentou com Lula: 'Companheiro, o professor Dalmo Dallari está aqui no DEOPS e não vai demorar muito tempo para nós estarmos em casa'. Ele ouvira uma entrevista de meu pai argumentando a inconstitucionalidade da intervenção nos sindicatos. Tinha a certeza de que ele estava lá para soltá-los a pedido de dom Paulo. A recepção foi festiva. Djalma cumprimentou meu pai. 'Que bom, o nosso advogado chegou. Quer dizer que a gente vai ser liberado?' Ledo engano. 'Eu também estou preso', lamentou meu pai, provocando risos.

Naquela manhã, o delegado Edsel Magnotti chefiava o DEOPS interinamente. O diretor-geral Romeu Tuma desapareceu. Meu pai questionou o delegado sobre o motivo de sua prisão. Magnotti não sabia, nem tinha ideia de qual instância partira a ordem. Exigiu, então, ser solto. O delegado não se intimidou. A polícia prendia quem e quando quisesse. Envolvido em tortura e morte de presos e desaparecidos políticos durante a repressão, Magnotti atuava nos porões da ditadura em parceria com o delegado Sérgio Paranhos Fleury, seu antecessor na Divisão de Ordem Social do DEOPS. Suas práticas nunca o abandonaram.

Reunidos na casa de dom Paulo, os bispos paulistas emitiram comunicado condenando "a forma violenta de encaminhar os problemas sociais". No meio da tarde, meu pai e José Carlos Dias foram soltos. No mesmo dia, o ministro da Justiça, Ibrahim Abi-Ackel, declarou que as prisões do presidente e do ex-presidente da Comissão Justiça e Paz constituíram 'erro de execução'. A ordem partira do comandante do II Exército, general Milton Tavares de Souza, responsável pela operação conjunta envolvendo agentes do DEOPS, da Polícia Federal e do DOI-CODI. No documento denominado 'Análise da Situação da Subversão no Brasil em 1979', produzido pelo Ministério do Exército, o apoio de dom Paulo ao movimento é visto como uma forma de colocar a maior Arquidiocese do país contra o regime.

Na segunda-feira, 21, apesar do clima de apreensão, o cardeal celebrou um emocionante Ato Litúrgico na Catedral da Sé para sete mil pessoas. O apelo de dom Paulo aos empresários durante a homilia encorajou os metalúrgicos. 'Sentem-se novamente à mesa para negociar com os operários, em nível de igualdade, para que não haja vencedores nem vencidos, e os trabalhadores possam voltar ao trabalho no mais breve espaço possível'. Mas alertou os trabalhadores. 'É o momento da consciência operária se manifestar com liberdade, sem extremismos. A Igreja lhes pede que continuem a manter o clima de não violência, que é o fundamento da paz social.' No dia de Tiradentes, recordou o Inconfidente mineiro. 'Pela liberdade pregada por esse mártir, decisiva para cada homem e para cada nação, é que formulo o apelo à reconciliação, ao diálogo e ao compromisso, com honra e respeito'. E conclui com um pedido ao governo: 'Soltem o quanto antes os líderes operários'. Os aplausos entusiasmados da multidão interromperam 13 vezes dom Paulo.

Lula e oito sindicalistas ficaram presos 31 dias no DEOPS. O cardeal os visitou diversas vezes. Diante da reclamação da péssima qualidade da alimentação, pediu às irmãs moradoras nas proximidades do cárcere que enviassem diariamente comida aos prisioneiros. A greve durou 41 dias. Lula foi solto no dia 20 de maio e condenado em primeira instância a três anos e meio de prisão, com base na Lei de Segurança Nacional. Em 1981, recorreu ao Superior Tribunal Militar e foi absolvido.

53 Eles bem que tentaram intimidar o cardeal...

E, junto, a sua turma de bispos, padres e freiras.

Chamaram dom Paulo de tudo: anticristo, homossexual, satanás, comunista, arrependido, mau brasileiro... A repressão teve a pachorra de fazer um exemplar falso de *O São Paulo*. Até o respeitado colunista político Castello Branco se deixou envolver e taxou o cardeal de subversivo. Sem contar a agressividade de alguns militares, um general inclusive. Teve até um atentado na República Dominicana.

Vamos começar com o exemplar falso de *O São Paulo*.

Logo que assumiu como bispo-auxiliar, na zona norte de São Paulo (1966), onde ficavam a maioria dos presídios, dom Paulo passou seguidamente a visitar os presos comuns e tomou conhecimento de um mundo de horrores e abandono...

Até que ele soube que havia chegado no presídio feminino a irmã Maurina Borges da Silveira, da ordem das franciscanas. Ela havia sido presa em Ribeirão Preto, em 1969, acusada de terrorista e foi barbaramente torturada. Esse foi o primeiro contato de dom Paulo com presos políticos, o que acabou acelerando a sua dedicação a eles.

Em suas memórias, dom Paulo conta como foi: *Um dia me avisaram que a irmã Maurina Borges havia chegado ao presídio feminino como presa política e iria assistir à minha celebração da eucaristia no dia seguinte. Através dela fiquei sabendo não só das torturas praticadas pela polícia em Ribeirão Preto, mas também do ato de excomunhão lançado sobre os autores dos crimes por meu amigo e arcebispo daquela arquidiocese, dom Felício Vasconcelos, meu antigo professor franciscano.*

Subversão Crescente na Igreja
Página 3

O SÃO PAULO

SEMANARIO
Número avulso 50,00
Número atrasado 70,00
Semestral 2.000,00
Assinatura Anual 3.000,00

Semana de 20 a 26 de agosto de 1982 — Número Especial — ANO XXVI

encontro com o Pastor

Um exame de consciência

Paulo Evaristo, CARDEAL ARNS

«MEA CULPA»

O Cardeal Arcebispo de São Paulo, Dom Paulo Evaristo Arns, em visita à redação deste semanário, fez entrega de uma mensagem que representa um verdadeiro grito de alerta ao povo brasileiro.

Acompanhado de D. Angélico Sândalo Bernardino e do Pe. Ismael Martignagno, respectivamente Diretor e Redator Chefe de "O São Paulo", o cardeal Arns reuniu representantes do Conselho Editorial, da Redação e alguns colaboradores para apresentar novas diretrizes de atuação para a Arquidiocese de São Paulo.

— Minha mensagem representa

gam, excluem-se deliberadamente do rebanho, levados por nossos erros e omissões".

Com a voz embargada, continuou D. Paulo: —"Precisamos fixar normas para uma atualizada pastoral de conjunto na Arquidiocese, expurgando da Igreja as mesquinharias dos homens que a conduzem, para elevarmos nela a grandeza infinita do Cristo que a estabeleceu.

A Arquidiocese de São Paulo não pode mais escolher para assessorá-la entidades integradas e orientadas por notórios marxistas e estruturalistas que surgiram num contexto de interpretação histórica sob o

São Paulo, de 4 a 10 de fevereiro de 1983 — O SÃO PAULO — Página 5

Padre sequestrado por ter feito denúncia

A orquestração de ataques e infâmias contra a Igreja persiste, agora de novo contra o padre Haddad, de MG, fotografado sob a mira de armas num Motel

Ainda hoje, seis meses depois da falsificação de O SÃO PAULO, apesar dos nomes das pessoas envolvidas, das evidências do crime, de detalhes, tudo, tudo, as autoridades não conseguiram por um fim no episódio. Essas mesmas autoridades estão às voltas agora com um novo escândalo: o do sequestro do padre Haddad e uma tentativa de desmoralizar a sua conduta.

Igreja solidária com padre Haddad

D. Paulo Evaristo Arns confirmou, no final de janeiro aos jornalistas, que o padre Haddad foi realmente sequestrado logo após ter feito as denúncias sobre as fal-

ra, com a finalidade de denegrir pessoas e a própria Igreja, promovendo um grande transtorno no meio dos menos avisados".

Os padres sacra-

uma pessoa tem, o de preservar o seu nome.

O bispo-coadjutor de BH, D. Serafim Fernandes de Araújo, disse que Pe. Haddad procurou a Cúria no

declarou o subsecretário-geral da CNBB, padre Mario Sampaio. Ele se referia à campanha semelhante de desmoralização do clero — mediante a dis-

O padre Haddad foi sequestrado em Belo Horizonte, onde era, na época – janeiro de 1983 – pároco da Igreja da Boa Viagem. Sequestrado, o padre foi levado para um motel e lá submetido a uma sessão de fotos...
Por que toda essa perseguição? É que o padre Haddad teve a ousadia de acusar o dono do *Jornal de Minas*, Afonso de Araujo Paulino, como o responsável pela edição falsa de *O São Paulo*. E mais: rezou missa em memória do operário Manoel Fiel Filho, morto na mesma época (1975/76) e no mesmo lugar (DOI-CODI/SP) do jornalista Vladimir Herzog.

Em 1974, no *Jornal do Brasil*, o respeitado colunista político Carlos Castello Branco, ao elogiar o ministro da Justiça do general-presidente Ernesto Geisel que estava assumindo, Armando Falcão, investiu contra dom Paulo, chamando-o de "o número dois na seleção dos bispos subversivos" (vai ver o número 1 era dom Helder Câmara...).

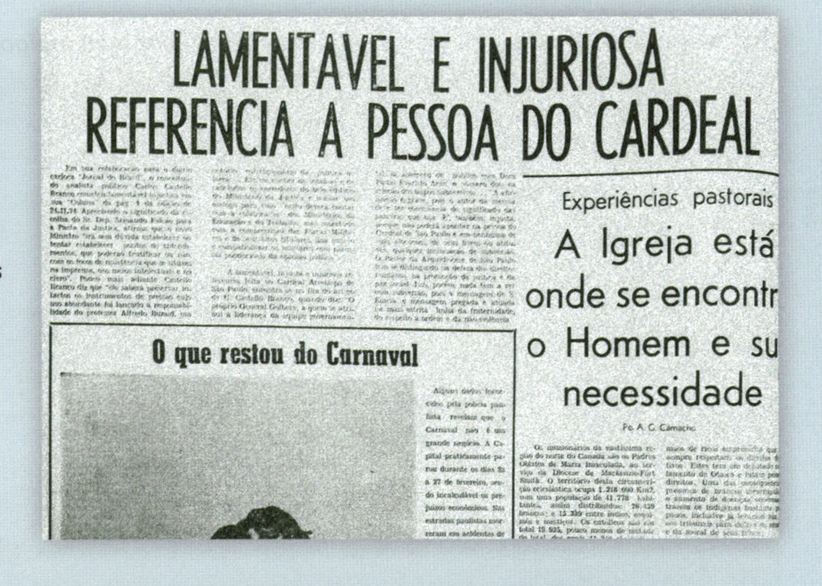

LAMENTAVEL E INJURIOSA REFERENCIA A PESSOA DO CARDEAL

O que restou do Carnaval

Experiências pastorais

A Igreja está onde se encontr o Homem e su necessidade

Pe. A. G. Camacho

À esquerda a primeira página do *O São Paulo* falso que tentava mostrar um dom Paulo arrependido do que estava realizando em defesa dos oprimidos e dos Direitos Humanos. Daí, a manchete Mea Culpa. A íntegra desse exemplar pode ser visto no site do Instituto Vladimir Herzog (www.vladimirherzog.org/dompaulo).
Em suas memórias, dom Paulo comenta a tentativa de difamação: "Em 22 de agosto de 1982 circulou na cidade uma edição falsificada de *O São Paulo* trazendo na primeira página um grande retrato meu, com a manchete; "Mea culpa". Os responsáveis pela Conferência Nacional dos Bispos do Brasil e eu particularmente éramos vítimas de difamações".

Para assessor de Ackel, cardeal Arns é "satanás"

BRASILIA (Sucursal) — O principal assessor politico do ministro Ibrahim Abi Ackel, da Justiça, Olama Teles, fez publicar ontem no "Correio Braziliense", que circula em Brasília, artigo assinado no qual investe contra o cardeal-arcebispo de São Paulo, dom Paulo Evaristo Arns chamando-o de "Satanás" e acusando-o de ser "um propagandista da rebelião popular".

O artigo é uma reação às declarações feitas por dom Paulo, na semana passada, quando criticou, por falta de resultados concretos, as investigações sobre o atentado sofrido pelo professor Dalmo Dallari. O artigo do assessor do ministro da Justiça também representa o segundo ataque contundente a dom Paulo nos últimos dias: na última segunda-feira, em um programa de televisão, o deputado federal Erasmo Dias (PDS), ex-secretário da Segurança Pública de São Paulo, acusou o cardeal de estar envolvido no atentado contra o professor Dallari, para "promover a esquerda".

No Ministério da Justiça, informou-se que o ministro Ibraim Abi Ackel, teve conhecimento prévio do artigo, que lhe foi apresentado pelo próprio assessor com o argumento de que publicaria a matéria a título pessoal, embora seja o principal assistente político do titular da Justiça.

"ESTADO TEOCRÁTICO"

Eis a seguir os trechos principais do artigo intitulado "O Estado Teocrático de d. Arns".

"Ora nos erguemos da cama, endereçamos [...] público, para que a família paulistana n[...] veja à mercê de terroristas e não atribu[...] próprios órgãos de vigilância esses at[...] dos".

"E, muito mais enfaticamente — pross[...] Olama — lançou, no ar, a increpação: '[...] bancas de jornais não forem defend[...] protegidas, haverá sempre a suspeita d[...] os criminosos sejam aqueles que impus[...] a censura em outros tempos'.

"Depois, numa linguagem desabrida, [...] tocando as raias da luxúria verbal, vo[...] cardeal (ou anticardeal) a deitar regra [...] a revolução do povo: 'Eu não aceitaria ja[...] prognosticar revolta do povo no sentid[...] luta armada, mas no sentido do cansaço [...] desespero, porque isso já está acontecen[...]

"A linguagem do cardeal de São Paul[...] da vermina, do ódio implacável a um g[...] no que vem dando as mais inequívocas [...] vas de boa vontade, de tolerância, e de [...] firme disposição para enfrentar as adv[...] dades e tribulações destes tempos. Qu[...] um bispo chega ao displante de teoriza[...] bre a revolta do povo, a qual somente n[...] justificaria se fosse pelo simples gos[...] "luta armada", mas que se justificaria [...] namente "pelo cansaço e pelo desesp[...] esse cardeal já ultrapassou de muito a [...] dição de sacerdote, para se converter [...] propagandista da rebelião popular e qu[...] isso deve merecer o repúdio da consci[...] cristã. Um cardeal que vai a tanto, já [...] quem fala, é o próprio satanás que [...]

Um mero assessor do mesmo ministro da Justiça (Abi-Ackel) que recebeu o padre Charboneau, deve ter acordado aquela manhã se sentido muito importante e resolveu partir para cima do cardeal-arcebispo de São Paulo, chamando-o de "satanás e um propagandista da rebelião popular". Quanto ao satanás, há dúvidas, mas, em relação à rebelião popular, até que o moço tinha suas razões...

Imagine que tudo isso foi uma resposta ao fato de dom Paulo criticar as autoridades por nada terem feito em relação ao sequestro do jurista Dalmo Dallari, na véspera da chegada do papa João Paulo II a São Paulo, em julho de 1980.

Sem contar as inúmeras pichações nas paredes externas das igrejas. Estão escritas coisas como: morte aos padres comunas! Comunistas traidores! 1980, ano do confronto. E assim vai...

Pastoral Vocacional quer chegar às bases, por D. Paulo Evaristo. (Página 7)

O SÃO PAULO

Semana de 31 de julho a 6 de agosto de 1981 N.º 1.323 ANO XXV

SEMANÁRIO
Número avulso 25,00
Número atrasado 50,00
Semestral 1.000,00
Assinatura Anual 1.600,00

Apoio a Dom Paulo é geral

Justiça é fidelidade aos desígnios de Deus

D. Fernando Gomes, Arcebispo de Goiânia, escreveu uma matéria para este número do jornal, sob o tema Igreja e Justiça:

– Entendo por Justiça a fidelidade do homem ao cumprimento do plano ou desígnio de Deus, tanto no que se refere ao comportamento de cada pessoa, em si, como exercício da missão ou profissão que exerce.

O apoio a dom Paulo foi geral, por conta dos ataques de um padre que, em 1981, foi chamado a São Paulo para rezar missa pela morte do general Milton Tavares. Até aí, nada de mais. Acontece que o tal padre se viu num palanque e saiu destratando dom Paulo e vários bispos brasileiros comprometidos com os pobres.

Charbonneau, novo alvo de fraudadores

"Conservadorismo do mais baixo teor", "paranóia" e "reação no sentido mais rigoroso" foram algumas das expressões usadas pelo padre Paul-Eugène Charbonneau ao denunciar, ontem, mais um caso de falsificação, desta vez de um artigo seu, publicado em agosto na "Folha", que, com radicais alterações, vem sendo distribuído em cópias mimeografadas em todo o Estado. No artigo publicado por este jornal, Charbonneau condenava, sob o título "O discurso pornográfico das forças da reação", o caso da fraude do jornal "O São Paulo", órgão oficial da Cúria Metropolitana. Na falsa versão, as idéias do autor são deturpadas.

Acompanhado do advogado da Cúria, José Carlos Dias, o secretário-geral da CNBB, d. Luciano Mendes de Almeida, entregou ao ministro da Justiça, em Brasília, um dossiê sobre os casos de fal-

Quando soube, em setembro de 1982, que um artigo seu publicado na *Folha de S.Paulo* havia sido radicalmente alterado, e distribuído mimeografado pelo Estado, o padre Charbonneau, famoso por suas posições progressistas, não teve dúvida: acompanhado por advogado da Comissão Justiça e Paz, foi ao ministro da Justiça do general-presidente Figueiredo, junto com o presidente da CNBB, e levou um dossiê com casos de falsificação. Tem alguém aí na plateia que acha que os casos foram investigados? Hã, hã...

Bispos progressistas comumente ameaçados de morte, surras e torturas, como dom Pedro Casaldáliga e dom Tomás Balduino, de Goiás Velho, volta e meia davam entrevistas em São Paulo para denunciar atrocidades, no caso, contra índios, já que dom Balduino era presidente do CIMI: Conselho Indigenista Missionário. Na foto, dois antropólogos: Claudia Izique e Beto Ricardo e dois jornalistas.

O folheto *O Anticristo*, que não foi assumido por ninguém, é composto, basicamente, de desenhos toscos, e malfeitos, e um conjunto de quadrinhas que tentam passar a mensagem...
Olha só que absurdo o que dizem as três quadrinhas abaixo...

O atentado na República Dominicana...
Em 1992, na capital Santo Domingo, foi realizada a Assembleia Episcopal Latino-Americano, que já começou conturbada, quando bispos conservadores negaram a presença, no encontro, de Rigoberta Menchú, Prêmio Nobel da Paz. Dom Paulo reiterou o convite durante a Assembleia, e o pedido foi novamente negado. E o atentado? Dom Paulo conta como foi:
"(...) Nem cheguei a participar do final daquela assembleia por causa do grave acidente automobilístico que sofri em Santo Domingo, quando me preparava para uma visita dos cardeais brasileiros ao embaixador do Brasil na República Dominicana.

Embora o embaixador Paulo Vilas-Boas Castro atribuísse o fato a um simples acidente de trânsito, até hoje estou convencido de que tudo fora tramado para se concretizar o sequestro de um cardeal latino-americano, como me fora confidenciado por membros importantes daquela reunião".

General chama dom Paulo de mau brasileiro

O general José Luís Coelho Neto, chefe de Gabinete do Ministério do Exército, disse ontem no Rio que o cardeal-arcebispo de São Paulo, d. Paulo Evaristo Arns, "é mau brasileiro". Ele fez a afirmação após proferir conferência na Escola de Material Bélico, comentando que a exportação de armamento é altamente necessária. "Só quem não entende isso é aquele moço de São Paulo, chamado Evaristo Arns, que começou uma campanha contra a venda de material bélico".

Coelho Neto referia-se à manifestação de d. Paulo que, ao rezar missa de Ano Novo, considerou "vergonhoso" o fato de o Brasil ser o sexto produtor mundial de armas. PÁG. 5

Foi uma relação sempre muito tensa entre dom Paulo e os militares. Em 13 de março de 1982, o caldo voltou a entornar quando o general Coelho Neto, chefe de gabinete do ministro do Exército, em entrevista na *Folha de S.Paulo*, colocou em dúvida a nacionalidade do cardeal.

tações brasileiras. Em conversa com jornalistas, disse que a exportação é altamente necessária, "pois traz divisas, projeta o País lá fora, obriga a fábrica a cada vez melhorar o seu produto, sem falar no campo interno, pelo número de empregos que dá".

Um repórter perguntou sobre as críticas às exportações de armamento, e o general Coelho Neto referiu-se ao cardeal Arns. "Se nós não vendemos — afirmou — outros vendem. Mas é aquele negócio: quem não entende do assunto não tem que meter o bedelho. É querer ensinar missa e 'o pai-nosso' ao vigário. Ele é mau brasileiro, aliás, nem sei se ele é brasileiro" — finalizou.

Referindo-se ao cardeal Arns, diz o general Coelho Neto, no finalzinho da reportagem, quando foi perguntado pelo repórter sobre as críticas às exportações de armamento: "Se nós não vendemos – afirmou – outros vendem. Mas é aquele negócio: quem não entende do assunto não tem que meter o bedelho. É querer ensinar missa e 'o pai-nosso' ao vigário. Ele é mau brasileiro, aliás, nem sei se ele é brasileiro", finalizou.

A reposta foi dada no próprio jornal, em 7 de abril – 25 dias depois. Uma resposta em forma de artigo – "Preconceito Arcaico" – escrito pelo professor Antonio Candido, "em desagravo a um dos maiores brasileiros vivos". Abaixo, a íntegra do artigo.

PRECONCEITO ARCAICO

Como diz o outro, preconceito é o diabo. Tanto mais quando as sociedades humanas até hoje não foram capazes de se estruturar nem de se organizar sem ele, isto é, sem alguma forma de negar o próximo. Daí a necessidade de combater o preconceito na História, sob formas sucessivas. Vai um, vem outro, muita gente vive dele e para ele, enquanto poucos lutam contra. Na pior hipótese admissível, ele deve ser pelo menos recalcado, disfarçado, porque disfarçando a pessoa acaba por atenuar o seu impacto e não deixa que ele se torne impedimento de relações mais ou menos normais. Por isso costumamos esperar e até exigir que os educadores, os chefes, os líderes, as pessoas que expressam grupos ou são investidas de alguma representação coletiva não manifestem preconceito, para poderem executar bem a sua tarefa. Se os têm, que os escondam e não atuem em função deles.

Eis por que foi mesmo lamentável o pronunciamento do general Coelho Neto, para quem o cardeal Arns é mau brasileiro, e talvez nem seja brasileiro, por ser contrário à entrada do Brasil no mercado da morte. Pensando no motivo que teria levado o general a simular dúvida sobre a nacionalidade óbvia de um eminente patrício seu, me ocorre que ele poderia estar exprimindo uma das formas mais arcaicas de preconceito que há no Brasil: a noção que o descendente de estrangeiros, portador de sobrenome não português, é menos brasileiro. Menos brasileiro em relação a quem?

Quando eu era menino, há meio século e mais, ainda florescia este sentimento torto, partilhado automaticamente, quase sem malícia, nem prejuízo das relações do dia a dia, pela maior parte dos descendentes de famílias que eram velhas por aqui. Mas a coisa podia engrossar em certas circunstâncias, porque, como eles se achavam "mais brasileiros", achavam-se também donos do País, e quando o estrangeiro ou seu filho faziam qualquer coisa que desagradava, – do tipo ganhar dinheiro demais, comprar terras do pessoal antigo, brilhar ou mostrar mais capacidade –, havia quem se sentisse vagamente espoliado de um direito virtual. E que podia chegar a ver no caso um desaforo da Nação... Um catedrático de escola superior de São Paulo (ainda não existia a USP) contava na intimidade que, em exame vestibular, fazia o impossível para aprovar os candidatos de nomes "brasileiros", e só aprovava os de nome exótico quando não havia outro jeito.

Muitos pensavam que um dos males do País era os estrangeiros não conhecerem o seu lugar, pois não tinham apego verdadeiro pela terra e queriam apenas desfrutá-la. Daí podiam surgir conclusões alarmamentes, mas que lhes pareciam lógicas, como, por exemplo, que o voto deveria ser reservado aos brasileiros de pelo menos três gerações!

Essa teoria esdrúxula, que já me fazia rir na altura das eleições de 1933, reapareceu em 1946 no editorial de um grande diário paulistano, pouco depois de Hugo Borghi ter arrastado massas de eleitores contra o brigadeiro Eduardo Gomes. Isso (pensavam eles) só acontecera porque Borghi era um brasileiro de fresca data, que levava para o mau caminho outros do mesmo naipe, incapazes de perceberem quais as verdadeiras necessidades do País e quais os homens representativos, merecedores de voto...

Com o rolar do tempo, a cosmpolitização, o fim da retórica luso-brasileira das caravelas e da Cruz de Aviz a entrada maciça dos filhos de imigrante nas universidades, nas "grandes profissões", na ciência, na finança, na política e por aí afora, a coisa foi acabando e ficou reduzida aos poucos setores sem maior responsabilidade pública, que ainda se dão o ridículo de distinguir " velhos" e "novos" brasileiros. Daí o espanto que tive com as palavras insólitas do general Coelho Neto, talvez duvide da nacionalidade do cardeal Arns porque esse tem sobrenome alemão. Se for isto, trata-se de uma inesperada volta ao passado, um rompante de preconceito arcaico em país onde a imigração construiu e se integrou tanto, que nenhuma autoridade tem o direito de sugerir discriminação com base na origem nacional.

Essas coisas me fizeram pensar nos critérios que o general poderia ter para definir quem é realmente brasileiro, ou "melhor" brasileiro; e me ocorreu que os feitos militares com certeza ocupariam entre eles um lugar privilegiado. Aí lembrei alguns da Segunda Grande Guerra, que ele com certeza conhece bem, sem querer ensinar padre-nosso ao vigário, menciono os seguintes.

O primeiro piloto da Força Aérea Brasileira que morreu em serviço se chamava Roland Von Rittmeister, Na Força Expediconária, o notável 6.º Regimento de Infantaria tinha uma boa porção de excelentes soldados teuto-brasileiros de Santa Catarina, falando com o seu sotaque característico. E o grande herói da mesma arma foi um "teuto" do Paraná, morto em combate, o sargento Wolf, condecorado até com a Estrela de Prata norte-americana. Esses homens lutavam com perfeito patriotismo contra patrícios de seus pais, avós ou bisavós, em cujas tradições foram educados e cuja língua geralmente falavam, o que os fazia dar ao português do Brasil inflexões equivalentes às que o italiano imprimiu na fala do paulista. Seriam por isso menos brasileiros, ou até não brasileiros?

Mas, nessa altura, um "homem humano", mesmo sendo militar, há de sentir que melhor fora esses rapazes não terem sido sacrificados, nem entrado na História a semelhante preço. Por isso, dá certo frio na alma a perspectiva de uma prosperidade montada no comércio de material bélico; e crescem com plena força as razões intrépidas do sereno cardeal Arns, que é sem dúvida um dos maiores brasileiros vivos.

Preconceito arcaico

ANTÔNIO CÂNDIDO

Como diz o outro, preconceito é o diabo. Tanto mais quando as sociedades humanas até hoje não foram capazes de se estruturar nem de se organizar sem ele, isto é, sem alguma forma de negar o próximo. Daí a necessidade de combater o preconceito a cada instante e daí a sua persistência na História, sob formas sucessivas. Vai um, vem outro, muita gente vive dele e para ele, enquanto poucos lutam contra. Na pior hipótese admissível ele deve ser pelo menos recalcado, disfarçado, porque disfarçando a pessoa acaba por atenuar o seu impacto e não deixa que ele se torne impedimento de relações mais ou menos normais. Por isso costumamos esperar e até exigir que os educadores, os chefes, os líderes, as pessoas que expressam grupos ou são investidas de alguma representação coletiva não manifestem preconceito, para poderem executar bem a sua tarefa. Se os têm, que os escondam e não atuem em função deles.

Eis por que foi mesmo lamentável o pronunciamento do general Coelho Neto, para quem o cardeal Arns é mau brasileiro, e talvez nem seja brasileiro, por ser contrário à entrada do Brasil no mercado da morte. Pensando no motivo

diário paulistano, pouco depois de Hu
Borghi ter arrastado massas de elei
res contra o Brigadeiro Eduardo G
mes. Isto (pensavam eles) só acontec
ra porque Borghi era um brasileiro
fresca data, que levava para o mau c
minho outros do mesmo naipe, incap
zes de perceberem quais as verdad
ras necessidades do País e quais os h
mens representativos, merecedores
voto...

Com o rolar do tempo, a cosmopoli
zação, o fim da retórica luso-brasilei
das caravelas e da Cruz de Aviz, a e
trada maciça dos filhos de imigran
nas universidades, nas "grandes prof
sões", na ciência, na finança, na polí
ca e por aí afora, a coisa foi acaband
ficou reduzida aos poucos setores se
maior responsabilidade pública, q
ainda se dão o ridículo de distingu
"velhos" e "novos" brasileiros. Da
espanto que tive com as palavras insó
tas do general Coelho Neto, que talv
duvide da nacionalidade do carde
Arns porque este tem sobrenome a
mão. Se for isto, trata-se de uma in
perada volta ao passado, um rompar
de preconceito arcaico em país ond
imigração construiu e se integrou ta
to, que nenhuma autoridade tem o
reito de sugerir discriminação com b

Antônio Cândido de Mello Soares é crítico e foi professor de Teoria Literária na Universidade de São Paulo. É autor, entre outros, dos livros: *Formação da literatura brasileira* e *Literatura e sociedade*.

54 Quem tem medo dos teólogos da libertação?

A Cúria Romana, até o papa Bento XVI, tinha muito medo. Basta ver como foi tratada a coleção Teologia e Libertação, criada e escrita pelos mais importantes teólogos e teólogas da América Latina.

Originalmente, a coleção deveria ter 54 tomos, só que apenas 28 deles - que estão na foto - conseguiram ser editados e assim sobreviver a uma perseguição implacável organizada pela Cúria Romana, leia-se a Congregação da Doutrina da Fé*, dirigida pelo cardeal Josefh Ratzinger, o mesmo que condenou o então frei e teólogo brasileiro Leonardo Boff ao silêncio. O mesmo que se tornou o papa Bento XVI.

Livros da coleção foram editados em alemão, francês, inglês (dos Estados Unidos e da Inglaterra), espanhol, italiano, holandês, polonês e japonês, e o tratamento que a Cúria Romana reservou à coleção *Teologia e Libertação* é uma verdadeira história de perseguição religiosa que, como se diz, daria um ótimo filme de suspense. Uma trama envolvendo corredores e labirintos do Vaticano, conversas um tom a menos, olhares furtivos, traições, estranhos silêncios, correspondências suspeitas, viagens apressadas, discussões ríspidas entre príncipes da Igreja, como são chamados os cardeais, e até a autoridade do papa colocada em xeque.

E o que o cardeal dom Paulo Evaristo Arns tem a ver com isso tudo? Tem tudo a ver, porque foi ele que, ao lado do cardeal Aloísio Lorscheider, liderou uma firme oposição, uma forte resistência aos desmandos e arbitrariedades que o ainda cardeal Ratzinger foi impondo à publicação da coleção. Imagine que, logo quando soube que ia ter uma coleção sobre o tema-tabu Teologia da Libertação, Ratzinger imediatamente começou a colocar o seu time em campo. E isso sem ter lido nada a respeito, até porque existia apenas a ideia de publicar a coleção. Arregimentou alguns cardeais e bispos que rezavam na sua cartilha para pressionar as Conferências Episcopais da Argentina e do Chile. Não deu muito resultado, mas estava instalada a perseguição.

Mandou pressionar as editoras que publicariam a coleção e também não deu certo. Tentou, então, pegar dois importantes teólogos do novo movimento, Gustavo Gutierrez, do Peru, e Leonardo Boff, do Brasil

O historiador da Igreja Católica, padre José Oscar Beozzo, ele mesmo um respeitado teólogo e diretor do CESEP (Centro Ecumênico de Serviços à Evangelização e Educação Popular), que assumiu a responsabilidade jurídica pela coleção, tornando-se responsável pela assinatura dos contratos entre os autores e a coleção, garante que "em nenhum momento a Congregação para a Doutrina da Fé estabeleceu qualquer contato com o Con-

* O asterisco se faz necessário para relembrar a importância da Congregação da Doutrina da Fé. Imagine o Vaticano organizado como um país leigo, como o Brasil. O papa é o presidente e tem seus ministérios. Pois a Congregação Doutrina da Fé seria uma espécie de Ministério da Justiça, pois é ela que diz o que é e o que não é legal, à luz inclusive do Direito Canônico, sobre a fé católica. E tem muita força, como a Casa Civil, o ministério mais próximo do presidente.

A obra de Gustavo Gutierrez se tornou referência e uma espécie de manifesto fundador e articulador da nova Teologia da Libertação, seguido do texto de Leonardo Boff que inaugurava a reflexão cristológica latino-americana em chave libertadora: Jesus Cristo Libertador (Vozes, 1972).

Os bispos peruanos colocaram Gustavo Gutierrez na alça de mira, mas o fato de o papa João Paulo II ter apreciado o livro de Gutierrez fez os bispos do Peru mudarem rapidinho de opinião... Já no Brasil, a turma conservadora, liderada por dom Eugênio Salles, então cardeal-arcebispo do Rio de Janeiro, colocou Boff na fogueira e lá foi ele convocado a apresentar-se perante a toda poderosa Congregação da Doutrina da Fé, em Roma, em setembro de 1984.

É aí que dom Aloísio e dom Paulo, numa iniciativa inédita como cardeais, entram na história pela porta da frente e resolvem acompanhar Boff a Roma. E vai com eles também o presidente da CNBB, o bispo de Santa Maria (RS), dom Ivo Lorscheiter. Um time da pesada que entendeu, com razão, que estava ali em jogo, mais do que a teologia de Leonardo Boff, a própria Igreja do Brasil, sua pastoral, suas práticas, sua própria realidade. Foi um longo e desgastante processo, e você pode ver mais detalhes no capítulo 64.

A coleção "Teologia e Libertação" começou a ser pensada ainda em 1974, foi ganhando corpo em diversas reuniões internacionais e mereceu um debate especial entre teólogos que estavam em Puebla (México) para acompanhar a Assembleia dos bispos latino-americanos (1979).

Em 1980, a Cúria Romana tenta cancelar a realização, em São Paulo, de congresso internacional de teólogos e perde a batalha para dom Paulo e para o tempo...

selho Editorial, para inteirar-se do projeto e dialogar sobre eventuais problemas ou dificuldades.

Essas pressões abertas ou veladas sobre as conferências episcopais, sobre os bispos de eventuais colaboradores e os gerais dos religiosos, levaram o Conselho Editorial da Coleção a explicitar os laços eclesiais de sua iniciativa e buscar apoio junto a bispos do continente (...).

Em tempos de repressão militar e de cerrada campanha continental e internacional contra a Teologia da Libertação e seus integrantes, esse passo colocava a descoberto o conjunto do projeto e colocava em perigo as pessoas que dele participavam.

Foi um risco calculado dentro de uma batalha pelo direito à reflexão teológica dentro da Igreja, mas iniciativa também de sentido estratégico e de profunda relevância histórica e eclesial. Pela primeira vez, uma reflexão teológica vinha respaldada por grande grupo de pastores que vislumbravam naquele esforço de teólogos e teólogas do continente, um real serviço a suas igrejas, à leitura e interpretação orante da Bíblia, à Pastoral, à Catequese, à Liturgia e ao empenho em favor dos pobres, da justiça e da libertação. Neste sentido, vale reproduzir as palavras com que o Comitê de Patrocínio explicitou o sentido do seu respaldo à coleção. Elas encimavam os primeiros tomos publicados e vinham acompanhadas dos nomes do cardeal, dos arcebispos e dos bispos que emprestavam publicamente seu apoio à coleção:

"O Comitê de Patrocínio saúda com alegria o lançamento da coleção *Teologia e Libertação* que recolhe e sistematiza as inspirações do Concílio Vaticano II, de Medellín, de Puebla, do Magistério da Igreja Universal e das Igrejas particulares e da experiência de vida, de fraternidade ecumênica, de fé e de martírio das comunidades cristãs da América Latina. Reconhecemos que essa coleção vem ao encontro da necessidade de que a fé, vivida em contexto de opressão e de libertação, seja aprofundada e aclarada teologicamente em todas as suas dimensões.

Nosso patrocínio não significa aprovação das opiniões pessoais expressas pelos distintos autores. Como pastores, no quadro de um sadio pluralismo, apoiamos com simpatia e vigilância esse esforço de reflexão teológica no interior e a serviço de nossas Igrejas".

Vinham em seguida o nome dos arcebispos e bispos, encabeçados pelo cardeal-arcebispo de São Paulo, o franciscano Dom Paulo Evaristo Arns.

Segundo as informações do padre Beozzo, o Brasil foi o país que teve o maior número de bispos apoiando a coleção: 81 prelados.

Se você quiser saber mais detalhes dessa implacável perseguição à coleção "Teologia e Libertação", suas origens e princípios, os acordos feitos e desrespeitados, a prepotência do cardeal Josef Ratzinger, a desobediência ao papa, é só enviar um e-mail para o Beozzo (jbeozzo@terra.com.br)

O DIA EM QUE A DEMORA EM RESPONDER CONSULTAS FEZ ROMA AJUDAR A TEOLOGIA DA LIBERTAÇÃO

O congresso foi organizado pela Associação Ecumênica de Teólogos do Terceiro Mundo e realizado em São Paulo, de 20 de fevereiro a 2 de março de 1980, e dedicado à "Eclesiologia das Comunidades Cristãs de Base" (eclesiologia quer dizer o estudo de tudo que tem a ver com a Igreja de Jesus Cris-

– Aos vinte dias do mês de fevereiro de mil novecentos e oitenta, Quarta-Feira de Cinzas, às quinze horas, na Catedral Metropolitana o Senhor Cardeal presidiu a celebração de abertura da Quaresma/1980 e da Campanha da Fraternidade com o tema das Migrações e o "slogan": "Para onde vais?" –

Às vinte horas do mesmo dia, no Instituto "Paulo VI" em Taboão da Serra, o Senhor Cardeal abriu o Congresso Internacional

Abertura de Camp. Fraternidade. 20.02.1980

Abertura Congresso Ecumênico de Teologia

O registro está lá, nas crônicas do cotidiano da Arquidiocese: "(...) Às vinte horas do mesmo dia (20/2/1980), no Instituto Paulo VI, em Taboão da Serra (SP), o senhor cardeal abriu o Congresso Internacional Ecumênico de Teologia (...)".

to). O encontro reuniu 180 pessoas de 42 países entre leigos, bispos, pastores, sacerdotes, religiosos, religiosas, teólogos e teólogas de diferentes Igrejas Cristãs.

Embora longo, o título do documento final deixa bem claro as razões do encontro: "Carta aos cristãos que vivem e celebram sua fé nas comunidades cristãs populares dos países e regiões pobres do mundo". Eram as Comunidades Eclesiais de Base (CEBs) assumindo o seu papel protagonista de uma Igreja que, desde a década de 1960, tentava juntar fé e política e uma opção preferencial pelos pobres. Trabalharam na redação final do documento José Beozzo, Gustavo Gutierrez, o teólogo chileno Sergio Torres e (...) Jon Sobrino.

Volta a palavra para o padre Beozzo: "Buscamos enfeixar as contribuições dos vários grupos e a perspectiva de cada continente, combinando a redação com o clima de altíssima tensão que perpassava o evento. O clima provinha, de um lado, da atmosfera meio inebriante da liberdade exercitada sem censura pelos participantes nas falas e nos debates; do encantamento com a riqueza de contribuições tão diferentes que brotavam das exposições de teólogos e teólogas da África, da Ásia, do continente latino-americano e das minorias indígenas e afro-americanas dos Estados Unidos e, de outro, da vigilância exercida pelos órgãos de segurança do regime militar".

Reuniões de trabalho, homenagens prestadas aos revolucionários nicaraguenses no TUCA, teatro da PUC, marcaram os 12 dias do encontro, apesar de outro polo de tensão: a existência de uma carta do cardeal Sebastião Baggio, secretário de Estado do Vaticano, sugerindo que dom Paulo retirasse seu apoio e patrocínio ao Congresso. O que fez dom Paulo? Interpôs recurso diretamente ao papa, já que, como cardeal, tinha esse direito. Com tal medida, ficava suspensa a "sugestão" do secretário de Estado, até uma resposta do papa. Como não se esperava mesmo uma resposta muito ágil do Vaticano, dom Paulo presidiu, com toda solenidade, a abertura da Conferência, dando calorosas boas-vindas aos participantes.

A Cúria Romana ainda tentou eliminar os teólogos da libertação das casas de ensino ligadas à Igreja. Novamente, dom Paulo interveio e, nos domínios do cardeal-arcebispo de São Paulo, nada mudou. Gilberto Gorgulho, Ana Flora Anderson, o próprio Beozzo e Marcio Fabri dos Anjos continuaram dando suas aulas de Teologia.

UMA HISTÓRIA DE PERSEGUIÇÃO E MORTE

Em 1990, em plena guerra civil em El Salvador, soldados do batalhão antiguerrilha ATLACATL, treinados nos Estados Unidos, invadiram a Universidade Centro-Americana José Simeón Cañas (UCA) e assassinaram o reitor, o jesuíta espanhol Ignacio Ellacuría, respeitado teólogo da libertação e outros cinco religiosos. Também foram mortas a cozinheira e sua filha de 15 anos. O atentado visava também o teólogo Jon Sobrino, que estava em viagem.

O escritor Antonio Carlos Fester, que trabalhava na época na Comissão Justiça e Paz de São Paulo, conta como a notícia chegou a dom Paulo:

"Foi das coisas mais impactantes que me aconteceram. Recebi um telefonema de El Salvador, na Cúria, na sala da Comissão, contando do massacre dos jesuítas na PUC de El Salvador, pedindo-me que avisasse dom Paulo para que o cardeal Arns avisasse ao mundo, pois as comunicações de El Salvador certamente seriam cortadas. Subi correndo, encontrei dom Paulo, lívido, na porta da sala, rodeado de auxiliares, pois outros já tinham recebido telefonema idêntico, e ele já sabia. A nossa esperança é que, com o papa Francisco se torne tudo diferente, já que ele é adepto da Teologia da Libertação, ainda que, com algumas ressalvas, e era mal visto na Cúria Romana, como o cardeal que mandava os melhores padres para a periferia ao invés de mandá-los para os bairros dos mais favorecidos".

A surpresa que pode ser a luz no final do túnel?

Em setembro de 2013, de forma surpreendente e inesperada, o papa Francisco recebeu, em Roma, o teólogo peruano Gustavo Gutierrez, um dos grandes estudiosos e elaboradores da Teologia da Libertação.

Para o teólogo brasileiro José Oscar Beozzo, o encontro é histórico e pode significar "o fim da guerra do Vaticano com a Teologia da Libertação".

55 A Cúria Romana resolve esvaziar o poder de dom Paulo e, contra a vontade inclusive do papa João Paulo II, divide a Arquidiocese de São Paulo em dioceses autônomas. Mas, afinal, quem manda na Cúria Romana?

5 de Março de 1989

PODER PAPAL *Vaticano impediu ação do cardeal nas áreas mais pobres*

Divisão da arquidiocese foi o momento mais difícil, diz Arns

da Reportagem Local

O cardeal Arns costuma dizer que o momento mais difícil que enfrentou em São Paulo foi a divisão da arquidiocese pelo papa João Paulo 2º, em 1989.

Em um golpe de caneta, d. Paulo perdeu 6,9 milhões —das 14,5 milhões de pessoas que estavam sob sua jurisdição— para bispos autônomos indicadas pelo papa. Das 395 paróquias, perdeu 146.

A divisão ainda tirou de d. Paulo o controle sobre as áreas mais pobres e periféricas, justamente aquelas em que priorizava sua atuação.

Para o padre Tarcísio Justino Loro, autor da tese de doutorado "Espaço e Poder na Igreja: A divisão da Arquidiocese de São Paulo", o Vaticano usou o Código Canônico (a lei da Igreja) para impedir o crescimento de uma nova experiência pastoral.

Segundo Loro, Arns propôs ao Vaticano a divisão da arquidiocese em dioceses menores, mas com autonomia restrita. Elas continuariam a seguir as linhas gerais propostas pelo cardeal.

O Vaticano preferiu criar novas dioceses autônomas, conforme determina o código. E ainda indicou para o cargo bispos do grupo conservador da igreja.

Ao contrário de Arns, os novos bispos, como d. Fernando Legal, de São Miguel (zona leste), priorizam a dimensão espiritual e ritualística da religião, em detrimento à ação social e política.

A tese de Loro foi defendida este ano na Faculdade de Geografia da Universidade de São Paulo, e obteve nota dez com louvor.

Sigilo

A pedido de Arns, o padre não havia divulgado o estudo. Estava esperando a aposentadoria do cardeal, que pode acontecer a qualquer momento a partir do próximo sábado.

Para tentar evitar o desmembramento da arquidiocese, d. Paulo fez várias viagens ao Vaticano. Apesar da insistência, a Cúria romana preferiu enfraquecer o trabalho de um dos principais defensores da Teologia da Libertação.

Para Loro, "a divisão da arquidiocese é um sinal do retorno à disciplina rígida e centralizadora" do Vaticano, que tinha como objetivo "frear a igreja marcada pela comunhão e participação".

Manifestações

A divisão provocou forte repercussão na igreja de São Paulo. Aconteceram manifestações, que receberam o aval de d. Paulo.

"Para toda a igreja de São Paulo, o momento mais difícil foi a divisão da arquidiocese em termos diferentes do que vinha sendo preparado durante o pontificado de Paulo 6º", diz o cardeal arcebispo.

(LUIS HENRIQUE AMARAL)

Ao dividir a Arquidiocese de São Paulo, o Vaticano, além de esvaziar o poder do cardeal-arcebispo, tinha o objetivo de dar um freio no avanço da Igreja da Teologia da Libertação, voltada para os pobres, para a denúncia das injustiças e para a defesa dos Direitos Humanos. A Cúria Romana já tinha feito algo parecido na arquidiocese de Paris...

O ESVAZIAMENTO, NA PRÁTICA

Dom Paulo perdeu 6 milhões e 900 mil habitantes, dos 14 milhões e 500 mil que estavam sob sua jurisdição. Das 395 paróquias, perdeu 146. E mais: tiraram de dom Paulo o controle sobre as áreas mais pobres e periféricas, exatamente onde ele priorizava a sua ação.

Para o padre Tarcísio Justino Loro, autor da tese de doutorado "Espaço e Poder na Igreja: A divisão da Arquidiocese de São Paulo", em matéria publicada na *Folha de S.Paulo*, afirma que "o Vaticano usou o Código Canônico (a lei da Igreja) para impedir o crescimento de uma nova experiência pastoral".

Segundo Loro, o cardeal Arns propôs ao Vaticano a divisão da arquidiocese em dioceses menores, mas com autonomia restrita. Elas continuariam a seguir as linhas gerais propostas pelo cardeal. O Vaticano preferiu criar outras dioceses autônomas, conforme determina o código. E ainda indicou para o cargo bispos do grupo conservador da Igreja. Ao contrário do cardeal Arns, os novos bispos, como dom Fernando Legal, de São Miguel (Zona Leste), priorizam a dimensão espiritual e ritualística da religião, em detrimento à ação social e política.

A tese do padre Loro foi defendida na Faculdade de Geografia da Universidade de São Paulo e obteve nota dez com louvor.

ENTÃO, QUEM MANDA NA TAL DA CÚRIA ROMANA?

As coisas podem mudar com a chegada do papa Francisco, que, até mesmo, em poucos meses de pontificado, colocou, vamos dizer, o dedo na ferida, já trocando nomes.

Enquanto isso, o teólogo José Oscar Beozzo narra, com exemplos, as coisas que a Cúria Romana andou aprontando, ao longo dos anos, contra a Igreja mais engajada. E mais: explica como funciona essa estrutura que tem a Secretaria de Estado do Vaticano como cargo-chave e que existe desde o século XV (1497).

Aliás, foi na Secretaria de Estado que o papa Francisco trocou o primeiro nome, em agosto de 2013. Sai o titular, cardeal Tarcísio Bertoni, 79 anos, e entra em seu lugar o arcebispo Pietro Parolin, 58 anos, que já trabalhou na África e na América Latina. Aliás, tudo indica que Bento XVI acabou renunciando porque se tornou vítima das próprias tramas...

COM A PALAVRA, O TEÓLOGO JOSÉ OSCAR BEOZZO

Para responder à pergunta que me foi colocada acerca da Cúria Romana, do seu funcionamento e das relações de dom Paulo, com os organismos centrais da Igreja durante o seu episcopado, como bispo e depois como arcebispo de São Paulo (1966-1998), abordamos o tema em três etapas: a primeira sobre a Cúria em si, a segunda na sua relação com os papas e a terceira na sua incidência na trajetória de vida de dom Paulo.

1. A CÚRIA ROMANA

O Concílio Vaticano II, num breve parágrafo, definiu o caráter da Cúria Romana, sua relação com o papa e com o restante da Igreja:

> "Para exercer o poder supremo, pleno e imediato sobre a Igreja universal, o Romano Pontífice vale-se dos Dicastérios [organismos] da Cúria Romana. Estes, por conseguinte, em nome e com a autoridade dele, exercem seu ofício para o bem das Igrejas e em serviço dos Sagrados Pastores" (*CHRISTUS DOMINUS*, 9).

A Cúria deveria, pois, estar a serviço do papa e exercer também seu ofício para o bem das demais Igrejas particulares em todo o mundo e de seus bispos. Na verdade, esse serviço não é prestado sem conflitos e tensões e, no próprio Concílio, foi duramente criticado, por muitas vezes esvaziar a autoridade própria dos bispos e de suas Igrejas particulares, assim como das Conferências Episcopais.

Os organismos todos da Cúria são hoje coordenados pelo mais importante, entre eles, a Secretaria de Estado, que tem uma seção mais interna (1ª Seção) que serve de secretaria para o papa e para a coordenação de todas as atividades da Santa Sé e outra (2ª Seção) que cuida da relação com os Estados. À 2ª seção estão subordinadas as 179 nunciaturas que representam a Santa Sé nesses países com os quais essa mantém relações diplomáticas.

A Secretaria de Estado remonta ao século XV (1497). Era composta de 24 Secretários Apostólicos, um dos quais, chamado *Secretarius domesticus*, ocupava lugar proeminente.

Até a reforma da Cúria pedida pelos bispos no Concílio Vaticano II e realizada por Paulo VI (1967), a última palavra em todos os assuntos da Igreja cabia, porém, à Congregação da Sacra, Romana e Universal Inquisição do Santo Ofício (1542-1565), transformada, na reforma, em Congregação para a Doutrina da Fé.

Os principais organismos da Santa Sé, normalmente presididos por um cardeal prefeito e coordenados pela Secretaria de Estado, são os seguintes:

As CONGREGAÇÕES, em número de nove: Doutrina da Fé, Igrejas Orientais, Culto Divino e Disciplina dos Sacramentos, Causa dos Santos, Bispos, Evangelização dos Povos, Clero, Institutos de Vida Consagrada e Vida Apostólica, Educação Católica — Seminários e Institutos de Estudo.

Os TRIBUNAIS, em número de três: Penitenciaria Apostólica, Signatura Apostólica e Rota Romana.

Os PONTIFÍCIOS CONSELHOS, em número de 12: Leigos, Promoção da Unidade dos Cristãos, Família, Justiça e Paz, "Cor Unum", Pastoral para os Imigrantes e os Itinerantes, Agentes de Saúde, Textos Legislativos, Diálogo Inter-Religioso, Cultura, Comunicações Sociais, Promoção da Nova Evangelização.

Os três OFÍCIOS: Câmara Apostólica, Administração do Patrimônio, Prefeitura dos Assuntos Econômicos da Santa Sé e outros ORGANISMOS da Cúria: Casa Pontifícia, Celebrações Litúrgicas do Sumo Pontífice, Ofício de Trabalho, Sala de Imprensa, Departamento Central de Estatísticas da Igreja, assim como as COMISSÕES e os COMITÊS: Bens Culturais, Arqueologia Sacra, Comissão Bíblica, "Ecclesia Dei", Comissão Teológica Internacional, Congressos Eucarísticos Internacionais, Ciências Históricas) e as Instituições ligadas à Santa Sé: Arquivo Secreto do Vaticano, Biblioteca, Tipografia Vaticana, Livraria Editora Vaticana, Osservatore Romano, Rádio Vaticana, Esmolaria Apostólica.

É uma administração complexa, que lida com uma babel linguística, por estar a Igreja presente em cerca de 210 países e empregar mais de quatro mil pessoas, vindas dos quatro cantos do mundo.

A Cúria instituída para auxiliar diretamente o papa no exercício de suas funções, acabou muitas vezes impondo-se a ele e avançando sobre as atribuições e as reponsabilidades dos bispos. De órgão de execução e serviço, a Cúria tornou-se, não raro, organismo de direção e de dominação.

2. OS PAPAS RECENTES E A CÚRIA ROMANA

O papa João XXVII teve, por vezes, que enfrentar a oposição de seus auxiliares mais diretos. Tanto o cardeal Ottaviani no Santo Ofício quanto a Secretaria de Estado opuseram-se, por exemplo, a que o papa respondesse positivamente ao pedido de audiência de Alexis Adjubei, diretor do jornal *Pravda* de Moscou e sogro de Nikita Kruschev. O papa contestou que estaria renegando toda sua vida e seus princípios se negasse receber alguém que lhe solicitava uma audiência.

O encontro suscitou severas críticas de seus opositores que acusaram o papa de ser responsável, com essa audiência a uma personalidade comunista, pelo um milhão de votos a mais obtidos pelo Partido Comunista Italiano nas eleições legislativas da Itália ocorridas semanas depois, em abril de 1963.

Em face das especulações acerca do teor das conversações nessa audiência, o papa pediu ao *Osservatório Romano*, jornal oficial da Santa Sé que publicasse as notas tomadas pelo padre Koulic, intérprete durante a conversa e única pessoa presente à audiência além do papa e do casal Adjubei, Alexis e Rada Kruschev. Suas ordens não foram cumpridas por oposição da Secretaria de Estado. Entre surpreso e amargurado, o papa comentou: "Aprendi nos meus tempos de seminário e depois como padre, núncio e Patriarca (de Veneza) que uma ordem do Papa se cumpria...[1].

"Disse e repeti a Dell'Acqua e Samoré que se publicasse a nota redigida pelo padre Koulic, a única testemunha da audiência concedida a Rada e Alexei Adjubei. A 1ª. Sessão não foi desse parecer e isso me desagrada (...)"[2].

Pio XII também passara por dissabores semelhantes e fora forçado, por pressão do Santo Ofício do Cardeal Ottaviani, a se desfazer de seu auxiliar mais direto, monsenhor Giovanni Baptista Montini, "sostituto" da Secretaria de Estado", afastando-o de Roma e nomeando-o, em 1954, arcebispo de Milão. Havia ainda um "veto" explícito do Santo Ofício a que fosse promovido ao cardinalato, com receio de que o Conclave o escolhesse para sucessor do próprio Pio XII. Com isso, de 1954 até sua morte, em 1958, Pio XII não convocou mais nenhum Conclave, para não ter que dar o chapéu cardinalício a Montini, inevitável por ocupar ele uma sede cardinalícia[3]. O primeiro gesto de João XXIII ao ser indicado para papa foi conceder o cardinalato a Montini, abrindo caminho para que fosse selecionado no Conclave após sua morte, como seu sucessor, tornando-se Paulo VI[4].

Com as constantes viagens de João Paulo II e sua prolongada doença, que o afastou da administração ordinária da Igreja, o secretário de Estado, Angelo Sodano, ganhou imenso poder, e a Cúria, desmedida autonomia.

Bento XVI tampouco conseguiu governar, tendo sofrido com as intrigas internas da Cúria, os escândalos do Banco Vaticano e a violação de sua privacidade com o roubo e a divulgação de documentos privados seus e da Santa Sé, vasados para a opinião pública, no episódio conhecido como "Vatileaks". Acabou renunciando.

3. DOM PAULO E A CÚRIA

Dom Paulo foi nomeado em 20 de outubro de 1970, arcebispo de São Paulo, em substituição ao cardeal Agnelo Rossi de quem era bispo-auxiliar desde 1966. Encaminhou rapidamente a Roma o pedido de novos bispos-auxiliares para a Arquidiocese. Logo foi aceito o nome de dom Benedito Ulhoa. Entre os outros nomes sugeridos, estavam o dos padres Angélico Sandoli Bernardino, naquela época, coordenador da pastoral de Ribeirão Preto, e Celso Queiroz, da Arquidiocese de Campinas. Os nomes ficaram em compasso de espera na Congregação dos Bispos por mais de três anos. Foi preciso que dom Paulo, já então cardeal, insistisse diretamente junto ao papa Paulo VI, para receber finalmente os bispos de que necessitava para auxiliá-lo no governo pastoral da Arquidiocese: dom Angélico foi nomeado em 12/12/1974 e sagrado a 25/1/1975 na festa da conversão de São Paulo, que deu o nome à cidade. Foi designado para a região episcopal de São Miguel Paulista, na zona leste.

---

1 Sobre a audiência veja os apontamentos do Papa no dia 7 de março de 1963, Roncalli, Angelo Giuseppe "Giovanni XXIII, *Pater Amabilis*" Agende del Pontefice 1958-1963, pp. 507-508. Para o relato não publicado da audiência, veja, CAPOVILLA, Loris, *Lettere 1958, -1963*, p. 454 ss.

2 In *Pater Amabilis*, o.cit. p. 514, nota 90.

3 Sobre todo este episódio do afastamento de Montini, cfr. Apogee and fall: 1951-1954, in HEBBLETHWAITE, Peter, *Paul VI, the first Modern Pope*. London: Harper Collins, 1993, pp. 242-259.

4 Cfr. The Cardinal from Milan, ibidem, pp. 280-294.

Dom Celso foi nomeado a 15/10/1975 e sagrado a 14/12/1975, sendo destinado para a região episcopal do Ipiranga. Conseguiu ainda que o padre Luciano Mendes de Almeida, jesuíta, fosse nomeado a 25/2/1976 e destinado para a região episcopal do Belém, igualmente na zona leste. A Congregação dos Bispos, presidida pelo cardeal Carlo Confalonieri (1966-1973) e, a partir de 26/2/1973, pelo cardeal Sebastiano Baggio, ex-núncio apostólico no Brasil e que havia retardado o sinal verde aos pedidos de dom Paulo, certamente não gostou de ser "atravessada" pela intervenção direta do papa em favor do cardeal de São Paulo.

Essa mesma Congregação preparou anos depois a divisão da Arquidiocese, que se consumou em 15/3/1989. Foram criadas nesse dia, no lugar das anteriores regiões episcopais, quatro novas dioceses: São Miguel Paulista, onde se encontrava dom Angélico e para onde foi nomeado dom Fernando Legal; Osasco, para a qual foi designado dom Francisco Manoel Vieira; Santo Amaro, que recebeu como bispo dom Fernando Figueiredo OFM, e Campo Limpo, dom Emílio Pignoli.

Sobre esse episódio da divisão da Arquidiocese, ao qual se opunham todos os 11 bispos auxiliares, dom Paulo e o próprio papa e que, mesmo assim, foi consumado entre a Nunciatura e a Congregação dos Bispos, declarou dom Paulo: "Foi esse talvez o capítulo mais triste de minha vida de arcebispo, sob a orientação do papa João Paulo II"[5].

Com a Congregação da Educação, dom Paulo sofreu dissabores por conta da eleição em primeiro lugar na lista tríplice para diretor da Faculdade de Teologia Nossa Senhora da Assunção do padre Antônio Aparecido da Silva, a quem o cardeal imediatamente nomeou como novo diretor. Era o primeiro padre negro a ocupar tal posição na Faculdade. Padre Toninho, como era carinhosamente chamado, fez brilhante gestão à frente da Faculdade de Teologia, introduzindo outras disciplinas e seminários, mas a Congregação da Educação não queria confirmar sua nomeação, alegando que ele era apenas mestre e não tinha o doutorado em Teologia!

Logo depois, junto com os demais seminários, institutos e faculdades de Teologia do Brasil a Faculdade de Teologia foi objeto de visita canônica por parte da Santa Sé. Para São Paulo, foi enviado como visitador o arcebispo de Colônia, na Alemanha, o cardeal Hoeffner. Dom Paulo nunca conseguiu que lhe fossem comunicadas e muito menos discutidas as conclusões dessa visita canônica. Seus efeitos, entretanto, logo se fizeram sentir. Os estudantes de Teologia que viviam em pequenas casas de formação inseridas em bairros da periferia de São Paulo tiveram que ser recolhidos aos muros de um seminário. A alegação era de que ali na periferia não tinham tempo para um estudo sério por se envolverem na vida da comunidade e do bairro e por serem arrastados para a política com sua participação nos movimentos populares. Outra consequência da visita é que a nove professores da Faculdade de Teologia não foi renovada a *missio* canônica, ou seja, a licença romana para ensinarem, visto ser pontifícia a Faculdade. Para não inviabilizá-la, com a perda de tantos professores, entre os quais se encontrava até mesmo o próprio teólogo de dom Paulo, Frei Gilberto Gorgulho, OP, o cardeal, manteve os nove professores, sob sua responsabilidade de grão-chanceler!

Com a Secretaria de Estado e a Congregação para a Doutrina da Fé teve também dom Paulo suas dificuldades.

Em 1980, estava programado para acontecer em São Paulo, de 20 de fevereiro a 2 de março o Congresso Internacional da Associação Ecumênica de Teólogos do Terceiro Mundo (ASETT).[6] O Congresso tinha por tema a "Eclesiologia das Co-

5 ARNS, Paulo Evaristo. Da esperança à utopia. São Paulo: Sextante, 2001. p. 240.

6 Nos outros continentes, a ASETT era mais conhecida pela sua sigla em inglês: EATWOT (Ecumenical Association of Third World Theologians).

munidades Cristãs de Base". Reuniu 180 pessoas de 42 países entre leigos, bispos, pastores, sacerdotes, religiosos/as, teólogos/as de diferentes Igrejas Cristãs e foi acolhido e aberto por dom Paulo Evaristo Arns.

Poucas semanas antes do evento, dom Paulo recebeu carta da Secretaria de Estado instando para que retirasse seu patrocínio ao encontro e que não comparecesse a ele. Os bispos todos do Brasil e do exterior que se haviam inscrito para o Congresso receberam carta semelhante.

O país, ainda que com sinais tímidos de abertura política, encontrava-se sob o regime militar e sob a ameaça de retrocesso, como bem demonstraram o fracassado atentado de militares de direita ao Rio Centro ou a violenta repressão às greves dos metalúrgicos do ABC, em 1979 e 1980. Uma retirada do apoio do cardeal era abrir a porta da repressão ao próprio Congresso.

Dom Paulo apelou diretamente ao papa, como era de seu direito, como cardeal, provocando efeito suspensivo do ditame da Secretaria de Estado. Com isso, manteve seu apoio ao Congresso e proferiu a palestra de abertura do evento.

Quatro anos depois, dom Paulo, junto com dom Ivo Lorscheiter, presidente da CNBB, e com dom Aloísio Lorscheider, presidente da Comissão de Doutrina da CNBB, acompanhou o teólogo Leonardo Boff convocado para se explicar perante o cardeal Ratzinger, prefeito da Congregação para a Doutrina da Fé, no dia 7 de setembro de 1984. Dom Ivo se fizera presente por julgar que para, além da teologia de Leonardo Boff, o que estava em tela de juízo eram, na verdade, as opções pastorais da Igreja do Brasil, da qual Boff era um dos assessores. Dom Aloísio questionava a legitimidade do procedimento, pois em momento algum as objeções à teologia de Leonardo Boff haviam sido encaminhadas para exame da Comissão de Doutrina da CNBB da qual ele era presidente. Saltaram-se, assim, as instâncias encarregadas de iniciar o exame da questão e emitir um primeiro juízo e se fora diretamente a Roma, que é sempre a última, e não a primeira instância. Dom Paulo apresentou-se como antigo professor e confrade de Leonardo Boff, disposto a dar um testemunho a seu favor, tanto em relação à sua teologia quanto a seu amor à Igreja.

Junte-se a isso o apoio que dom Paulo emprestou à Coleção Teologia e Libertação, um grande projeto da Teologia americana, destinado a repensar toda a teologia a partir dos pobres e de sua libertação. Por estar sofrendo, desde o início , cerrada oposição de determinados setores do Conselho Episcopal Latino-Americano (CELAM) e de Roma, buscou seu Conselho Editorial um guarda-chuva para a iniciativa sob a forma de um Comitê de Patrocínio. Esse foi encabeçado por dom Paulo, seguido por dom Helder Câmara, arcebispo de Olinda e Recife (PE); dom José Maria Pires, arcebispo da Paraíba (PB); dom Silvestre Scandian de Vitória (ES); dom Romeu Alberti de Ribeirão Preto (SP). A eles se somaram 76 outros bispos do Brasil, num total de 81 prelados e ainda arcebispos e bispos do Chile (6), do Equador (6), do Peru (6), dos hispanos nos Estados Unidos (5), da Espanha (4), do Uruguai (2), do México (2), da Argentina (02), Paraguai (1), Venezuela (1) e Bolívia (1).

O Comitê emprestava seu apoio à iniciativa, sem avalizar doutrinalmente, nos detalhes, o que era da responsabilidade teológica dos autores e do Comitê Editorial da Coleção.

O apoio dos bispos, sob a forma de Comitê de Patrocínio, estava assim expresso:

> "O Comitê de Patrocínio saúda com alegria o lançamento da coleção "Teologia e Libertação", que recolhe e sistematiza as inspirações do Concílio Vaticano II, de Medellín, de Puebla, do Magistério da Igreja Universal e das Igrejas particulares e da experiência de vida, de fraternidade ecumênica, de fé e de martírio das comunidades cristãs da América Latina.
>
> Reconhecemos que esta coleção vem ao encontro da necessidade de que a fé, vivida em

contexto de opressão e de libertação, seja aprofundada e aclarada teologicamente em todas as suas dimensões.

Nosso patrocínio não significa aprovação das opiniões pessoais expressas pelos distintos autores. Como pastores, no quadro de um sadio pluralismo, apoiamos com simpatia e vigilância, esse esforço de reflexão teológica no interior e a serviço de nossas Igrejas."[7]

A Congregação para a Doutrina da Fé irritou-se profundamente com esse apoio aos teólogos e teólogas das Igrejas da América Latina, que aportava um selo de eclesialidade à iniciativa e impedia de classificar a reflexão teológica ali proposta como algo dissonante da vida e da pastoral da Igreja.

O cardeal Ratzinger tomou a iniciativa de proibir às editoras católicas no Brasil e nos demais países (Argentina, Espanha, França, Itália, Alemanha, Holanda, Inglaterra, Estados Unidos) que seguissem publicando os livros da Coleção.

Dom Paulo, alertado pelo Conselho Editorial prontificou-se a buscar uma saída e a destravar o impasse que se armara entre o Comitê Editorial da Coleção, as editoras e a Congregação para a Doutrina da Fé. De fato, a 14 de março de 1986, dom Paulo, dom Ivo, dom Aloísio de um lado e, de outro, o cardeal Ratzinger, o arcebispo Bovone, secretário da Congregação, dom Eugênio Araújo Sales e dom Lucas Moreira Neves, então secretário da Congregação dos Bispos, discutiu-se o futuro da coleção Teologia e Libertação. Graças, em boa parte, à firmeza de dom Paulo, dom Ivo e dom Aloísio e à posição de João Paulo II. foi possível retomar a publicação da Coleção. O papa convidara todo o grupo para jantar com ele depois da reunião e apresentar o resultado das conversas. Por fim, exclamou que era bom que houvesse também uma Teologia da Libertação, desde que se mantivesse fiel à tradição da Igreja, desarmando, assim, a posição intransigente do cardeal Ratzinger, que desejava de toda maneira decretar o fim da coleção.

O papa repetiu essa sua posição em carta levada em mãos pelo cardeal Bernardin Gantin, no mês seguinte, à Assembleia da CNBB, reunida em Itaici, em abril daquele ano de 1986. Confiou aos bispos do Brasil a tarefa de acompanhar a Teologia da Libertação.

Na Carta, o papa, depois de afirmar que "(...) estamos convencidos, nós e os senhores de que a Teologia da Libertação é não só oportuna, mas útil e necessária", prosseguiu, afirmando:

"Penso que, nesse campo, a Igreja do Brasil possa desempenhar um papel importante e delicado ao mesmo tempo: o de criar espaço e condições para que se desenvolva, em perfeita sintonia com a fecunda doutrina contida nas duas citadas Instruções [*Libertatis Nuntius* e *Libertatis Conscientia*], uma reflexão teológica plenamente aderente ao constante ensinamento da Igreja em matéria social e, ao mesmo tempo, apta a inspirar uma práxis eficaz em favor da justiça social e da equidade, da salvaguarda dos Direitos Humanos, da construção de uma sociedade humana baseada na fraternidade e na concórdia, na verdade e na caridade. Deste modo, poder-se-ia romper a pretensa fatalidade dos sistemas – incapazes, um e outro, de assegurar a libertação trazida por Jesus Cristo –, o capitalismo desenfreado e o coletivismo ou o capitalismo de Estado (cf. *Libertatis Conscientia*, n$^{os.}$ 10 e 13). Tal papel, se cumprido, será certamente um serviço que a Igreja do Brasil pode prestar ao país e ao quase-continente latino-americano, como também a muitas outras regiões do mundo onde os mesmos *desafios* se apresentam com análoga gravidade.

Para cumprir esse papel, é insubstituível a ação

7 O texto do Comitê de Patrocínio foi reproduzido do livro de HOORNAERT, Eduardo, Memória do Povo Cristão. Petrópolis: Vozes, 1986, em sua primeira edição. Foi um dos três primeiros a serem editados e recebeu o *imprimatur* do Cardeal Arcebispo de Fortaleza, CE, Dom Aloísio Lorscheider a 06 de agosto de 1985.

sábia e corajosa dos pastores, isto é, dos senhores. Deus os ajude a velar incessantemente para que aquela correta e necessária Teologia da Libertação se desenvolva, no Brasil e na América Latina, de modo homogêneo e não heterogêneo com relação à teologia de todos os tempos, em plena fidelidade à doutrina da Igreja, atenta a um amor preferencial não excludente nem exclusivo para com os pobres".[8]

A atitude pessoal do papa, conciliatória e positiva, não foi, entretanto, secundada pelos setores mais duros da Cúria Romana e até hoje abertamente adversários da Teologia da Libertação.

Neste sentido, pode-se compreender certa imagem bastante negativa de dom Paulo vigente na maioria dos ambientes da Cúria Romana e que emergiu na conversa entre Dom Paulo e seu amigo, o cardeal Casaroli, que foi secretário de Estado de 1979 a 1990.

Disse-lhe Casaroli: "Senhor Cardeal, desde a primeira Congregação romana, passando por todas as demais, até chegar no meu gabinete, o seu nome é tão temido em Roma, que, ao som dele, arrepiam-se todos os pelos do braço". Eu me surpreendi: "Não conheço nenhuma das congregações, nunca fiz qualquer referência negativa a elas, não compreendo de onde pode vir este medo". Ele esclareceu com toda simplicidade: "O senhor dá o *imprimatur* para os livros da Teologia da Libertação que são temidos em Roma"[9].

Lembrei ao cardeal que eu só dava o *imprimatur* aos livros da Teologia da Libertação depois do parecer da Comissão de Doutrina da CNBB e das correções e modificações efetuadas pelos autores, dos pontos sugeridos pela comissão de doutrina.

A opção preferencial evangélica em favor dos pobres, consequência imediata da Teologia da Libertação, determinou o objetivo geral da CNBB e das atividades de toda a Igreja do Brasil. Ela obedecia ao seguinte princípio: os pobres precisam ser preparados de tal maneira que possam tomar a sua história na mão.

Por outro lado, dom Paulo prestou toda a colaboração que lhe foi pedida nos vários organismos da Cúria para os quais foi nomeado como membro.

O primeiro deles, ainda como bispo-auxiliar, foi no Secretariado para os Não Crentes[10], presidido pelo cardeal Franz König de Viena, na Áustria. Por duas vezes, foi membro da Congregação para o Culto Divino e a Disciplina dos Sacramentos. Prestou também sua colaboração no Sínodo dos Bispos, para o qual foi eleito por duas vezes para representar a CNBB.

Bem magra foi, porém, a participação de Dom Paulo nos organismos centrais da Igreja, se comparada com a de seu colega do Rio de Janeiro, o cardeal Dom Eugênio de Araújo Sales (1971-2001), que gozava de confiança e prestígio nessas esferas e que chegou a estar nomeado simultaneamente para 11 diferentes congregações e pontifícios conselhos!

Agosto de 2013

8 João Paulo II, *Mensagem do Santo Padre ao Episcopado do Brasil*. Vaticano, 9 de abril de 1986. São Paulo: Loyola, 1986, no. 5.

9 Sobre o projeto e as vicissitudes da Coleção Teologia & Libertação, na qual foram publicados 28 títulos em sete diferentes idiomas, veja, BEOZZO, José Oscar, Colección Teologia y Liberación, In HERMANO Rosario y BONAVIA, Pablo (editores), *Construyendo puentes entre teologias y culturas* — Memoria de un itinerario colectivo — Homenaje a Sergio Torres en sus 80 años de vida. Montevideo: Doble clic — Editoras, 2009, pp. 203-216. O libro foi republicado na Colômbia, com titulo ligeiramente modificado, dois anos depois: *Construyendo puentes entre teologias y culturas* — Memoria de un itinerario colectivo. Bogotá: Amerindia & San Pablo, 2011. O capítulo sobre a Coleção saiu nas páginas de 173 a 187.

10 Hoje, Pontifício Conselho para a Cultura.

56 Em São Paulo, quem recebe o papa João Paulo II é um operário metalúrgico

1980

Dom Paulo acompanha a visita de João Paulo II ao Brasil. No Morumbi, o papa escutou o discurso do líder sindical Waldemar Rossi, que foi sensivelmente cortado pelos cardeais mais próximos ao papa.

O próprio dom Paulo e o Waldemar Rossi contam como foi o encontro com o papa. Primeiro, dom Paulo fala de Dalmo Dallari, jurista da Comissão Justiça e Paz, que havia sido seqüestrado na véspera da chegada de João Paulo II. E, depois, narra o que o então governador Paulo Maluf andou aprontando.

"Dalmo (Dallari) foi à missa em cadeira de rodas e o Papa perguntou: 'Quem é esse homem trazido em cadeira de rodas ?'. Eu disse: 'É um homem que foi torturado por sua causa'. Eu disse em alemão, claramente. Ele respondeu: 'Este eu quero ver, quero falar com ele'. Até a meia-noite, fui atrás, para levá-lo, mas não consegui me comunicar com ele" (Justiça e Paz, p. 150).

WALDEMAR ROSSI, SOBRE O DISCURSO AO PAPA:

Depois de escrito e reescrito, mostrei a dom Paulo, que leu e disse: 'Você vai, desde o começo, digamos, com um tratamento coloquial ao papa. Chega um momento em que você formaliza. Mantenha o coloquial'. (...) Uma chuva fininha e persistente caía, não era muito forte, mas chovia bastante. O papa, o secretário do Vaticano e dom Paulo subiram ao palco, e os outros bispos vieram para o lugar em que estávamos. Dom Luciano (Mendes de Almeida) chegou para mim e disse: 'Waldemar, dom Paulo pediu que você lesse a entrada e o fim do discurso, é um pedido do secretário de Estado, porque estamos com uma hora de atraso, e o papa ainda tem um encontro lá no Colégio Santo Américo'.

Entrei em pânico, o mundo começou a desabar sobre a minha cabeça. Comecei a ler e, então ,eu denunciei a morte do Santo (Dias da Silva) e do Raimundo e depois li a parte do encerramento. Raimundo Ferreira Lima, o Gringo, era dirigente sindical rural, tínhamos tido um encontro no mês de maio, isto é, um encontro das oposições sindicais, e, quando ele voltou para sua casa foi assassinado. O Santo, fazia oito meses.

Primeiro, eu falei da repressão – foi quando o povo começou a gritar: Liberdade! Liberdade! – depois denunciei as mortes e minha voz embargou. Eu me recuperei e continuei até o fim. Quando saí do palco, estava todo o pessoal da Igreja lá e comecei a chorar convulsivamente, nem ouvi o discurso do papa, fui ler depois alguma coisa.(...)

A *Folha* me chamou para um debate mediado pelo Joelmir Betting, que me disse: '(...) Rossi, conheci você em Tóquio'. Respondi que nunca tinha estado no Japão. 'Fez um ano, você estava fazendo o discurso para o papa, e eu estava em frente à televisão, vendo você.' Veja a dimensão internacional, o mundo voltado para o encontro do papa com os operários em São Paulo, contra a ditadura. Do meu discurso constava a denuncia da cassação da diretoria do Sindicato dos Bancários de Porto Alegre, dos Bancários de São Paulo,

dos Metalúrgicos do ABC e eu não pude ler isto.
(Justiça e Paz, p. 152 a 154).

DOM PAULO EVARISTO CARDEAL ARNS,
UMA BENÇÃO PARA A IGREJA EM SÃO PAULO

Foram difíceis, para os cristãos engajados nos movimentos sociais em São Paulo, os primeiros anos da ditadura militar. Muitos do episcopado ainda a davam seu apoio aos militares. A nomeação de dom Paulo para arcebispo paulistano, em novembro de 1970, foi uma verdadeira benção de Deus sobre todos os amantes e defensores da justiça.

Entre os setores da população beneficiada pela sua dedicação à causa dos injustiçados, destacamos os moradores da periferia, que recebiam suas visitas e com ele partilhavam suas dificuldades e esperanças. A Igreja de São Paulo saiu do centro, do contato preferencial com o poder e os poderosos, e passou a se encontrar com os "escolhidos de Jesus Cristo".

Em coerência com tal prioridade, dom Paulo deu apoio incondicional aos engajados nas lutas operárias. Foi assim que a Pastoral Operária da arquidiocese se tornou visível para o conjunto das dioceses brasileiras. Um dos momentos importantes desse apoio foi a aprovação da "Pastoral no Mundo do Trabalho"- junto aos trabalhadores do campo e da cidade - com uma das cinco prioridades da CNBB-Sul I, da qual dom Paulo era então presidente.

Merece destaque também a indicação de um representante da Pastoral Operária para saudar o papa João Paulo II, no seu encontro com os operários, no Estádio do Morumbi, no dia 3 de julho de 1980, época em que a ditadura militar imprimia nova onda de repressão ao movimento sindical, cassando direções e assassinando sindicalistas.

Graças à coragem e ação do cardeal Arns, a Igreja (povo) de São Paulo jamais voltará ao seu passado conservador.

UMA MALUFADA COM JOÃO PAULO II.
(QUEM CONTA É O PRÓPRIO DOM PAULO)

Na sexta-feira anterior à chegada do papa a São Paulo, os representantes da empresa encarregada pelo governo estadual de preparar as instalações para a solenidade pontifícia no Ginásio do Ibirapuera e no Estádio do Morumbi chegaram à Cúria com uma noticia totalmente inesperada: o secretário estadual de Esportes e Turismo, na época Francisco Rossi, havia acabado de lhes comunicar que o governo estadual não arcaria com as despesas para os equipamentos dos dois locais, indispensáveis à manifestação de João Paulo II.

Para o Ginásio do Ibirapuera, nosso grande amigo e artista Roberto Carlos sem demora ofereceu toda a montagem e ornamentação que sua equipe havia preparado para o show anual, que seria no domingo seguinte. (...)

A questão do Estádio do Morumbi, no entanto, parecia quase insolúvel. (...) Como infelizmente não dispúnhamos da quantia, telefonei na mesma hora para o banqueiro e ex-prefeito Olavo Setúbal, perguntando se ele poderia adiantar-nos a soma necessária. Relatei-lhe todo o imprevisto, e ele, no mesmo instante, mandou sacar a importância na agência mais próxima do banco que dirigia. Até acrescentou que eu só precisaria devolver o dinheiro na hora em que a Mitra Arquidiocesana estivesse em condições favoráveis para fazê-lo.

Muitos ficaram sabendo desse fato e protestaram abertamente contra o governador Paulo Maluf, que tinha criado tais obstáculos para a realização dos eventos, por ter sido um dos primeiros a se apresentarem para comungar das mãos do papa, na missa celebrada no Campo de Marte, diante de todos os jornalistas e comunicadores presentes. Ficara determinado que receberiam a comunhão das mãos do pontífice apenas as pessoas designadas por algum bispo, e certamente o governador não era uma delas."

(Da Esperança, p. 385/6).

57 Mais uma vez, a Praça da Sé é do povo... e das Diretas Já!

Álbum de retrato das Diretas...

Antonio Maschio (no primeiro plano) fez do seu restaurante "Pirandello", na Rua Augusta, um dos quartéis-generais da campanha das Diretas. Foi de lá que saiu a cor amarela como símbolo da própria campanha.

58 Dom Paulo é cidadão honorário de 38 localidades. Uma fica na Irlanda

Já em Minas Gerais, em 1979, a Assembleia Legislativa negou o título ao cardeal. O que fizeram os mineiros que viviam no exílio, quer dizer, fora do estado?

Fizeram um diploma lindíssimo – coisa do cartunista mineiro Henfil – e entregaram o título de cidadão mineiro numa sessão solene na Assembleia Legislativa de São Paulo.

Na foto (da esquerda para a direita): dom Benedito Ulhoa, arcebispo de Uberaba; Frei Betto; dom Paulo; Henfil, cartunista; Fernando Morais, jornalista e escritor.

O MINEIRO, JORNALISTA, ESCRITOR E, NA ÉPOCA, DEPUTADO ESTADUAL POR SÃO PAULO, FERNANDO MORAIS, EXPLICA COMO SURGIU A IDEIA:

No final de 1979, os jornais noticiaram que a Assembleia Legislativa de Minas Gerais rejeitara a concessão do título de "Cidadão Mineiro" a dom Paulo. Proposta por um deputado do MDB, a homenagem fora derrubada no plenário pela bancada majoritária da Arena, partido que apoiava a ditadura militar.

Mineiro de Mariana, fiquei chocado com tamanha desfeita a alguém que arriscara a pele para salvar a vida de brasileiros de todo o Brasil, inclusive os nascidos no estado que agora o tratavam com grosseria. Como na música, Minas atirava uma pedra no peito de quem só lhe fez tanto bem...

Falei com Henfil (mineiro de Bocaiúva), frei Betto (de Belo Horizonte) e Carlito Maia (de Lavras), os três exilados em São Paulo, como eu, e com Ziraldo (Caratinga), residente no Rio. Coincidimos em que os mineiros perdidos pelo Brasil tínhamos a obrigação de desagravar o cardeal.

Se Minas nos enchia de vergonha ao negar-lhe a cidadania, nós, mineiros de todo o Brasil, nos encarregaríamos de fazê-lo Cidadão Mineiro. Henfil caprichou no diploma, cujas letras pareciam saídas de um convite de casamento: "Dom Paulo Evaristo Arns é Cidadão Mineiro porque assim o quisemos". A data escolhida para a entrega, dia 25 de janeiro de 1980, aniversário de São Paulo, vinha escrita em algarismos romanos: "XXV janeiro MCMLXXX". No alto, em uma deliciosa caricatura, dom Paulo, empunhando a bandeira de Minas, liderava uma passeata formada pelos principais personagens de Henfil: Ubaldo, o paranoico, os fradinhos Cumprido e Baixinho, o Capitão Severino, o bode Francisco Orellana e a Graúna.

Nas semanas seguintes, o diploma circulou pelo Brasil, enrolado dentro de um tubo de papelão, recolhendo as assinaturas. Centenas de assinaturas, espremidas em uma tripa de cartolina que media xxx centímetros de comprimento.

No dia acertado, o diploma foi entregue a dom Paulo em sessão solene convocada pela Assembleia Legislativa de São Paulo, cujo presidente, Robson Marinho (mineiro de Uberlândia), também assinara o diploma. A mesa da cerimônia para a entrega era composta de dom Benedito Ulhoa, arcebispo de Uberaba; Frei Betto; Henfil; Carlito Maia; Edgard da Mata Machado e Airton Soares.

Na lista de signatários, dezenas de cidadãos de Minas Gerais, todos de alma lavada.

HONNEUR  PATRIE

LE PRÉSIDENT DE LA RÉPUBLIQUE FRANÇAISE

GRAND MAÎTRE DE L'ORDRE NATIONAL DE LA LÉGION D'HONNEUR

nomme par décret de ce jour, *Monseigneur* *Paulo* *Evaristo* *A R N S*

Cardinal-Archevêque de SAO PAULO

COMMANDEUR DE LA LÉGION D'HONNEUR

Fait à Paris, le 20 Mars 1987

Par le Pré

LE GRAND CHAN

u de l'Ordre sous le n° 12 LHE 87

ecrétaire Général adjoint,

François Mitterrand

ARNS, PAULO EVARISTO (Dom) FICHA Nº 40

... e a ideia fundamental que perpassa todo o livro é de que a vida religiosa se constitui "um meio privilegiado de evangelização eficaz". Pedidos à Av. Higienopolis, 890. Doc. na pasta Igreja.

21/11/79 - Inf. Folha de São Paulo: Numa agitada sessão, a Assembleia Legislativa de Minas deixou para hoje a votação do projeto do emedebista Milton Lima, que concede o titulo de cidadão honorario de Minas Gerais ao cardeal-arcebispo de São Paulo, dom Paulo Evaristo Arns. Apenas cinco deputados da Arena permaneceram em plenario e se mostraram dispostos a votar a favor da moção. Doc. na pasta Igreja.

Um detalhe.
O DOPS de São Paulo não gostou da ideia do título de cidadão mineiro para dom Paulo e abriu mais uma ficha no prontuário do cardeal. A de número 40 (de um total de 46 fichas).

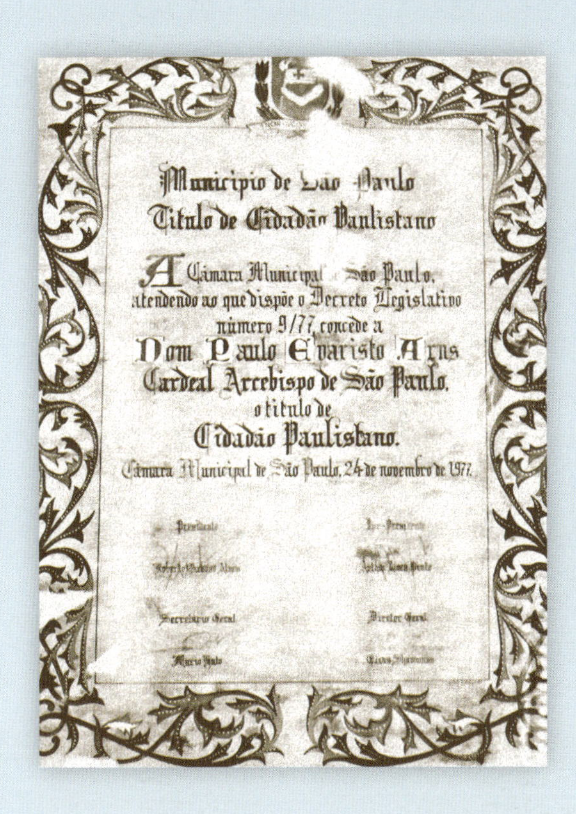

Município de São Paulo
Título de Cidadão Paulistano
A Câmara Municipal [illegible] São Paulo,
atendendo ao que dispõe o Decreto Legislativo
número 9/77, concede a
Dom Paulo Evaristo Arns
Cardeal Arcebispo de São Paulo,
o título de
Cidadão Paulistano.
Câmara Municipal de São Paulo, 24 de novembro de 1977.

Presidente

Secretário Geral

Diretor Geral

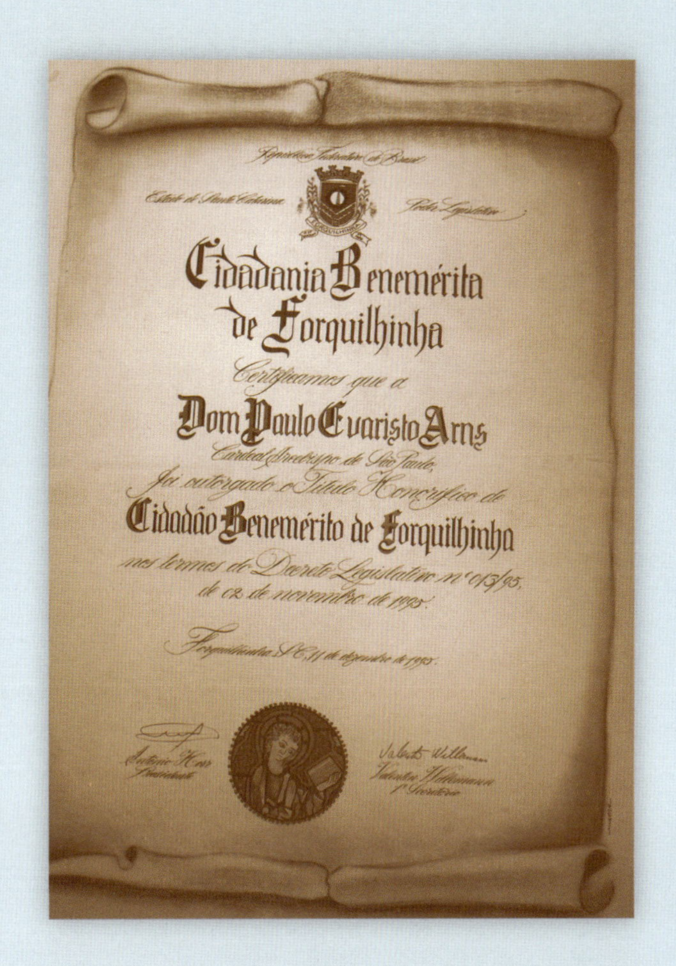

República Federativa do Brasil
Estado de Santa Catarina
Poder Legislativo
Cidadania Benemérita de Forquilhinha
Certificamos que a
Dom Paulo Evaristo Arns
Cardeal Arcebispo de São Paulo,
foi outorgado o Título Honorífico de
Cidadão Benemérito de Forquilhinha
nos termos do Decreto Legislativo nº 013/95,
de 02 de novembro de 1995.
Forquilhinha SC, 11 de dezembro de 1995.

DOM PAULO É CIDADÃO HONORÁRIO DOS SEGUINTES ESTADOS E CIDADES:

1. Petrópolis
2. Passa Quatro
3. São Paulo
4. Mogi Mirim
5. São José dos Campos
6. São João da Boa Vista
7. Jacareí
8. Piquete
9. Cândido Mota
10. Guarujá
11. Presidente Prudente
12. Minas Gerais
13. Franco da Rocha
14. Aparecida (do Norte)
15. Aguaí
16. Paraná
17. Ibiúna
18. Galway, Irlanda
19. Lindóia
20. Osasco
21. Cruzília
22. Paracambi
23. Ribeirão Preto
24. Cataguases
25. Santos
26. (benemérito) Forquilhinha
27. Maceió
28. Belo Horizonte
29. Juiz de Fora
30. Sorocaba
31. Santo André
32. Guarulhos
33. Brasília
34. Araraquara
35. Ferraz de Vasconcellos
36. Joinville
37. Itaquaquecetuba
38. Itapevi

59 Junto com o presidente dos Estados Unidos, o título *honoris causa*

1977

E na PUC, em São Paulo, dom Paulo entrega o título doutor *honoris causa* para dom Helder Câmara.

O SÃO PAULO

Número avulso Cr$ 3,00
São Paulo, 28 de Maio a 3 de Junho de 1977

SEMANÁRIO — Assinatura Cr$ 200,00
Ano XXI N.º 1.107

VOLPONE, UMA SÁTIRA ANTIGA,

É PRECISO SONHAR COM UMA NOVA ORDEM

Durante sua permanência nos Estados Unidos, D. Paulo Evaristo Arns cumpriu uma série de compromissos, desde a chegada a Nova Iorque, na sexta-feira, quando participou de um debate informal, a respeito do tema Direitos Humanos, com 30 representantes do Conselho Nacional das Igrejas.

No sábado à tarde, já em Notre Dame, concedeu uma entrevista à cadeia CBS de televisão, juntamente com o cardeal Kim, da Coréia do Sul, e o bispo Donal Lamont, exilado de Umtali, na Rodésia do Norte. A

tranquila solenidade, com ampla participação desta mesma imensa assembléia, antecipou a alegria e o descontraimento da cerimônia da tarde do dia 22. Num clima de liberdade, espontaneidade e aclamação, tal acontecimento lançou ao mundo uma mensagem global importante: o testemunho, a palavra e a vida a serviço da defesa dos direitos humanos e de uma nova ordem internacional são possíveis. Disto eram testemunhas os 4 principais homenageados que receberam os seus títulos das mãos do presidente da Universidade, rev. Theodorem Hesburgh C. S. C., na

NA UNIVERSI
ESTÃO FALANDO
"COMUNH

Jimmy Carter, presidente dos Estados Unidos, e dom Paulo recebem o *honoris causa* na Universidade de Notre Dame, nos Estados Unidos.

Dom Paulo recebe o *honoris causa* da Universidade do Sagrado Coração.

No Canadá, pela Saint Francis Xavier University.

O SÃO PAULO

Número avulso Cr$ 3,00
São Paulo, 10 a 17 de Junho de 1977

SEMANARIO — Assinatura Cr$ 200,00
Ano XXI
N.º 1.109

A NOITE DO COMPROMISSO

[illegible]ão Violência [illegible]parece duas [illegible]ezes nesta [illegible]dição: págs. 2 e 5

O *São Paulo* registra em sua primeira página a homenagem que foi feita a dom Paulo, no TUCA, por conta do *honoris causa* em Notre Dame. Foi uma forte emoção ver e ouvir o auditório lotado proclamando, em coro, os artigos da Declaração Universal dos Direitos Humanos.

FORAM, NO TOTAL, 24 TÍTULOS *HONORIS CAUSA* EM UNIVERSIDADES DO MUNDO INTEIRO:

1. Universidade de Notre Dame, Indiana, EUA, juntamente com o presidente Jimmy Carter (1977)
2. Siena College, Loudonville, EUA (1981)
3. Fordham University, Bronx, New York, EUA (1981)
4. Seton Hall University, Newark, EUA (1982)
5. Universidade de Münster, Alemanha (1983)
6. Saint Francis Xavier University, Antigonish, Canadá (1986)
7. Universidade de Dubuque, Iowa, EUA (1988)
8. Univ. de São Francisco, Bragança Paulista (1989)
9. Universidade Metodista de Piracicaba (1990)
10. Manhattanville College, Purchase, NY, EUA (1991)
11. Univ. do Sagrado Coração de Jesus, Bauru (1992)
12. Universidade Católica de Nimega, Holanda (1993)
13. Universidade Católica de Goiânia, GO, (1998)
14. Univ. do Extremo Sul Catarinense, Criciúma (1998)
15. Univ. Federal do Acre, Rio Branco (1998)
16. Universidade Federal do Paraná, Curitiba (1999)
17. Pontifícia Faculdade Teologia Assunção, SP (1999)
18. Universidade Federal de Viçosa, MG (1999)
19. Univ. Estadual de Campinas, UNICAMP (2000)
20. Universidade de Sorocaba, (2001)
21. UniFIAM-FAAM, SP (2002)
22. Universidade de Brasília, (2002)
23. Universidade Estadual de Londrina, PR, (2003)
24. PUC-SP (2005)

No TUCA – teatro da PUC/SP – superlotado, dom Helder Câmara, ao lado de dom Paulo, recebe o título *honoris causa*. Dom Helder foi arcebispo de Olinda e do Recife e um dos homens mais odiados pela ditadura militar.

60 E dom Paulo ainda teve tempo de publicar 58 livros

Na verdade, são 59, se a gente contar o *Brasil Nunca Mais*, para o qual ele escreveu "apenas" o prefácio e foi o mentor intelectual da publicação.

Paixão por livros. Em 2001, já arcebispo emérito (aposentado), dom Paulo mostra a coleção dos livros de sua autoria. A cada lançamento, a Cúria mandava encadernar um exemplar com capa da mesma cor. Quando mudou para Taboão da Serra, na Grande São Paulo, doou a coleção ao Convento Franciscano do Rio de Janeiro, já que o Arquivo Dom Duarte, da Cúria paulista e a sede provincial dos franciscanos em São Paulo já tinham a coleção completa.

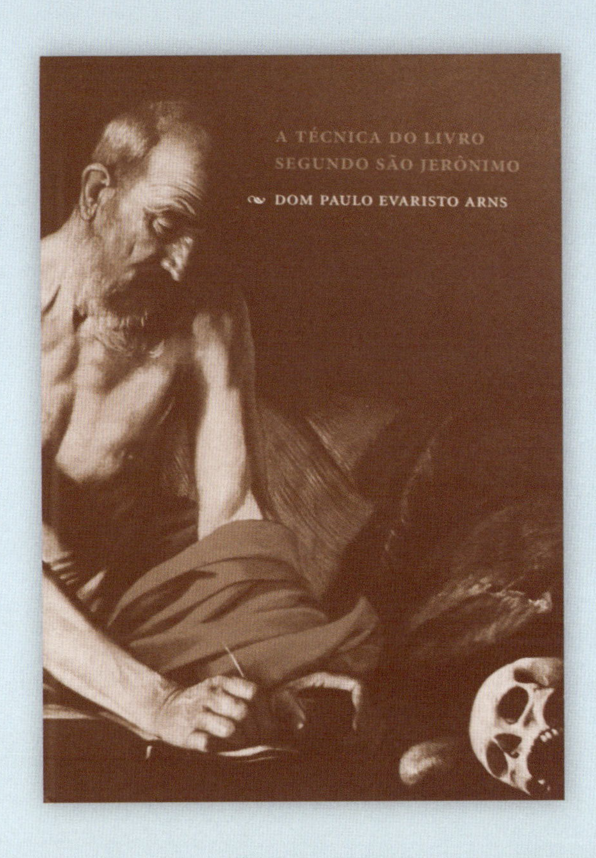
A TÉCNICA DO LIVRO
SEGUNDO SÃO JERÔNIMO
DOM PAULO EVARISTO ARNS

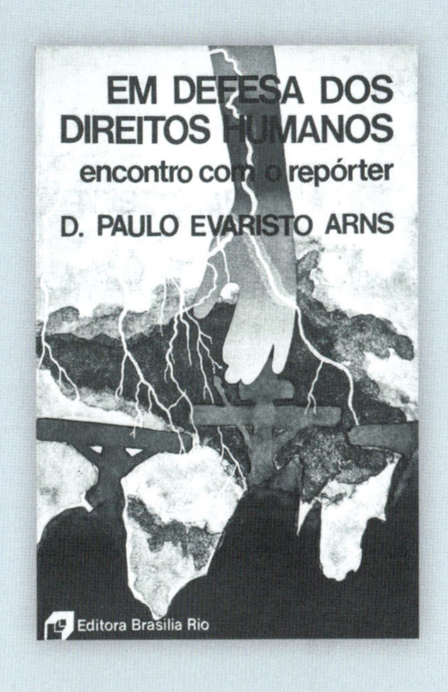
EM DEFESA DOS
DIREITOS HUMANOS
encontro com o repórter
D. PAULO EVARISTO ARNS
Editora Brasília Rio

Cardeal Arns
O EVANGELHO:
- INCOMODA?
- INQUIETA?
- INTERESSA?
Sínodo da Evangelização
EDIÇÕES LOYOLA

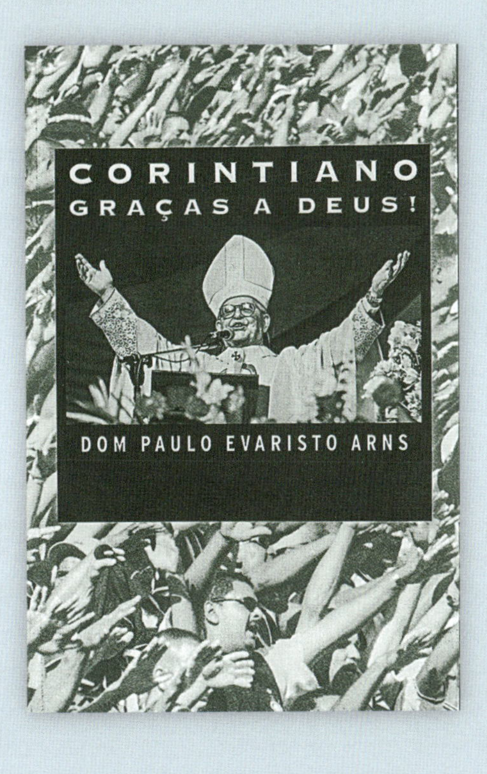
CORINTIANO
GRAÇAS A DEUS!
DOM PAULO EVARISTO ARNS

A lista de livros

1. La technique du livre d'après Saint Jérome (tese doutoral da Sorbonne), Ed. de Boccard, Paris, 1953; : traduzido para o português sob o título A técnica do livro segundo São Jerônimo, Imago Editora, Rio de Janeiro, 1993: traduzido para o italiano sob o título "La tecnica del libro secondo San Gerolamo", Edizioni Biblioteca Francescana, Milão, Itália, 2005. Versão portuguesa reeditada em edição artística e ilustrada pela Editora Cosac-Naify, São Paulo, setembro/2007
2. Liberdade de Ensino, Ed. Vozes, Petrópolis, 1960
3. Por que escolas católicas? Ed. Vozes, Petrópolis, 1963
4. Rumo ao casamento, Ed. Vozes, Petrópolis, 1963
5. A quem iremos, Senhor? Ed. Paulinas, São Paulo, 1968
6. A humanidade caminha para a fraternidade, Ed. Paulinas, São Paulo, 1968
7. Paulo VI: você é a favor ou contra? Ed. Paulinas, São Paulo, 1970
8. Cartas de Santo Inácio de Antioquia. Introdução, tradução e notas, Ed. Vozes, Petrópolis, 1970
9. A guerra acabará, se você quiser, Ed. Paulinas, São Paulo, 1970
10. Carta de São Clemente Romano. Introdução, tradução e notas, Ed. Vozes, Petrópolis, 1971
11. De esperança em esperança, na sociedade, hoje, Ed. Paulinas, São Paulo, 1971
12. Os sacramentos e os mistérios de Santo Ambrósio, Introdução e tradução do original latino, Ed. Vozes, Petrópolis, 1972
13. Comunidade: união e ação, Ed. Paulinas, São Paulo, 1972
14. Viver é participar, Ed. Paulinas, São Paulo, 1973
15. Cristãos em plena vida, Ed. Loyola, São Paulo 1974
16. Você é chamado a evangelizar, Ed. Loyola, São Paulo, 1974
17. Nova forma de consagração da mulher, Ed. Paulinas, São Paulo, 1974; revisto e atualizado com novo título e editora: "Consagração da mulher para tempos novos", Ed. Paulus, São Paulo, 2003.
18. O evangelho: incomoda? inquieta? interessa? Sínodo da Evangelização, Ed. Loyola, São Paulo, 1975
19. A família constrói o mundo? Ed. Loyola, São Paulo, 1975
20. Cidade, abre as tuas portas! Ed. Loyola, São Paulo, 1976
21. Qual é a sua vocação? Ed. Paulinas, São Paulo, 1976
22. Sê Fiel! Ed. Loyola, São Paulo, 1977
23. Em defesa dos Direitos Humanos. Encontro com o repórter, Ed. Civilização Brasileira, Rio de Janeiro, 1978
24. Convite para rezar, Ed. Paulinas, São Paulo, 1978
25. Presença e força do cristão, Ed. Loyola, São Paulo, 1978
26. Em favor do homem, Ed. Avenir, Rio de Janeiro, 1979
27. Religiosas recomeçam sempre, Ed. do Autor, São Paulo, 1979
28. Discutindo o papel da Igreja, Ed. Loyola, São Paulo, 1980
29. Mulher consagrada: identidade e relacionamento, Ed. Paulinas, São Paulo, 1980
30. Os ministérios na Igreja, Ed. Salesiana Dom Bosco, São Paulo, 1980
31. O que é Igreja, Ed. Brasiliense, São Paulo, 1981
32. Meditações para o dia a dia, vol. 1, Ed. Paulinas, São Paulo, 1982
33. Meditações para o dia a dia, vol. 2, Ed. Paulinas, São Paulo, 1982

34. Pensamentos, Ed. Paulinas, São Paulo, 1982
35. Olhando o mundo como São Francisco, Ed. Loyola, São Paulo, 1982
36. Meditações para o dia a dia, vol. 3, Ed. Paulinas, São Paulo, 1982
37. A violência em nossos dias, Ed. Salesiana Dom Bosco, São Paulo, 1983
38. Meditações para o dia a dia, vol. 4, Ed. Paulinas, São Paulo, 1983
39. Para ser jovem hoje, Ed. Salesiana Dom Bosco, São Paulo, 1984
40. Brasil nunca mais, Editora Vozes, Petrópolis, 1985
41. Santos e heróis do povo, Ed. Paulinas, São Paulo, 1985; Ed. Letras & Letras, São Paulo, 1996
42. O evangelho de Marcos na vida do novo, Ed. Paulinas, São Paulo, 1987. Ed. Paulus, São Paulo, 1997
43. I poveri e la pace prima di tutto, Ed. Borla, Roma, Itália, 1987
44. Criança, prioridade absoluta, Ed. Loyola, São Paulo, 1987
45. O rosário na Bíblia e na vida do povo, Ed. Vozes, Petrópolis, 1987
46. Von Hoffnung zu Hoffnung. Vortragre, Gesprache, Dokumente, Patmos Verlag, Dusseldorf, Alemanha, 1988
47. Clamor do povo pela paz, Ed. Paulinas, São Paulo, 1989
48. Mulher: quem és? Que procuras? Ed. Santuário, Aparecida, 1990
49. Evangelizar pelo coração, Ed. Loyola, São Paulo, 1991
50. Da esperança à utopia – Testemunho de uma vida (livro autobiográfico), Editora Sextante, Rio de Janeiro, 2001
51. Corintiano, graças a Deus! – Ed. Planeta do Brasil, São Paulo,2004
52. Conversa com São Francisco, Paulinas, São Paulo, 2004
53. Mulheres da Bíblia, Ed. Paulinas, São Paulo, 2004
54. Dez caminhos para a perfeita alegria, Editora Santuário, 2005
55. Um padre em sete morros abençoados, Editora Santuário, Aparecida, 2005
56. Estrelas na noite escura – Pensamentos, Ed. Paulinas, São Paulo, 2006
57. O rosário na Bíblia e na vida do povo (edição revista e atualizada), Editora Ave-Maria, São Paulo, 2006
58. Com Maria pela paz – Vamos a Aparecida, Editora Santuário Aparecida, 2007
59. Ano sacerdotal 2009/2010, Reminiscências e testemunhos. Ed. Paulinas, São Paulo, 2009

61 Tortura, nunca mais!

Dom Paulo foi a tudo quanto é lugar, no Brasil e no exterior, para organizar entidades contra a tortura.

QUEM CONTA UMA DAS HISTÓRIAS É O ADVOGADO BELISÁRIO DOS SANTOS JUNIOR

Diz a lenda que, nos anos 70, chegando ao Paraguai, em visita episcopal, dom Paulo Evaristo, cardeal Arns foi recebido à porta do avião pelo vice-presidente do Paraguai. O Paraguai era então e desde os anos 50 uma ditadura governada com mão de ferro pelo general Stroessner. O Paraguai não tinha cardeal, e, como tal, dom Paulo teve tratamento de vice-presidente da República: "Há algo que o Governo paraguaio possa fazer por V. Eminência", perguntou o dignatário guarani. "Soltem os presos políticos ainda no cárcere", respondeu dom Paulo no seu estilo direto, desassombrado e desconcertante com que sempre tratou o poder. Um estilo que mistura força com teimosia e obstinação, e que em guarani se conhece como *mbareté*. Os presos foram soltos. A ditadura prenderia outros depois, mas esse seria outro momento e outra luta. Eu disse lenda? Pura verdade. Essa história me foi contada, no Paraguai, por defensores de Direitos Humanos, com o orgulho que todos os bons irmãos latino-americanos temos dessa figura ímpar de pastor e protetor de vítimas que é dom Paulo.

Assim, no início dos anos 80, quando o Comitê Suíço contra a Tortura (CSCT), que mais tarde se tornaria a Associação para Prevenção da Tortura (APT) e a Comissão Internacional de Juristas (CIJ), quiseram impulsionar uma atividade contra a Tortura nas Américas, dom Paulo Evaristo foi convidado para liderar o projeto.

O CSCT e a CIJ já haviam participado do processo de elaboração da Convenção da ONU contra a tortura, apresentado pela Costa Rica em 1982, e de um projeto para a Convenção Europeia para Prevenção da Tortura, no mesmo ano.

A ideia-mãe desse projeto era instituir um sistema de regulação de visitas não anunciadas a centros de detenção, celas policiais ou quaisquer outros lugares onde alguém privado de liberdade pudesse estar.

O Comitê de Especialistas para a Prevenção da Tortura nas Américas (CEPTA)[1], sob a presidência de dom Paulo, foi criado dentro da mesma filosofia com a missão de apresentar um projeto de convenção interamericana para proteger pessoas

---

1 Integraram o Comitê que apresentou o projeto: como secretário executivo, Alejandro Artuccio (Uruguai); como membros: Leandro Despouy (Argentina); Dalmo Dallari e Belisário dos Santos Jr (Brasil); Elizabeth Odio Benito (Costa Rica); Antonio Gonzalez de Leon (México); Diego Garcia-Sayan e Juan Alvarez Vita (Peru); Neil MacDermot (Reino Unido); Pierre de Senarclens e François de Vargas (Suíça) e Hector Gross Espiell (Uruguai).

privadas de liberdade contra a tortura e outros maus-tratos.

O Comitê, sob a inspiração de dom Paulo, realizou várias atividades, além da elaboração do projeto, que consistiam na divulgação da ideia-mãe e no convencimento de governos nacionais de que o monitoramento era possível e necessário, sem ferir a soberania dos Estados.

Esses esforços se somaram a todos os demais ao redor do mundo que resultaram na Convenção das Nações Unidas contra a Tortura de 1984; na Convenção Interamericana para Prevenir e Punir a Tortura, de 1985, e no Protocolo Facultativo à Convenção contra a Tortura de 2002, que prevê sistemas nacionais, para prevenção e combate contra a Tortura, com dois órgãos destinados ao monitoramento dos centros de privação de liberdade e a promoção dos Direitos Humanos das pessoas que ali se encontram, recém-implantado no Brasil.

Sabemos, agora, que nisso tudo houve um dedo de dom Paulo.

Ao intervir pessoalmente, com risco de sua vida, numa situação crítica e colaborar para liberar, são e salvo, um empresário sequestrado e ainda garantir a integridade física dos autores do crime, indagado por que não se afastava da cena e se protegia, dom Paulo respondeu com a ética dos que dedicam a vida ao outro, ao próximo: "Eu não tenho tempo para pensar em mim mesmo".

Falei em lenda? Falei em dom Paulo Evaristo.

Setembro de 2013

Belisário dos Santos Jr. foi membro do CTA, Secretário da Justiça e da Defesa da Cidadania do Estado de São Paulo, membro da Comissão Justiça e Paz/SP e da Comissão Internacional de Juristas.

O JORNALISTA RICARDO KOTSCHO, UM DOS REDATORES DO LIVRO *BRASIL NUNCA MAIS*, CONTA COMO FOI A EXPERIÊNCIA:

Apesar de o processo de abertura política continuar avançando, ainda havia receio de um retrocesso. Para evitar a possibilidade de que a história se repetisse, dom Paulo Evaristo Arns me convidou, antes do final do ano de 1983, a participar de uma reunião, em sua casa, no Sumaré, que deveria ser mantida no mais absoluto sigilo. Nela apresentou a um restrito grupo de amigos o projeto "Brasil: nunca mais", livro que decidiu produzir juntamente com o pastor Jaime Wright para contar a história completa da repressão política no Brasil durante o regime militar. Tratava-se de uma iniciativa arriscada para o momento que o país vivia, mas era o tipo de convite irrecusável, meus medos à parte.

Dom Paulo queria que frei Betto, Paulo Vanucchi e eu cuidássemos da redação do texto do livro-denúncia com base nas cópias dos documentos encontrados na Justiça Militar, em Brasília, por dois advogados muito ligados ao cardeal (Luis Eduardo Greenhalg, de São Paulo, e Eny Moreira, do Rio); receberíamos um pró-labore pelo trabalho. Nosso maior desafio não foi resumir toneladas de documentos oficiais, mas fazer isso durante vários meses sem ninguém saber, nem a própria família, por razões de segurança.

Essa foi minha primeira e única experiência com a clandestinidade. Começamos a trabalhar numa saleta da própria Cúria Metropolitana, sale-

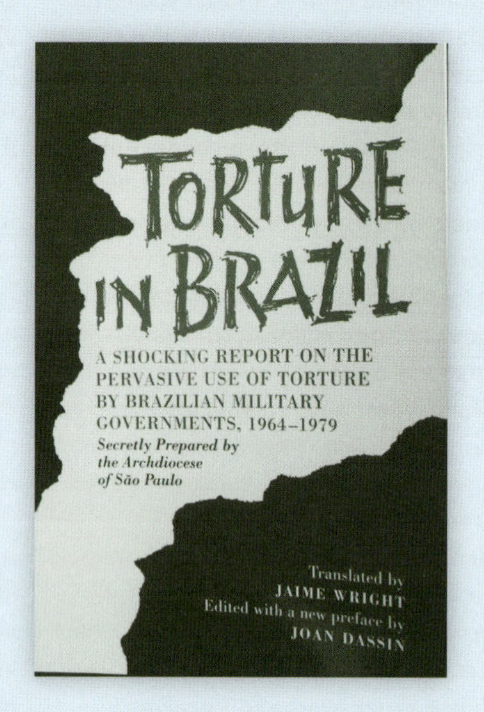

Torture in
BRAZIL
A SHOCKING REPORT ON THE
PERVASIVE USE OF TORTURE
BY BRAZILIAN MILITARY
GOVERNMENTS 1964-1979,
SECRETLY PREPARED BY THE
ARCHDIOCESE OF SÃO PAULO
Translated by Jaime Wright
Edited and with an Introduction by Joan Dassin
$10.95 394-74456-X

Três diferentes capas do livro que, no Brasil, se chamou *Brasil, nunca mais* e, no exterior, *Tortura no Brasil*, em duas editoras diferentes.
Uma reflexão de dom Paulo sobre o projeto:
“Em períodos críticos da História, personagens e fatos não se apagam, nem mesmo quando silenciados pela censura. Os que resgatam sua memória merecem por vezes o mesmo reconhecimento que os mártires ou os heróis de grandes causas merecem. Em suas fontes, as novas gerações poderão buscar ideias e forças para a caminhada redentora do povo. ‘Brasil nunca mais’ tentou prestar essa contribuição ao nosso país”.

ta à qual só dom Paulo tinha acesso; depois, mudaram-nos para os fundos de um seminário no Ipiranga, e assim sucessivamente, para diferentes locais, até que o livro ficasse pronto e fosse publicado, em 1985, pela Editora Vozes. Entre o encontro na casa de dom Paulo e o lançamento de *Brasil: nunca mais*, o cenário nacional sofreria uma mudança radical. É que o povo resolveu sair às ruas, e eu fui atrás. Era o início da Campanha das Diretas, o maior movimento cívico já visto no país, um divisor de águas na história brasileira entre a ditadura e a redemocratização.

DIAS DEPOIS DE ESCREVER O TEXTO ACIMA, KOTSCHO POSTOU EM SEU BLOG A DIGITALIZAÇÃO DE TODO O MATERIAL DO *BRASIL NUNCA MAIS*

Para quem quiser saber o que aconteceu no nosso país durante a ditadura militar, inaugurada com o golpe de 1964, da qual ainda tem (felizmente pouca) gente que sente saudades, esta sexta-feira marca um evento muito importante na nossa História: o lançamento na internet do *Brasil nunca mais digital*, com a íntegra do acervo reunido no projeto Brasil Nunca Mais, o livro produzido pela Arquidiocese de São Paulo e pelo Conselho Mundial de Igrejas, nos anos 80 do século passado.

Qualquer pesquisador no mundo terá acesso ao conjunto de processos e relatórios que serviram de base para o livro *Brasil Nunca Mais*, com um total de cerca de 900 mil páginas. Produzido na clandestinidade ainda durante a ditadura por um grupo de religiosos, jornalistas, historiadores, arquivistas e outros profissionais, o projeto é considerado até hoje a maior iniciativa da sociedade civil no Brasil em prol do direito à verdade, revelando detalhes da prática da tortura como instrumento de perseguição à dissidência política durante o regime militar.

Tenho muito orgulho de ter participado do trabalho do projeto original do *Brasil Nunca Mais*, ao lado de velhos amigos como dom Paulo, James Wright e Frei Betto, no tempo em que contar a verdade ainda era correr risco de vida (hoje em dia se diz risco de morte). O exemplo dos anos 80 inspirou o BNM Digital, que também é resultado da parceria de várias entidades e personalidades comprometidas com a promoção dos Direitos Humanos no país: Ministério Público Federal, Armazém Memória, Arquivo Público do Estado de São Paulo, Instituto de Políticas Relacionais, Conselho Mundial de Igrejas, Comissão Nacional da Verdade, OAB/RJ, Pontifícia Universidade Católica de São Paulo, Universidade de Campinas (Arquivo Edgard Leuenroth), Universidade Mackenzie de São Paulo, Center for Research Libraries, Arquivo Nacional, Rubens Naves, Santos Jr., Hesketh Escritórios Associados de Advocacia. O projeto recebeu também apoio do Superior Tribunal Militar e do Consulado Brasileiro em Chicago.

Como é bom poder agora viver num país em que é possível divulgar o nome de todos os participantes desse projeto. Agradeço ao procurador regional da República, Marlon Alberto Weichert, pela gentileza de me enviar o convite para este ato, marcado para as 10 horas desta sexta-feira, no auditório da sede da Procuradoria Regional da República da 3ª Região, na avenida Brigadeiro Luiz Antônio, 2.020, São Paulo.

62 Nos 20 anos de episcopado, as homenagens do mundo inteiro

E do mundo inteiro, mesmo!
É só dar uma conferida nos trechos das cartas que foram chegando da Nova Zelândia, dos Estados Unidos, de Antuérpia, da Ponte Pequena, bairro do centro de São Paulo...

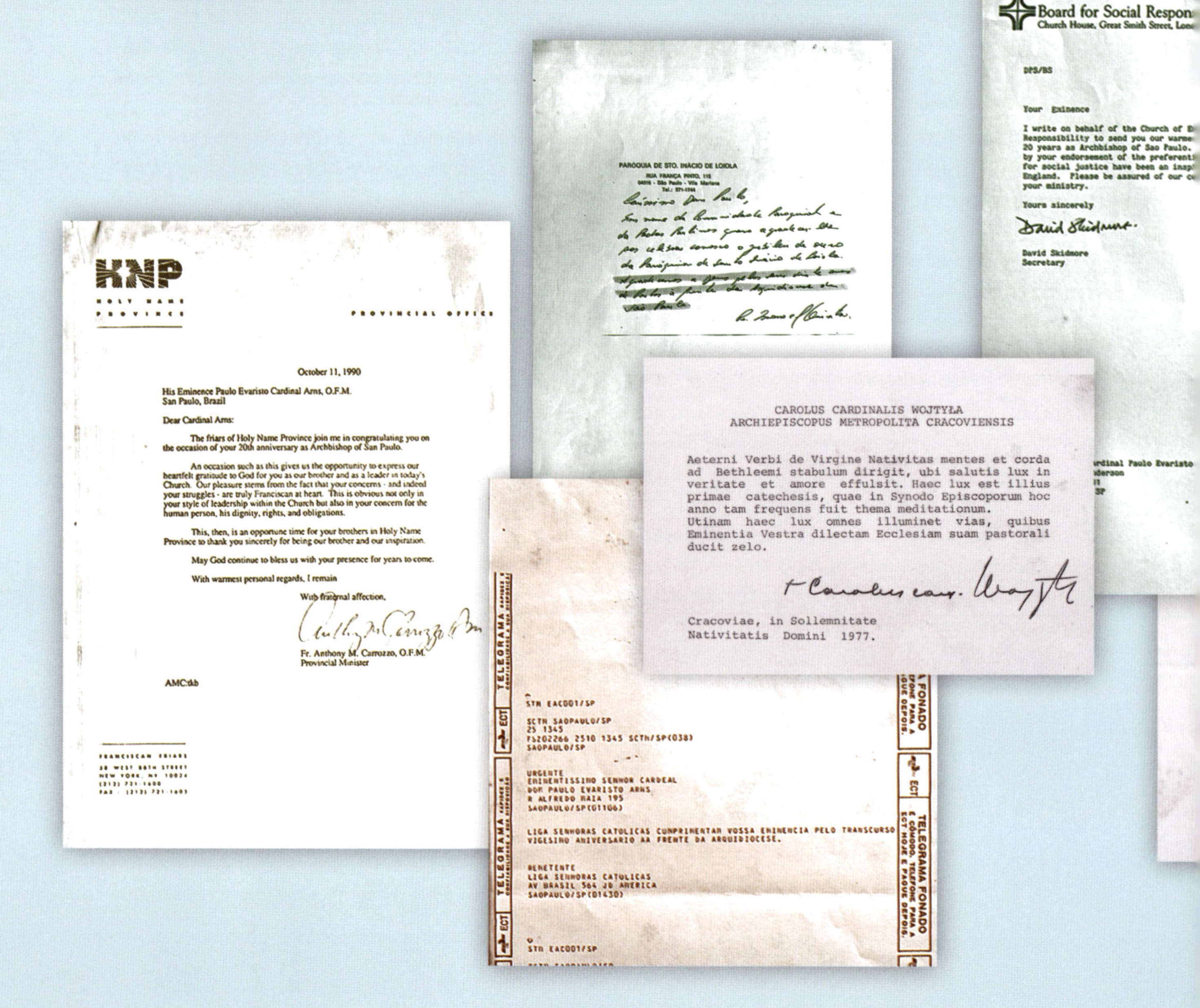

THE GENERAL SYNOD OF THE CHURCH
Board for Social Respon
Church House, Great Smith Street, Lon

DPS/BS

Your Eminence

I write on behalf of the Church of E
Responsibility to send you our warme
20 years as Archbishop of Sao Paulo.
by your endorsement of the preferent
for social justice have been an insp
England. Please be assured of our co
your ministry.

Yours sincerely

David Skidmore
Secretary

PARÓQUIA DE STO. INÁCIO DE LOIOLA

KNP
HOLY NAME PROVINCE

PROVINCIAL OFFICE

October 11, 1990

His Eminence Paulo Evaristo Cardinal Arns, O.F.M.
San Paulo, Brazil

Dear Cardinal Arns:

The friars of Holy Name Province join me in congratulating you on the occasion of your 20th anniversary as Archbishop of San Paulo.

An occasion such as this gives us the opportunity to express our heartfelt gratitude to God for you as our brother and as a leader in today's Church. Our pleasure stems from the fact that your concerns - and indeed your struggles - are truly Franciscan at heart. This is obvious not only in your style of leadership within the Church but also in your concern for the human person, his dignity, rights, and obligations.

This, then, is an opportune time for your brothers in Holy Name Province to thank you sincerely for being our brother and our inspiration.

May God continue to bless us with your presence for years to come.

With warmest personal regards, I remain

With fraternal affection,

Fr. Anthony M. Carrozzo, O.F.M.
Provincial Minister

AMC:tkb

FRANCISCAN FRIARS
30 WEST 88TH STREET

CAROLUS CARDINALIS WOJTYŁA
ARCHIEPISCOPUS METROPOLITA CRACOVIENSIS

Aeterni Verbi de Virgine Nativitas mentes et corda ad Bethleemi stabulum dirigit, ubi salutis lux in veritate et amore effulsit. Haec lux est illius primae catechesis, quae in Synodo Episcoporum hoc anno tam frequens fuit thema meditationum. Utinam haec lux omnes illuminet vias, quibus Eminentia Vestra dilectam Ecclesiam suam pastorali ducit zelo.

+ Carolus card. Wojtyła

Cracoviae, in Sollemnitate Nativitatis Domini 1977.

TELEGRAMA — ECT

STN EAC001/SP

SCTN SAOPAULO/SP
25 1345
FS202266 2510 1345 SCTN/SP(038)
SAOPAULO/SP

URGENTE
EMINENTISSIMO SENHOR CARDEAL
DOM PAULO EVARISTO ARNS
R ALFREDO MAIA 195
SAOPAULO/SP(01106)

LIGA SENHORAS CATOLICAS CUMPRIMENTAM VOSSA EMINENCIA PELO TRANSCURSO VIGESIMO ANIVERSARIO AA FRENTE DA ARQUIDIOCESE.

REMETENTE
LIGA SENHORAS CATOLICAS
AV BRASIL 564 JD AMERICA
SAOPAULO/SP(01430)

STN EAC001/SP

TELEGRAMA FONADO
É CÔMODO. TELEFONE PARA A ECT HOJE E PAGUE DEPOIS.

3501 SOUTH LAKE DRIVE
MILWAUKEE, WISCONSIN 53207

October 12, 1990

His Eminence
Paulo Evaristo Cardinal Arns
c/o Flora Anderson
R. Cavaibar 1301
05020 Sao Paulo, S.P. / BRAZIL

Your Eminence,

It has been brought to my attention that you ar
celebrating your 20th Anniversary as a Bishop.

We all are united with you in spirit on this grea
occasion. It also gives us the opportunity to say ho
much we appreciated your ministry and what a fine
example of integrity and honesty you have been to al
of us.

May God's blessings be many on you as you con
tinue to serve him so well.

Sincerely yours in the Lord,

+ Rembert G. Weakland

Most Reverend Rembert G. Weakland, O.S.
Archbishop of Milwaukee

Asunción, 11 de outubro de 1990

Caríssimo D. Paulo Evaristo,

Os Provinciais e Delegados da Congregação do Verbo Divino de toda a América Latina estão reunidos em Asunción para a VII Assembléia Latinoamericana, para refletir e planejar a vida e ação da SVD nas Igrejas locais.

Além do Superior Geral, contamos com a presenca de D. Joel Ivo Catapan, sentindo-nos, assim, unidos à caminhada da Igreja de S. Paulo.

Neste momento em que a Arquidiocese celebra os 20 anos de serviço episcopal e engajamento de V.Emcia. sobretudo na defesa dos direitos humanos, queremos parabenizá-lo e agradecer-lhe pelo seu testemunho corajoso. Ele é para nós, Missionários do Verbo Divino de toda a América Latina, um estímulo e um grande sinal de esperança para nosso trabalho missionário.

Unidos no Verbo Divino

H. Barlage, Sup. Gen.
(Prov. de Chile)
(Prov. de Equador)
Feliciano Jara (Delegado-provincia. Paraguay)
(Sup. Dist. de Bolivia)
Prov. São Paulo.
Norberto Prittwitz - Prov. Brasil-Norte
Prov. Argentina Sur
Reinaldo Ihnen Argentina Norte.
Paulo Raabe - Coordinador da Europa
Sergio Cerna, Santiago-Chile
Brasil
México, Nicaragua, Cuba.
P. Carlos Pape - Roma
(Secretario)
Edenio Valle (Coord. ...)

CONFERÊNCIA DOS BISPOS CATÓLICOS DA NOVA ZELÂNDIA

9 de outubro de 1990

Eminência

O 20º aniversário de sua nomeação como Arcebispo de São Paulo oferece à Conferência dos Bispos Católicos da Nova Zelândia uma oportunidade para expressar nosso irrestrito apreço por seus esforços corajosos pela causa dos direitos humanos.

A Nova Zelândia fica longe do Brasil, e é um país pequeno, com uma população católica espalhada em seis dioceses, e cujo total é apenas um vigésimo do número de católicos na sua Arquidiocese. Mesmo assim, apesar de nosso tamanho e isolamento geográfico, os sacerdotes e o povo da Nova Zelândia ficaram sabendo de seu trabalho em favor da justiça social e especialmente pelos pobres.

O senhor tem sido uma fonte de estímulo para nós, e nós lhe devemos muito.

Que sua vida seja preservada por muitos anos, para guiar o povo de São Paulo no serviço do Reino.

Sinceramente,

Thomas Card. William
Arcebispo de Wellington
Secretário Interino
Conferência dos Bispos Católicos da Nova Zelândia

REPÚBLICA FEDERATIVA DO BRASIL
GOVERNO DO ESTADO DO TOCANTINS
ASSESSORIA ESTADUAL EM SÃO PAULO
Rua 1 de Abril, ... - Conj. 11 (Centro)
... SÃO PAULO SP - BRASIL

FAX e Tel. 581-7357

S. Paulo, 23 de outubro de 1990
Querido Cardeal, PAULO ARNS

Tudo bem e essa cartinha, ... sai ontem, dia 22 ... para parabenizá-lo os 20 (vinte) anos de nomeação de Cardeal.

FELICIDADES

... muitas vezes

Abraços amigos com admiração

P.S. - Sou muito chegado ao Cardeal ROSSI familiarmente. ... ao Aeroporto de Guarulhos para voltar à Roma.

Com V. Eminência, encontramos uma vez no aeroporto de ROMA e até tiramos uma FOTO e já mandei em suas mãos. Cumprimento

Paulo Nishihara
Professor

...1-222 9011
...1-799 2714

October 1990

...d for Social
... celebrate
...Gospel shown
...nd your work
...the Church of
... wishes for

...ICAGO

October 1, 1990

...to be read October 27, at
...r Cardinal Arns. Cardinal
... of Bishops, and he asked
...tulations for Cardinal

I remain

...ly yours,

Francis Kane

...rancis Kane, Director
...ity Services

... Anderson
...as 1301
... Paulo S.P.

63 O cardeal dom Cláudio Hummes conta como foi ser o sucessor de dom Paulo na Arquidiocese

Para quem não se lembra, dom Cláudio é aquele cardeal que o papa Francisco pediu para ficar ao lado dele, na primeira vez em que apareceu ao público, naquele balcão do Vaticano

Durante anos, dom Cláudio foi bispo no ABC paulista, berço do sindicalismo que colocou Lula no mundo. Muitas vezes, as assembleias dos trabalhadores eram realizadas dentro da própria Igreja...

Dom Cláudio celebra missa, tendo do seu lado direito Frei Betto, e do lado esquerdo, de barba, Lula. Missa como esta era celebrada normalmente no dia 1º de maio.

Dom Cláudio sempre recebeu o apoio e a visita de políticos de oposição ao regime. Na foto, ele está com Fernando Henrique Cardoso (no meio) e José Gregori (no canto).

ABAIXO, DOM CLÁUDIO SAÚDA O COMPANHEIRO DOM PAULO, QUE COMPLETOU, EM 2013, 40 ANOS DE CARDINALATO (O COMPANHEIRO É MAIS PARA NÃO PERDER AS RAÍZES DO ABC). ALIÁS, UMA SAUDAÇÃO ESCRITA ESPECIALMENTE PARA ESTE LIVRO.

Celebrando os 40 anos de cardinalato do querido dom Paulo, presto-lhe minha sincera homenagem. Ambos somos franciscanos, e isso me leva a dizer-lhe quanto ele, tantas vezes, me serviu de exemplo de vida e de pastoreio. Todos o conhecemos em suas muitas facetas de franciscano e de bispo, mas principalmente como defensor e promotor dos Direitos Humanos, em particular, numa época crítica da recente história do Brasil, ou seja, no longo e repressivo regime da ditadura militar. A sociedade brasileira, em especial a paulistana, deve-lhe muito por sua coragem e coerência na defesa dos politicamente perseguidos, presos, torturados e na denúncia de todas as formas de repressão, principalmente no caso dos desaparecidos ou mortos pelo regime. Sua inspiração e energia lhe vinham de Jesus Cristo, de quem sempre foi e é discípulo fiel.

Mas todos o conhecemos também como bispo que assumiu amplamente a opção preferencial pelos pobres. A Arquidiocese de São Paulo teve nele um arcebispo que se voltou às periferias. Os leigos, os religiosos, os padres, todos eram convocados por dom Paulo para tornar a Igreja presente nas favelas, nos cortiços e nas regiões mais pobres da cidade. Foi um enorme esforço de solidariedade, de promoção da justiça social,

Quando não abrigava as assembleias dos trabalhadores, a Igreja se tornava um refúgio para rápidas manifestações.

de caridade cristã, de proximidade fraterna, de promoção comunitária, de evangelização, em favor dos mais marginalizados e excluídos.

Foi esse o dom Paulo que pessoalmente comecei a conhecer e admirar mais de perto, quando fui nomeado bispo da Diocese de Santo André, que incluía todo o Grande ABC paulista, em 1975, onde fiquei até 1996, ou seja, 21 anos. Depois, fui por dois anos arcebispo de Fortaleza e em seguida nomeado arcebispo de São Paulo, em 1998, quando o papa aceitou a renúncia de dom Paulo.

Vindo do Sul para assumir a Diocese de Santo André, lembro que dom Paulo quis que me hospedasse em sua casa, na véspera da minha chegada a Santo André, de onde, então, me acompanhou para a missa da posse no dia seguinte. Lembro também que, naquele dia, ele, como bem humorado confrade franciscano, me entregou um pequeno embrulho. Ao recebê-lo na mão, de dentro saiu uma cristalina risada de criança! Foi tão inesperado que os dois rimos muito e eu perguntava o que era aquilo. Era um brinquedinho japonês, que tinha dentro uma fita gravada com a risada e quando se apertava, disparava. Dom Paulo, então, me disse: "Quando você não souber mais rir de você mesmo, aperte este brinquedinho!".

Lembro outro momento significativo. Como se sabe, naqueles anos muito se procurou avançar na opção pelos pobres. A pastoral procurava conscientizar o povo através do Evangelho e de muitas análises sociais. Tentava-se apoiar a organização do povo pobre, para que pudesse ser sujeito de sua história. Apoiava-se o novo sindicalismo, que lutava pela redemocratização do país, pela liberdade sindical e pelos legítimos direitos dos trabalhadores, inclusive mediante grandes greves, com reivindicações justas e métodos pacíficos. Mas nem sempre tudo isso era bem compreendido por todos os nossos católicos ou pela sociedade. Neste contexto, numa tarde de domingo, não lembro mais por qual motivo fui visitar dom Paulo em sua residência. Estávamos sentados no jardim, à sombra das árvores e conversávamos. Num certo momento, dom Paulo me contou que um mês atrás tivera que substituir um padre de uma paróquia da periferia. O padre era muito bom e engajado na luta em favor dos pobres, mas o povo que frequentava a paróquia havia diminuído. Mas não era por isso que dom Paulo o havia substituído. Acontece que o novo padre nomeado era mais conservador, e o povo começou a voltar à paróquia!! E dom Paulo me disse, com certo estupor: "Será que erramos em alguma coisa?". Na verdade, os tempos eram exigentes e nem sempre gratos! Contudo, confiávamos que Deus conduzia a história, mesmo através de percalços humanos indecifráveis.

Claro, eu poderia contar muitas outras coisas bem mais impactantes. Mas propositalmente quis ater-me a esses dois fatos muito simples, mas que a mim revelam bem a grandeza e a simplicidade franciscana de dom Paulo. A ele agradeço esses momentos e tantos outros, que iluminaram também meu caminho.

Cardeal Dom Cláudio Hummes

Agosto de 2013

64 O ex-aluno que é o que é por conta dos ensinamentos de dom Paulo. Com a palavra o teólogo, escritor, ex-frei franciscano e humanista Leonardo Boff

"Pouca gente sabe que dom Paulo Evaristo é um exímio cantor de canto gregoriano no estilo da escola de Solemmes da França", revela Boff.

UM CARDEAL QUE UNIU
O DESTEMOR COM A CANDURA

Na vida nunca andamos sós. Sempre temos companheiros de caminhada, mais ainda, mestres que nos apontam o caminho mais coerente embora nem sempre fácil. Entre os mestres que peregrinaram comigo, seguramente, o maior e o que mais me influenciou foi o cardeal dom Paulo Evaristo Arns.

Com referência a ele, lembro um verso de Goethe: *ich bin dir nahe, wenn auch so fern: Eu estou perto, mesmo ficando longe*. Assim me sentia eu com referência a ele. Depois que ficou cardeal, e eu um teólogo peregrino nem sempre podíamos estar juntos, como queríamos. Os caminhos corriam na mesma direção, mas nem sempre se cruzavam. E, não obstante isso, sempre me senti perto dessa figura de excepcional humanidade e de extraordinário sentido espiritual e franciscano da vida.

O MESTRE DOS PADRES DA IGREJA

Conheci-o no meados dos anos 50 do século passado, quando ainda andava de calças curtas, em Agudos, São Paulo, no imenso Seminário Santo Antônio. Ele voltava da Sorbonne com uma aura de inteligência e de renovação. Realmente, transformou a pedagogia daqueles cerca de 300 seminaristas com formas novas de contato professor-aluno.

Depois voltei a conviver com ele em Petrópolis quando lecionava Patrologia (o estudo dos padres gregos e latinos dos primeiros séculos do cristianismo) e era mestre dos estudantes teólogos no início dos anos 60. Devo a ele o amor aos padres da Igreja, como Santo Inácio de Antioquia, Orígenes, Santo Agostinho, São Jerônimo, Santo Ireneu, entre outros. Obrigava-nos a ler os clássicos em sua língua original, seja em latim, seja em grego.

Foi ele que me iniciou na investigação científica em Teologia. Cada estudante deveria escolher um dos mestres antigos e fazer uma pesquisa sobre algum tema abordado por eles. Lembro que eu e mais dois confrades tomamos a vasta obra *A Cidade de Deus*, de Santo Agostinho. O tema geral era: os atores da história. Um tomou Deus como o principal ator, outro, o demônio, e eu, o ser humano. Minha pesquisa foi alentada, um verdadeiro livrinho, cheio de rodapés eruditos em alemão, italiano, francês, inglês e obviamente de textos latinos de Santo Agostinho. Lembro-me de que cheguei a ir até à Biblioteca Nacional no Rio de Janeiro para consultar alguns artigos de uma revista francesa de difícil acesso. Lendo hoje o que escrevi, fico admirado da acribia da linguagem e da radicalidade com que levei essa pesquisa. Quase poderia ser publicada ainda nos dias de hoje. Mas é o trabalho de um bezerro jovem que ainda não deixa seu rasto fundo no chão, para usar uma expressão cara a São Jerônimo.

UM HOMEM DE PERFEIÇÃO

Como mestre de estudantes teólogos, era exemplar nas virtudes, no trato fino, na elegância da fala e no tom suave. Seus olhos penetrantes nos vão fundo na alma, até os dias de hoje. Mas não é um olhar perscrutador, mas acolhedor. Até disputávamos entre nós estudantes quem pudesse descobrir algum defeito em seu modo de ser. Nós, ainda aprendizes de franciscanos, encontrávamos nele um espelho em quem nos olhar e nos deixar inspirar. Tal era a inteireza de sua vida humana e religiosa. Acompanhava os estudantes com carinho e firmeza. Poucos sabem, mas dom Paulo Evaristo é um exímio cantor de canto gregoriano no estilo da escola de Solemmes, da França. Até a chegada dele, cantávamos o canto chão da linha severa e dura de Beuron, da Alemanha. A de Solemmes é mais suave e melodiosa. Ele tirava e tira, de primeira, sem nenhum ensaio prévio, qualquer hino ou antífona em gregoriano.

Há um fato curioso que vale recordar. Quando Alceu Amoroso Lima faleceu, ele que era muito ligado aos beneditinos, celebrou-se a missa em gregoriano no Mosteiro de São Bento, no Rio de Janeiro. Devido às circunstâncias da época, vivendo ele próximo à Igreja dos franciscanos em Petrópolis, assistia impreterivelmente à missa todos os dias. E assumira a linha nossa, de libertação e de crítica ao regime militar. Essa mudança no rumo intelectual de Alceu causou perplexidade nos monjes mais conservadores. O certo é que, no dia da missa, havia poucos monjes presentes. Quem sustentou a missa em gregoriano foi dom Paulo de um lado, e eu do outro,retrucando.

Fui sempre noctívago. Os frades por volta das 21 horas deveriam apagar as luzes e dormir, pois deviam se levantar cedo, pelas 4,30 da manhã para a recitação das horas canônicas e a celebração da missa, geralmente, cantada em gregoriano. Eu, para poder continuar noite adentro, colei papéis em todos os vidros, seja da portinhola da cela, seja da janela, para que não passasse nenhuma réstea de luz e assim não poder ser descoberto. Mas certa feita, o mestre, dom Paulo Evaristo, bateu à porta e me perguntou por que não estava dormindo como os demais. Ai lhe expliquei minha voracidade por leitura, especialmente, dos clássicos da Teologia e da Filosofia. Ele foi compreensivo. Deu-me o privilégio de acordar às 5,30 horas da manhã ao invés das 4,30. Severos tempos aqueles, de muito silêncio e religiosa disciplina.

UM PASTOR JUNTO AOS POBRES

Por dois anos, todas as quintas e os sábados, à tarde, e os domingos, até o meio-dia, o ajudava na pastoral do bairro popular do Itamaraty em Petrópolis. Ai vivenciei seu amor aos pobres: visitava-os em suas casas, incentivava os jovens a estudar, abria escolas onde podia e gostava, depois da missa, na sacristia, de ouvir os textos e as poesias que os "intelectuais" do bairro escreviam sob o incentivo dele. Sempre foi um animador da vida espiritual e intelectual de todos os que tinham convivência com ele.

Dele recebi o conselho: nunca deixe de escrever pelo menos uma página por dia. Assim fiz e faço. Dessa faina me saíram quase cem livros publicados além de incontáveis artigos e colaborações em várias línguas estrangeiras.

Foi ele que um dia me chamou, já padre ordenado, a fim de me comunicar a decisão do corpo de professores para que prosseguisse meus estudos de pós-graduação na Alemanha. Assim que, em julho de 1965, fui enviado à Universidade Estatal de Munique para me doutorar em Teologia Sistemática e Ecumênica e paralelamente fazer estudos aprofundados em Filosofia na linha do pensamento de Heidegger. Ao embarcar no navio no cais do porto, na Praça Mauá, no Rio, deixou-me um bilhete na mão com estes dizeres: *"Gostaria que soubesse: queremos dar-lhe do melhor porque a Igreja do Brasil precisa do melhor. Você sabe que foi enviado em nome de Deus. Estude e viva por Ele e para Ele pois nisi Domininus aedificaverit domum, in vanum laboraverint in eam: Se o Senhor não edificar a casa, em vão trabalham os construtores (Sl 126).*

Essa frase escrevi no meu caderninho de endereços que levei pela vida afora e está lá gravada com a data de 15/07/1965: um conselho espiritual e um desafio de vida.

João Paulo II, o todo poderoso cardeal Ratzinger (que se tornou papa Bento XVI) e dom Paulo. Esses sorrisos todos acabaram em muita tensão, como conta Leonardo Boff, que chama dom Paulo também de:

DEFENSOR ARDENTE DA TEOLOGIA DA LIBERTAÇÃO

Para mim foi sempre tocante sua solidariedade nas minhas tribulações com as instâncias doutrinárias do Vaticano. Ele e o cardeal dom Aloysio Lorscheider me acompanharam a Roma quando fui submetido a um autêntico processo doutrinário por causa de meu livro *Igreja: carisma e poder* (1982). Dom Paulo não apoiava apenas um ex-aluno, mas queria testemunhar o que dissera ao cardeal encarregado de me inquirir, Joseph Ratzinger: "A Teologia é um bem da Igreja local; quero, como pastor, testemunhar que esta Teologia que agora está sob juízo, a de frei Boff, faz bem às nossas comunidades; se ela contiver erros, corrijamo-los para que continue a animar a fé dos fieis".

COMPANHEIRO NA TRIBULAÇÃO

Queriam participar do interrogatório oficial. O Cardeal Joseph Ratzinger mostrou grande estranheza, dizendo do inusitado desse procedimento. Dizia: "Quando um teólogo é convocado a essa instância, é sinal que pesam sobre ele sérias suspeitas de erro teológico. E agora ele vem acompanhado por dois anjos da guarda, como se fossem Castor e Polux da mitologia grega"! Ao que dom Paulo Evaristo atalhou ironicamente: "Sr. Cardeal, nós somos cristãos e não pagãos. Nossos anjos da guarda se chamam São Cosme e São Damião".

O fato é que não puderam participar do interrogatório que durou cerca de três horas. Mas conseguiram que, após essa sessão, haveria um encontro entre os três cardeais, Arns, Lorscheider e Ratzinger, com minha presença. Inicialmente houve certo constrangimento, desfeito ao se darem conta de que o cardeal dom Paulo Evaristo trabalhara num grande centro de pesquisa de palavras latinas em Munique, no mesmo tempo em que o cardeal Ratzinger completava seu curso de Teologia na Universidade Estatal.

Mas dom Paulo Evaristo foi direto ao ponto: "Sr. Cardeal, há uma semana o Sr. publicou um documento crítico e em tom condenatório à Teologia da Libertação. O documento não nos agradou a nós Pastores, porque as acusações que aí se fazem não as vemos em nossas igrejas. O Sr., para construir uma ponte, em vez de chamar um engenheiro que entende de pontes, chamou um gramático que nada sabe de pontes. Esse é o seu caso. Por essa razão, o documento não representa a Teologia da Libertação que praticamos em nossas comunidades. Isso não pode ficar assim. Nós lhe pedimos, encarecidamente, outro documento, positivo e que faça justiça a todos aqueles que fizeram uma opção pelos pobres, contra sua pobreza e em favor de sua justiça e libertação. O Sr. bem poderia vir a uma de nossas igrejas, como em São Paulo, visitar Comunidades Eclesiais de Base, ver como rezam e cantam, leem a Bíblia e se engajam para melhorar à luz da Palavra de Deus sua condição de vida oprimida. Depois dessa convivência juntos, poderíamos fazer um belo documento sobre a Teologia da Libertação". O que foi reforçado, com entusiasmo, pelo cardeal dom Aloysio Lorscheider.

O cardeal Ratzinger ficou visivelmente constrangido, alegando que jamais fora praxe da Congregação da Doutrina da Fé produzir um documento desse gênero, em cima de práticas pastorais locais. Ademais exigiria muito tempo, coisa que ele e seu Dicastério para a Doutrina da Fé não dispunham.

No final, porém, ele acolheu a ideia de fazer outro documento positivo. Efetivamente foi feito, mas quase ninguém o cita. Aí mesmo, dom Paulo Evaristo disse: "O Boff está aqui, está também seu irmão teólogo, Clodovis, e o peruano Gustavo Gutiérrez, que também está em Roma. Eles poderão apresentar um rascunho aceitável por todos". Efetivamente, durante dois dias, trabalhamos, meu irmão frei Clodovis e eu, num rascunho sobre o que seria a teologia quando confrontada com situações generalizadas de opressão: do operário, do afrodescendente, do indígena, da mulher e de outros discriminados socialmente. Ela teria que ser naturalmente de libertação. Nasceria da realidade conflitiva da opressão e apresentaria a libertação, nascida não de Marx, mas da tradição do Êxodo, dos profetas e das palavras e da prática de Jesus de Nazaré. Levamos, orgulhosos, nosso texto à Congregação para a Doutrina da Fé. Nunca soubemos que destino o documento tomou. Os futuros historiadores encontrarão lá nossa contribuição, escrita no estilo eclesiástico, com citações dos Santos Padres e da Tradição Social da Igreja.

O CARDEAL DA LIBERDADE DE PENSAMENTO

Dom Paulo sempre foi o guarda e defensor da liberdade de pensamento teológico, especialmente, àquele ligado ao destino trágico dos oprimidos e dos sofredores deste mundo. Sempre deu cobertura às nossas reuniões nacionais, continentais e internacionais que organizávamos sobre os vários rostos da Teologia da Libertação, entre nós, na América Latina, na África e na Ásia e também em grupos comprometidos da Europa e dos USA. Nunca havia menos de duas a três mil pessoas, homens e mulheres, teólogos e gente da base e

Leonardo Boff, Frei Betto e dom Paulo.

dos movimento sociais de origem cristã.

Dom Paulo se retirou de sua missão de pastor ao atingir a idade canônica. Mas seu espírito e irradiação continuam. Ele se fez uma referência mundial de um pastor que se engaja, até com riscos pessoais de vida, pelos Direitos Humanos, especialmente, pelo direito dos mais pobres e vulneráveis.

No dia 18 de julho de 2010, visitei-o em São Paulo, na periferia, assistido por algumas religiosas que vivem num simples e acolhedor convento. Encontrei o antigo mestre, agora verdadeiramente um sábio bíblico, carregado de dias, mas cheio de vida e de lucidez intelectual. Sobre a mesa estavam vários livros abertos, seus amigos de predileção: os textos de São Jerônimo, de São João Crisóstomo, da Didaqué e outros. Todos em latim ou grego, línguas que domina de forma exímia. Por mais de duas horas, entretivemo-nos sobre nossa vida e nossas andanças pelo mundo da Teologia e da Igreja e tivemos saudades de nosso passado.

Foi o mestre que me introduziu na grande aventura intelectual que foi o encontro da fé cristã com a inteligência filosófica dos gregos e com o sentido do direito dos romanos.

AS TRÊS PAIXÕES DO CARDEAL DOM PAULO EVARISTO ARNS

Olhando para trás, dou-me conta de que três paixões animam a vida de dom Paulo Evaristo, seguramente um dos mais importantes cardeais no século XX: a paixão incandecente por Deus, a paixão compassiva pelos pobres na perspectiva de sua libertação e a paixão lúcida pela inteligência.

Para dom Paulo, Deus não é um conceito teológico, mas uma experiência de intimidade e de fascinação. Quando fala dos Direitos Humanos, quando denuncia sua continuada violação pelo sistema social imperante no mundo o faz com energia e com convencimento. Mas escutemo-lo quando fala de Deus. Aí percebermos que suas palavras ganham doçura e profundidade, pois comprovam o que Pascal já dizia: "É o coração que sente Deus, não a razão". Nisso dom Paulo é profundamente franciscano, intelectual fino, mas que não recalcou a razão cordial e sensível.

Sua outra paixão são os pobres, na grande tradição de São Francisco, pois dom Paulo é e continua frade fransciscano. Chamou Paulo Freire para orientar pedagogicamente a pastoral das periferias, na linha da conscientização libertadora, já que havia desenvolvido *A pedagogia do oprimido* e escrito sobre a *Educação como Prática da Liberdade*. Mas, sobretudo, defendeu aqueles que o regime militar julgava subversivos, não raro torturados e até assassinados. Arriscou a própria vida para defendê-los.

O papa Paulo VI, sabendo de seu compromisso pelos Direitos Humanos, o fez de bispo-auxiliar imediatamente cardeal de São Paulo. A sociedade brasileira lhe deve uma contribuição inestimável com o livro *Brasil nunca mais,* elaborado com o pastor Wright, relato das torturas a com base em fontes oficiais dos tribunais militares. Corroborou, assim, a desmantelar o regime e acelerar a volta à democracia.

Sua terceira paixão é pela inteligência. Formou-se na Sorbonne, em Paris, com uma tese que foi lançada em português numa belíssima edição pela Cosac Naify: *A técnica do livro em São Jerônimo*. Aí associa o *esprit de finesse* francês com a acribia da pesquisa alemã. Escreveu mais de 50 livros, traduziu textos clássicos dos padres da Igreja, mas principalmente sempre defendeu a inteligência teológica. Foi considerado o Cardeal da Libertação e sempre enfatizou a legitimidade e a necessidade desse tipo de Teologia.

NO ENTARDECER DA VIDA: A JOVIALIDADE DA GRAÇA

Hoje ele está retirado, mas continua desperto para os caminhos da política, da ética, principalmente da Igreja e dos pobres. Recebe todos com jovialidade e grande carinho. Ficará na memória imorredoura de nossa Igreja e de nosso país, um homem que, como bispo e cardeal, soube usar o poder sagrado a que foi investido para as grandes causas da vida, da justiça e do destino dos perseguidos, dos exilados, dos torturados e dos assassinados. Incansavelmente, com ternura e grande vigor, soube escolher o lado certo, aquele do Evangelho que é a libertação de todos os oprimidos e a vida para o mundo.

No entardecer da vida, guarda a chama viva da espiritualidade franciscana, simples, despojada e pobre. Alegre e lentamente, vai ao encontro do Senhor a quem sempre serviu especialmente nos outros mais penalizados pela vida e pela sociedade injusta.

65 Anexo

Alguns dos principais fatos políticos e eclesiásticos que levaram setores importantes da Igreja Católica no Brasil a se abraçar com a causa dos oprimidos, dos pobres e dos perseguidos. Esta lista foi retirada da publicação *Fé e Política – Povo de Deus e Participação Política*, da Editora Vozes, e organizada pela Comissão Arquidiocesana de Pastoral dos Direitos Humanos e Marginalizados de São Paulo, com apresentação de dom Paulo Evaristo Arns.

1950
– Nascimento da **Ação Católica** especializada: **JEC** (Juventude Estudantil Católica), **JOC** (Juventude Operária Católica, e **JUC** (Juventude Universitária Católica).
– Dom Inocêncio Engelke, bispo de Campanha (MG), lança o primeiro documento da Igreja sobre Reforma Agrária: "CONOSCO, SEM NÓS OU CONTRA NÓS, SE FARÁ A REFORMA AGRÁRIA".

1952
– Fundação da CNBB. Dom Hélder é eleito secretário-geral.

1954
– Criação da CRB (Conferência dos Religiosos do Brasil).

1955
– Realização no Rio de Janeiro do Congresso Eucarístico Internacional

1956
– Fundação da Conferência Episcopal Latino-Americana (CELAM).
– "Declaração de Campina Grande": bispos do Nordeste denunciam a situação da pobreza na região.

1958
– Eleição do papa João XXIII como sucessor de Pio XII.

1959
– Papa João XXIII anuncia a convocação do Concílio Vaticano II, abrindo um período de grandes transformações dentro da Igreja.

1961
– Encíclica *Mater et Magistra*
– Declaração da CNBB sobre a Igreja e a situação do meio rural.
– Acordo entre o Ministério da Educação e a CNBB para a criação do MEB (Movimento de Educação de Base), que passa a desenvolver programas de alfabetização e educação em áreas populares.

1962
– Aprovação pela 5ª Assembleia Geral da CNBB do "Plano de Emergência", que define as prioridades para a ação pastoral da Igreja no Brasil.
– Setores ligados à Igreja lançam a "Aliança Eleitoral pela Família", que recomenda aos católicos votarem em candidatos conservadores, o que é ignorado pela maioria da população.

1963
- Encíclica *Pacem in Terris*.
- Declaração da CNBB sobre a realidade brasileira.
- Apoio de setores da JOC à criação de sindicatos de trabalhadores rurais e da JUC a programa de alfabetização em áreas populares.
- Condenação por setores da hierarquia eclesiástica da "ameaça comunista".

1964
- Realização, em diversas cidades e com apoio de grandes setores da Igreja, de "Marcha da Família com Deus pela Liberdade", em que são denunciados o governo João Goulart e a "ameaça comunista".

1965
- Reunidos em Roma, os bispos brasileiros aprovam o I Plano de Pastoral do Conjunto da CNBB, propondo relação mais estreita entre o trabalho pastoral e a realidade vivida pelo povo.

1966
- Começam a espalhar-se pelo Brasil as Comunidades Eclesiais de Base.

1967
- Documento da Regional Nordeste da AÇO (Ação Católica Operária): "Nordeste — Desenvolvimento sem Justiça".
- Soldados armados invadem residência do bispo de Volta Redonda, D. Waldir Calheiros, em busca de "material subversivo".

1968
- Documento de dom Cândido Padin : "A Doutrina de Segurança Nacional à luz da Doutrina Social da Igreja".
- Assembleia do CELAM em Medellin afirma que a missão da Igreja na América Latina é colocar-se a serviço dos que não têm voz.

1969
- Assassinato do padre Henrique Pereira Neto, assistente de dom Hélder Câmara, arcebispo de Recife e Olinda, para a Pastoral da Juventude.
- Os bispos brasileiros lamentam "os movimentos terroristas de direita e de esquerda, atividades clandestinas, prisões, torturas e sequestros".
- Invasão do Convento dos Dominicanos em São Paulo, seguido de prisões e torturas.
- Prisão e tortura de madre Marina, em Ribeirão Preto, SP.
- Dom Paulo Evaristo Arns, como bispo-auxiliar de São Paulo, toma posição em defesa dos Direitos Humanos, atingidos pela repressão política.

1970
- Nomeação e posse de dom Paulo Evaristo Arns como arcebispo de São Paulo.
- Documento da CNBB denuncia a prática de tortura no Brasil, também condenada pelo papa Paulo VI.

1971
- Nota oficial de dom Paulo Evaristo Arns, protestando contra torturas infligidas a agentes de Pastoral, é afixada em todas as igrejas de São Paulo.
- 1ª Carta Pastoral de D. Pedro Casaldáliga: "Uma igreja da Amazônia em luta contra o latifúndio e a marginalizado social".

1972
- Multiplicam-se por todo o país as prisões ilegais de padres e leigos comprometidos com o trabalho de Pastoral Popular.
- "Testemunho da Paz", documento de Brodosqui dos bispos de São Paulo condenando novamente a prática generalizada de tortura contra prisioneiros políticos.

1973
- Supressão da rádio 9 de julho, mantida até então pela Igreja de São Paulo.
- Documento dos bispos do Nordeste, "Eu ouvi os

clamores do meu povo") e do Centro-Oeste, "Mar-ginalização de um povo", denunciam o capitalismo.
- Condenação do padre Jentel da prelazia de São Félix a 10 anos de prisão.
- Missa na Catedral de São Paulo em protesto pelo assassinato do estudante Alexandre Vanucchi Leme.
- Criação do secretariado do CIMI (Conselho Indigenista Missionário).
- Publicação do documento "I Juca Pirama — aquele que deve morrer" sobre a situação dos índios.

1974
- 1ª Assembleia dos Chefes Indígenas organizada pelo CIMI.

1975
- 2ª Assembleia dos Chefes Indígenas
- Prisão e tortura de agentes de Pastoral e membros da Pastoral Operária em São Paulo.
- Realização em Vitória do 1º Encontro Nacional de Comunidades de Base sob o lema "Igreja que nasce do Povo pelo Espírito de Deus".
- Culto ecumênico na Catedral de São Paulo denuncia a morte sob tortura de Vladimir Herzog.
- Declaração dos bispos de São Paulo "Não oprimas teu irmão" reitera denúncia e condenação da tortura.

1976
- Documento da CNBB "Comunicação Pastoral do Povo de Deus" denuncia o assassinato de padres, índios e lavradores que lutavam por seus direitos.
- Sequestro e tortura de dom Adriano Hipólito, bispo de Nova Iguaçu.
- II Encontro Nacional das Comunidades de Base sob o lema "Igreja, povo que caminha".
- Publicação em São Paulo do livro-depoimento de Hélio Bicudo sobre o *esquadrão da morte* e de *São Paulo, crescimento e pobreza*.

1977
- Participação maciça das Comunidades de Base de São Paulo no movimento contra o custo de vida.
- Documento da CNBB "Exigências cristãs para uma ordem política", criticando a ideologia da segurança nacional e reivindicando o direito de participação do povo nas grandes decisões nacionais.
- Suspensão pela FUNAI de uma assembleia de chefes indígenas patrocinada pelo CIMI.
- Ato de Penha, em São Paulo, em solidariedade aos oprimidos, em especial a dom Pedro Casaldáliga ameaçado de expulsão do Brasil.
- Invasão da PUC pela Polícia do Estado de São Paulo.

1978
- III Encontro Nacional das Comunidades de Base em João Pessoa sob o lema "Igreja, povo que se liberta".
- Semana de Direitos Humanos da Arquidiocese de São Paulo: "América Latina, Evangelho e Libertação".
- Publicação pela Comissão de Direitos Humanos da Arquidiocese de São Paulo de "Repressão à Igreja do Brasil: reflexão sobre uma situação de opressão (1968-1978)".

1980
- Apoio integral das Comunidades de Base e da Igreja de São Paulo aos operários metalúrgicos em greve no ABC.
- Visita do papa João Paulo II ao Brasil, reafirmando seu apoio ao trabalho pastoral da Igreja junto ao povo oprimido e marginalizado.
- Documento oficial da CNBB denuncia a situação do trabalhador rural sem acesso à terra que trabalha.
- Apesar dos protestos, é expulso do Brasil o padre Vito Miracapillo, na primeira aplicação da nova Lei dos Estrangeiros.
- Semana dos Direitos Humanos em São Paulo, tendo como tema Comunidade de Fé e Participação Política.
- Igreja de São Paulo revê e avalia sua caminhada e confirma sua prioridades de ação pastoral para os próximos três anos.

Foram mais de 200 honrarias

PRÊMIOS

1. 7º Prêmio "Vladimir Herzog de Anistia e Direitos Humanos 25/10/1985.
2. Prêmio "Liberdade e Democracia", da Fundação Pública e Municipal "Ulysses Silveira Guimarães, 1999.
3. Prêmio Direitos Humanos, categoria "Livre", conferido pelo presidente Fernando Henrique Cardoso em 5/12/1995.
4. Prêmio (informal) "Mahatma Gandhi" da Paz, em eleição coordenada pelo publicitário Carlito Maia e apuração referendada pela presidência da Associação Brasileira de Imprensa, 31/12/1981.
5. Prêmio Internacional "Letelier-Moffitt de Direitos Humanos", do Instituto de Estudos Políticos de Washington, EUA, fundado pelo presidente Kennedy, 21/9/1982.
6. Prêmio "Governo do Estado do Rio de Janeiro", com a grande personalidade brasileira, pela amplitude com que assumiu as responsabilidades sociais da Igreja, 28/2/1985.
7. Prêmio Internacional "Medalha Nansen", do Alto Comissariado das Nações Unidas para Refugiados (ACNUR), recebido no Palácio das Nações Unidas em Genebra, Suíça, em 07/10/1985.
8. Prêmio Internacional "Arcebispo Oscar Romero de Direitos Humanos", da Fundação Ecumênica Menil-Rothko Chapel, Houston, EUA, 24/3/1988.
9. 1º Prêmio Nacional de Direitos Humanos, da Coordenação Brasileira dos Centros de Defesa dos Direitos Humanos, 08/12/1988.
10. Prêmio "Hélder Câmara de Direitos Humanos", da Ordem dos Advogados do Brasil, seção Pernambuco, 10/8/1989.
11. Prêmio "Intelectual do Ano, 1990", Troféu Juca Pato, da União Brasileira de Escritores e *Folha de S.Paulo*, 18/10/1990.
12. Prêmio "10 Anos da Comissão de Direitos Humanos da OAB-SP", Ordem dos Advogados do Brasil, seção São Paulo, 12/12/1990
13. Prêmio "Oscar Romero de Serviços à Não Violência e aos Pobres", de Pax Christi, Portland, EUA, 25/5/1991.
14. Prêmio "The Right Livelihood", conquistado na Europa pelo Movimento dos Trabalhadores Sem Terra do Brasil e, por este, repassado a dom Paulo em virtude do apoio emprestado, em maio de 1992.
15. Prêmio Graymoor e Afiliação à Ordem Primeira dos Franciscanos da Reconciliação, decreto de 8/9/1993 e entrega em 21/4/1994, New York, EUA.
16. 11º Prêmio Niwano da Paz, Tóquio, Japão, 11/5/1994.
17. 1º Prêmio Direitos Humanos, categoria "Livre", criado pelo Decreto de 8/9/1995 do presidente da República, conferido pelo presidente Fernando Henrique Cardoso, em 5/12/1995.
18. Prêmio Municipal de Direitos Humanos da Prefeitura Municipal de Maceió, Lei nº 4.367, de 15/12/1995, entregue em 18/12/1995.
19. Prêmio "Criança e Paz 1996", do Fundo das Nações Unidas para a Infância (UNICEF), Brasília, 13/11/1996.
20. Prêmio PNBE de Cidadania, do Pensamento Nacional das Bases Empresariais, São Paulo, 03/12/1996.
21. Prêmio Franz de Castro Holzwarth/1996, da Comissão de Direitos Humanos da Ordem dos Advogados do Brasil, seção de São Paulo, 10/12/1996.
22. 1º Prêmio Santo Dias de Direitos Humanos, da Assembleia Legislativa de São Paulo, 15/12/1997.Prêmio "Ordem do Mérito da Fraternidade Ecumênica", categoria Religião, da Legião da Boa Vontade (LBV), 3/12/1998.
23. Prêmio "Brenda Lee", categoria Direitos Humanos, do Centro de Referência e Treinamen-

to em Doenças Sexualmente Transmitidas da Secretaria de Saúde do Estado de São Paulo, pelo destaque alcançado no enfrentamento da epidemia de AIDS nos últimos 15 anos, São Paulo, 3/12/1998.

24. Prêmio "Top Comunitário", da 29ª Festa das Personalidades do Ano, do grupo 1 de Jornais, São Paulo, 20/9/1999.
25. Prêmio "Teotônio Vilela", do Instituto Teotônio Vilela de Brasília, por ocasião dos 20 anos de Anistia, Rio de Janeiro, 27/9/1999.
26. 1° Prêmio "Liberdade e Democracia", da Fundação Pública e Municipal "Ulysses Silveira Guimarães", Rio Claro, SP, 8/10/1999.
27. Prêmio Severo Gomes, da Comissão Teotônio Vilela de Direitos Humanos, "por sua extraordinária contribuição para a promoção e proteção dos Direitos Humanos, para a defesa das vítimas do arbítrio e para a consolidação do Estado de Direito no Brasil e na América Latina", São Paulo, 17/5/2000.
28. Prêmio Direitos Humanos 1999/Personalidade do Ano, da Associação das Nações Unidas-Brasil, São Paulo, 26/5/2000.
29. Prêmio FASE – Solidariedade e Educação/2001, "porque presenças como a sua tornam possível um outro Brasil", Rio de Janeiro, 14/9/2001.
30. Prêmio IDEC de Construção da Cidadania (escolha por votação dos sócios, na Internet), por ocasião dos 15 anos do IDEC - Instituto de Defesa do Consumidor - São Paulo, 7/8/2002.
31. Prêmio Luta pela Terra, categoria Igreja, do MST – Movimento dos Trabalhadores Rurais Sem Terra, Rio de Janeiro, 26/7/2004.
32. VIII Prêmio USP de Direitos Humanos-2007, categoria individual, "em consideração à sua ampla e longa ação e voz em defesa do mais humilde, do mais oprimido, do perseguido político, contra a tortura e em defesa da Paz e da Dignidade Humana" – São Paulo, 7/12/2007.

MEDALHAS

1. Grão-Oficial da Ordem El Sol del Perú, do governo peruano, 6/3/1972.
2. Jubileu de Prata da Fundação para o Livro do Cego no Brasil, pelos relevantes serviços prestados, 16/6/1972.
3. Pero Vaz Caminha, do Instituto Histórico e Geográfico Pero Vaz Caminha, São Paulo, 5/9/1972.
4. Cavaleiro da Grã-Cruz da Ordem Equestre do Santo Sepulcro de Jerusalém, 2/3/1973.
5. Mérito Pessoal e Relevantes Serviços, da Sociedade Consular de São Paulo, 6/6/1974.
6. Valor Cívico, do Governo do Estado de São Paulo, 6/5/1975.
7. Carlos Gomes, da Sociedade Brasileira de Artes, Cultura e Ensino de Campinas, SP, 4/7/1975.
8. Cívico-Cultural do Sesquicentenário do nascimento de dom Pedro II, do Instituto Histórico e Geográfico de São Paulo, 24/8/1976.
9. Reconhecimento à colaboração recebida, no 15° aniversário de constituição da CESP - Centrais Elétricas de São Paulo, 5/12/1981.
10. Bicentenário do padre Diogo Antonio Feijó, do Governo do Estado de São Paulo, 30/8/1985.
11. Comendador da Legião de Honra, do governo da França, entregue pelo embaixador da França no Brasil, presente a primeira-dama Danielle Mitterrand, em São Paulo, 9/5/1987
12. Medalha Chico Mendes de Resistência, do Grupo Tortura Nunca Mais, Rio de Janeiro, 7/7/1989.
13. Medalha do Mérito Anita Garibaldi, categoria Ouro, do Governo do Estado de Santa Catarina, pelos relevantes serviços prestados ao Estado, 23/11/1990.
14. Grã-Cruz da Ordem do Ipiranga, Decreto nº 52.064 de 20/6/1969, do Governo do Estado de São Paulo, em 30/11/1995.
15. Medalha de Honra da Universidade de São Paulo, 8/2/1996.

16. Medalha Brás Cubas, Decreto Legislativo nº 40/95, da Câmara Municipal de Santos, 6/3/1996.
17. Comenda Maior da Ordem de Nossa Senhora do Ó, no bicentenário da fundação da Paróquia, São Paulo, 15/9/1996.
18. Medalha Brigadeiro Tobias, da Polícia Militar do Estado de São Paulo, resolução do Comando Geral aprovada pela Comissão da Medalha, 4/10/1996.
19. Medalha Sobral Pinto, da PUC-MG, pela relevante atuação em defesa dos Direitos Humanos, Belo Horizonte, MG, 29/4/1999.
20. Grã-Cruz da Ordem do Pinheiro, do Governo do Estado do Paraná, Curitiba, PR, 30/5/1999.
21. Comendador da Grã-Cruz da Ordem do Mérito Cívico e Cultural, em reconhecimento público pelos méritos de honra, caráter, civismo, dignidade e benemerência sempre colocados a serviço da educação e do ensino brasileiros, da Sociedade de Heráldica, Medalhística, Cultural e Educacional, São Paulo, 28/6/1999.
22. Grã-Cruz da Ordem de Bernardo O'Higgins, do Presidente da República do Chile, outorgada em 4/10/2000 e entregue em 29/7/2001.
23. Cultural Dom Aguirre, considerando os relevantes serviços prestados – Sorocaba-SP, 10/8/2001.
24. Comenda "Ordem do Rio Branco", no grau de Grã-Cruz, condecoração oficial do governo da República do Brasil, por decreto de outubro de 2001, entregue em 17/12/2001.
25. Insígnias do "Mérito Benjamin Colucci", da 4a. subseção da OAB - Ordem dos Advogados do Brasil, pelos relevantes serviços às Instituições Jurídicas e Sociais – Juiz de Fora, MG, 10/8/2002
26. Comenda "D. Hélder Câmara - Ação, Justiça e Paz", pelos relevantes serviços prestados à sociedade – da SOCER – Sociedade Cearense de Cidadania, 23/9/2002.
27. Mérito Legislativo Câmara dos Deputados, Câmara dos Deputados, Brasília, 27/11/2002.
28. Grã-Cruz da Ordem do Mérito Cultural, Ministério da Cultura, Brasília, 17/12/2002
29. Medalha Barbosa Lima Sobrinho, da Associação Brasileira de Imprensa, Rio de Janeiro, 6/4/2004.
30. Comenda "Ordem do Mérito Anhanguera", a mais alta Comenda Estadual de Goiás, pelos "relevantes serviços prestados ao Estado de Goiás", Goiânia, 22/03/2006.
31. Comenda "Gran Cruz Orden del Libertador San Martin", a mais alta do governo da Argentina, "em reconhecimento pela inestimável ajuda oferecida aos exilados argentinos no Brasil durante a ditadura militar (1976-83)". São Paulo, 27/3/2006.

TÍTULOS, HOMENAGENS E DIPLOMAS DIVERSOS

1. Diploma da Creche João XXIII de Guaianazes, pelos relevantes serviços à ação comunitária paroquial. São Paulo, 1972.
2. Diploma-Homenagem pelos relevantes serviços prestados à comunidade na defesa dos direitos humanos, da 60ª Turma de Medicina da Universidade de São Paulo, 2/4/1978.
3. Certificado de Gratidão comemorando a visita ao Brasil do papa João Paulo II e os 480 anos de descobrimento do Brasil e da 1ª Missa, do Instituto Histórico e Cultural Pero Vaz de Caminha, São Paulo, 1980.
4. 6ª Personalidade mais influente do Brasil, eleição do Fórum Gazeta Mercantil, São Paulo, 1981.
5. 7ª Personalidade mais influente do Brasil, eleição do Fórum Gazeta Mercantil, São Paulo, 1982.
6. Diploma Honra ao Mérito da Casa de Detenção Prof. Flamínio Fávaro de São Paulo, pela contribuição à ressocialização dos encarcerados, 8/5/1987.
7. Diploma "Ordem dos Queixadas", do Sindicato dos Trabalhadores de Perus, pelo testemunho

de firmeza permanente e de ação não violenta na busca da justiça, São Paulo, 29/5/1987.

8. Menção honrosa da Comissão Nacional de Diálogo Religiosos Católico-Judaico/ CNBB, em reconhecimento pelo constante incentivo à aproximação entre os povos e apoio aos promotores da compreensão entre católicos e judeus no Brasil, 11/6/1989.
9. Título "Uma das 50 personalidades que ajudaram a tornar este mundo melhor", da entidade "The Christophers", New York, EUA, 5/5/1995.
10. Diploma de Honra pelos 50 anos de sacerdócio, da Câmara Municipal de Curitiba, PR – novembro de 95.
11. Homenagem - Reconhecimento pela Educação para a Paz, Justiça e Ecologia, da Universidade São Francisco, Bragança Paulista, SP, 7/10/1996.
12. Homenagem do Conselho Federal da OAB –Ordem dos Advogados do Brasil, Brasília – DF, 10/12/1996.
13. Diploma Mérito Comunitário, da Sociedade Amigos da Polícia Militar / 4° BPMM, São Paulo, SP, 3/5/1997.
14. "Negro Honorário", título concedido por sete entidades de afro-descendentes de São Paulo, 11/11/1997.
15. Troféu - Homenagem da Congregação Israelita Paulista, São Paulo, 29/3/1998
16. Homenagem da Plenária dos Conselhos Gestores dos Centros de Referência em Saúde dos Trabalhadores do Município de São Paulo, no encerramento do Seminário Nacional sobre Política de Saúde do Trabalhador - São Paulo, 23/4/1998.
17. Reconhecimento público do Governo Federal pela atuação heróica, abnegada e corajosa na defesa dos direitos humanos no país, publicado no Diário Oficial da União (Ministério da Justiça) n° 129, Brasília - DF, 9/7/1998.
18. Tributo de Gratidão da Câmara Municipal de São Paulo, 15/8/1998.
19. Homenagem da OAB - Ordem dos Advogados do Brasil – Seção Osasco - SP – e do CONDEPH - Conselho Estadual de Defesa dos Direitos da Pessoa Humana / Núcleo Osasco, no 1° Tribunal de Direitos Humanos "Dom Paulo Evaristo Arns" de Osasco, SP, 16/10/1998.
20. "Cardeal da Cidadania", título outorgado pelo Sindicato dos Jornalistas Profissionais do Estado de São Paulo, pelos relevantes serviços prestados à causa dos Direitos Humanos no Brasil, inclusive por sua atuação no esclarecimento do assassinato de Vladimir Herzog, São Paulo, 27/10/1998.
21. "Voto de Louvor", homenagem do Senado Federal, por sua relevante luta pelo respeito aos Direitos Humanos e pela afirmação dos valores cristãos no Brasil - Brasília, DF, 10/12/1998.
22. Homenagem pela Ação Pastoral do Idoso, do Comitê do Ano Internacional do Idoso, Ministério da Previdência Social, Brasília - DF, 27/9/1999.
23. Homenagem ao Grande Porta-Voz dos Direitos Humanos no Brasil, da Comissão Nacional de Direitos Humanos do Conselho Federal de Psicologia, Brasília-DF, 25/3/2000.
24. Homenagem da X Conferência Municipal de Saúde de São Paulo, Secretaria Municipal da Saúde e Conselho Municipal de Saúde, pela luta em favor dos Direitos Humanos e Justiça Social, São Paulo, 13/11/2000.
25. "Personalidade Brasileira dos 500 Anos", título outorgado a 500 personalidades escolhidas pelo Conselho de Honrarias e Méritos do Centro de Integração Cultural e Empresarial São Paulo, 30/8/2001.
26. "Trecheiro da Paz", concedido pela Rede Rua e Povo da Rua, "por sua solidariedade e compromisso com todos os excluídos e excluídas da sociedade brasileira e do mundo", 21/9/2001.
27. "Idoso de Expressão", pela atuação na área de Direitos Humanos, homenagem da Associação Nacional de Gerontologia/SP - 07/9/2001.
28. Homenagem do Conselho Estadual de Defesa

dos Direitos da Pessoa Humana, em solenidade realizada na Assembleia Legislativa do Estado de São Paulo. 16/5/2002.

29. "Amigo do Idoso", da Associação Forquilhense dos Grupos de Terceira idade, Forquilhinha, SC, 1º.6.02.
30. Diploma de Benfeitor, pelos devotados serviços prestados na Reforma da Capela Histórica do Menino Jesus e Santa Luzia, São Paulo - SP, 14/9/2002
31. Homenagem do XX Seminário de Estudos de Teologia, nos 40 anos de Concílio Vaticano II, em reconhecimento ao seu trabalho, amor, entrega, atenção na história do Brasil, na defesa dos Direitos Humanos e sendo fermento de uma Igreja renovada - da PUC - Campinas, SP, 27/9/2002.
32. Diploma "Mérito Dom Bosco" do V Congresso Salesiano de Educação, homenagem dos Educadores Salesianos da Inspetoria de SP, Águas de Lindóia, SP,14/6/2003.
33. Homenagem da Pontifícia Faculdade de Teologia N. Sra. Assunção, São Paulo por ocasião do Jubileu de Prata da fundação, por D. Paulo, do curso de graduação noturno, 9/10/2003.
34. Reconhecimento e homenagem das Nações Unidas, pelo Alto Comissariado das N.U. para os Refugiados, pela defesa dos Direitos Humanos e dos Refugiados, pelo incentivo e apoio ao trabalho de integração assinando os Convênios de parceria com a FIESP-SENAI e SESI e a FCESP-SENAC e SESC. São Paulo, Dia Mundial do Refugiado, 17/06/2004.
35. Homenagem do Sindicato dos Jornalistas Profissionais do Estado de São Paulo, "por sua incansável luta pelos Direitos Humanos e pela preservação da vida", São Paulo, 25/10/2004.
36. Homenagem do Conselho Nacional de Política Criminal e Penitenciária do Ministério da Justiça, instituindo o "Prêmio Dom Evaristo Arns" aos Vencedores do IX Concurso Nacional de Monografias, com o tema "Sistema Penitenciário: Saúde Mental e Direitos Humanos", Brasília, 17/5/2005.
37. Homenagem do Seminário Nacional "Crime Organizado e Direitos Humanos", do Departamento de Ciências Humanas da PUCCamp, Campinas,SP, 18/5/2005.
38. Homenagem da Assembleia Legislativa do Estado de São Paulo, através da Liderança do PT e do Presidente da Comissão de Direitos Humanos da Assembleia, deputado Ítalo Cardoso, à Comissão Justiça e Paz da Arquidiocese de São Paulo e a dom Paulo, que exerceu papel fundamental na história deste organismo, e que continua dando inestimável contribuição na defesa dos direitos fundamentais da pessoa em nosso país. 19/8/2005.
39. Homenagem do IV Congresso de Teologia de São Paulo, por ter sido "o grande profeta da luz, nas trevas do mundo" – Outorgado por seis Faculdades de Teologia de São Paulo e Grande São Paulo, 28/9/2005.
40. Homenagem da PUC-SP, por ocasião da abertura das comemorações dos 60 anos de fundação, "pela contribuição dada à história da Instituição", São Paulo, 6/6/2006.
41. Certificado Homenagem do Fórum de Ex-Presos e Ex-Perseguidos Políticos do Estado de São Paulo, "pelo seu trabalho em defesa dos perseguidos e por sua contribuição na luta contra os arbítrios cometidos pela ditadura militar" – São Paulo, 3/4/2007.
42. Homenagem intitulada "Há aqueles que lutam toda a vida, esses são imprescindíveis"(Brecht), do 1º Seminário Anistiados do Brasil, Anistia e Direitos Humanos, da Comissão de Direitos Humanos e Minorias da Câmara dos Deputados, com a Nota "Imprescindível é o título que lhe conferem os anistiados políticos do Brasil pela sua luta em favor dos Direitos Humanos" – Brasília, 15 e 16/8/2007.
43. Homenagem da Comissão Organizadora do XXIX Prêmio Jornalístico Vladimir Herzog de Anistia e Direitos Humanos, "por uma vida dedicada à causa dos desfavorecidos e cuja

fé inabalável na justiça e na democracia tem servido de exemplo para a construção da cidadania", Sindicato dos Jornalistas do Estado de São Paulo, 25/10/2007.

44. Homenagem da Arquidiocese de São Paulo, por ocasião das comemorações de seu Centenário de instalação, em solenidade realizada na Catedral Metropolitana, em 25/01/2008.
45. Homenagem da Fundação Memorial da América Latina, por ocasião do seminário "1968 - Ecos na América Latina", "na sua relevante participação humanitária na história política Brasileira" - São Paulo, 9/6/2008.
46. Homenagem da Comissão do 30º Prêmio Wladimir Herzog de Anistia e Direitos Humanos, do Sindicato de Jornalistas profissionais do Estado de São Paulo e da ONU, com outorga de réplica do Troféu Wladimir Herzog, de autoria do artista Elifas Andreato - São Paulo, outubro/2008.

OUTRAS

1. Um dos "100 Brasileiros Geniais", eleito pelos editores e repórteres de *O Globo*, por ocasião da edição nº 100 da *Revista O Globo*, 2006.
2. "Um dos 50 brasileiros que ajudaram a desenhar a imagem pela qual o ano de 1998 será lembrado", destaque da Revista *Veja*, em sua edição de fim de ano, 1998.
3. Um dos 20 eleitos - 2º lugar pela Comissão de Notáveis e 4º lugar pelos leitores da revista *IstoÉ*, como "O Religioso do Século", 1999.
4. Um dos Vinte Brasileiros Vencedores do Século XX do Projeto Personalidades Patrióticas Empreendedoras da revista *Inside Brasil*, de Fortaleza-CE, 27/6/2000.
5. Um dos Vinte Catarinenses que Marcaram o Século XX, segundo campanha do Grupo RBS e Telesc Brasil Telecom, através de votação popular recebida pelo *Jornal de Santa Catarina* e o *Diário Catarinense*, 12/6/2001.

SÓCIO HONORÁRIO

1. 1º Sócio Emérito do Centro de Estudos e Pesquisa em Direitos Humanos de São Paulo (CDH), pela construção dos valores de igualdade, liberdade e solidariedade na Sociedade Brasileira, São Paulo, 22/3/1999.
2. ANCARC - Associação Nacional Católica de Rádios Comunitárias, 09/5/1998.
3. Associação Paulista de Cirurgiões - Dentistas, Regional São José dos Campos, 06/5/1975 e 16/7/1982 (2ª vez).
4. Benemérita Associação Brasileira de Imprensa (ABI), Rio de Janeiro, 26/11/1996.
5. Centro Catarinense Anita Garibaldi, São Paulo, 1/12/1991.
6. Coral Eucarístico Comunicação de São Paulo, 1979.
7. Instituto Paranaense de Pedagogia, Curitiba, 31/1/1958.
8. Membro Honorário do PEN Clube do Brasil, Centro da Associação Mundial dos Escritores, Rio de Janeiro, RJ, 9/5/2003
9. Sociedade de Heráldica, Medalhista, Cultural e Educacional, São Paulo, 28/6/1999.
10. Sociedade Paulista de História da Medicina, 5/4/1973.
11. Sócio Emérito do Instituto Brasileiro de Ciências Criminais – título estatutário – em homenagem à luta empreendida em prol da Democracia e Direitos Humanos – 9/11/2001.
12. Pontifícia Academia Mariana Internacional, Roma, Itália, 19/11/1973.
13. Remido Honra ao Mérito da Associação Brasileira de Imprensa (ABI), setembro de 94.

REFERÊNCIAS

ARNS, Cardeal. *Olhando o mundo com São Francisco*. São Paulo: Loyola, 1982.

ARNS, D. Paulo Evaristo. *Da Esperança à Utopia – Testemunho de uma vida*. Rio de Janeiro: Sextante, 2001.

ARNS, D. Paulo Evaristo. *Em defesa dos Direitos Humanos – Encontro com o repórter*. Introdução de Frei Gilberto da Silva Gorgulho O.P. 2. ed. Rio de Janeiro: Civilização Brasileira SA, 1978.

AUGUSTI, Waldir Aparecido (Coord.). *Dom Angélico Sândalo Bernardino – Bispo Profeta dos Pobres e da Justiça*. São Paulo: ACDEM, 2012.

BETTO, Frei. *Cartas da Prisão*. 3. ed. Rio de Janeiro: Civilização Brasileira SA, 1977.

FESTER, Antonio Carlos Ribeiro. *Justiça e Paz – Memórias da Comissão de São Paulo*. São Paulo: Loyola, 2005.

SYDOW, Evanize, FERRI, Marilda. *Dom Paulo Evaristo Arns – Um homem amado e perseguido*. Petrópolis. Rio de Janeiro: Vozes, 1999.

CRÉDITOS DAS IMAGENS
Os créditos estão indicados por página.

Foto da capa: Matuiti Mayezo/Folhapress

FOLHAPRESS
35 (Fernando Santos); 39 (Antonio Galdero); 49 Evanir R. da Silveira); 55, 57 (Homero Sergio); 69; 102; 103; 130, 131 (Niels Andreas, Antonio Carlos Mafalda); 132 (Luis Carlos Marauskas); 152-200 (Matuiti Mayezo); 157 (Davi de Barros); 174; 175; 177; 187; 196-197 (Álvaro Costa); 221 (Manoel Pires); 229 (Fernando Santos); 239; 292 (Janduari Simões).

N-IMAGENS
07, 85, 86, 138, 139, 148, 158, 189, 192, 193, 198, 203, 230, 231, 232, 233, 238, 268, 269, 276, 277, 288, 289, 290

ACERVOS
Ana Flora Anderson, 294; Arcebispado de Mariana (MG) 149; Arquidiocese de Fortaleza 94; Arquivo dom Duarte 92, 106; Belisário dos Santos Junior 282; Chico Wihtaker 235; Clovis Rossi 169; Douglas Mansur 28, 35, 55, 56, 58, 80, 83, 95, 152, 224, 274; Fernando Morais 168, 271 (Wagner Avancini); Frei Betto 48, 205, 214, 215, 219, 296; Helio Campos Mello 183, 184, 185, 213; Instituto Vladimir Herzog 14, 15, 147-160-234 (Nivaldo Silva), 180; Irmã Devani, 18; Irmã Maria Helena Arns 25, 26, 27; Luis Eduardo Greenhalgh, 208; Margarida Genevois 109, 111, 120, 134; Maria Angela Borsoi 33, 56, 59, 61, 62, 278; Mariela Salaberry 170; Oboré 159; Mário Simas 118; O São Paulo 34, 35 (Regina Vilela), 136, 146, 154, 155, 190, 225, 275; padre Ubaldo Steri 87, 104, 105; Presidência da República (Roberto Stuckert Filho) 133; Revista Imprensa 67; Ricardo Carvalho 248; Ricardo Kotscho 283; Tuca (cdm) 189, 191; U Dettmar, 241; Unicamp 123;

FOTÓGRAFAS
Carla Pietro, 20, 78, 117.
Cameni Silveira 44, 74, 103, 145, 260.

Todos os esforços foram empreendidos para obter a permissão de publicação das 359 ilustrações presentes nesta obra. Pedimos desculpas por eventuais omissões involuntárias e nos comprometemos a inserir os devidos créditos e corrigir possíveis falhas em edições subsequentes.

O CARDEAL DA RESISTÊNCIA: AS MUITAS VIDAS DE DOM PAULO EVARISTO ARNS

Autor
Ricardo Carvalho
com:
Antonio Carlos Fester
Inês Caravaggi
Maria Angélica Rittes

Consultoras (pesquisa)
Ana Flora Anderson
Maria Angela Borsoi

Revisão
Eduardo Soares
Cecília Martins
Vera De Simoni
Felipe Castilho
Lúcia Assumpção
Giane Morato (apoio)

Projeto gráfico
Kiko Farkas / Máquina Estúdio
André Kavakama
Michele Alves (apoio)

Capa
Diogo Droschi – Autêntica Editora

Transcrições
Fabiana Dias

Tratamento de imagem
Carlós Amorim

Impressão e acabamento
Rona Editora

Editora Instituto Vladimir Herzog
Ivo Herzog – diretor

Apoio
Autêntica Editora
Rejane Dias – diretora

DADOS INTERNACIONAIS DE CATALOGAÇÃO
NA PUBLICAÇÃO (CIP)
CÂMARA BRASILEIRA DO LIVRO, SP, BRASIL

CARVALHO, Ricardo.
O Cardeal da Resistência: as muitas vidas de dom Paulo Evaristo Arns / Ricardo Carvalho. 1. ed. – São Paulo : Instituto Vladimir Herzog, 2013.

ISBN: 978-85-65059-03-9

1. Arns, Paulo Evaristo, 1921– 2. Cardeais – Biografia 3. Igreja Católica – Brasil – História I. Título

13-11453 CCD-922

Índices para catálogo sistemático:
1. Cardeais: Biografia e obra 922

Impresso em outubro de 2013
FONTE Clarendon e National
PAPEL Offset alta alvura 120g/m²
TIRAGEM 3200